LE CHEMIN DE JEAN

DU MÊME AUTEUR

Un village pourtant si tranquille, Presses de la Cité
Les Yeux de Manon, Presses de la Cité
Emma, Presses de la Cité
L'Enfant traqué, Presses de la Cité

B r i g i t t e   V a r e l

LE CHEMIN DE JEAN

Roman

LE GRAND LIVRE DU MOIS

« Nous méritons toutes nos rencontres, elles sont accordées à notre destin, et ont une signification qu'il nous appartient de déchiffrer. »

François Mauriac

« Il y a plus de choses au Ciel et sur la Terre, Horatio, que n'en ont rêvé tes philosophes. »

Shakespeare

Je remercie vivement Mireille,
pour ses judicieux conseils.

Prologue

Lorsqu'il relevait la tête, son regard halluciné se heurtait aux fines particules suspendues dans l'air jaune. La poussière dense des lieux surchauffés rendait sa respiration rauque et difficile. La sueur lui piquait les yeux, coulait le long de ses tempes. La corde rêche meurtrissait ses doigts. Il sentait un durcissement dans le creux des épaules, un tremblement incoercible dans les membres. Une asphyxie. Au bord de la suffocation, il s'acharnait pourtant à confectionner son arme.

Un bruit l'alerta.

Il se pétrifia. Le cœur fou. Désespérément accroché à cette évidence : personne, plus jamais, ne s'ingérerait indûment dans sa vie.

Un appel lui parvint. De Yolande.

Haletant, il abandonna la corde. S'approcha des planches disjointes qui faisaient office de mur, hérissées de lames de soleil.

La grange n'était que bois, poutres, planchers, paille, sciure et vieux objets empilés à l'abandon. Le simple frottement d'une allumette en ferait un immense brasier.

L'idée d'une immolation par le feu lui enflamma aussitôt l'esprit lorsqu'il escalada deux malles, tel un chat ivre, pour arriver jusqu'à l'interstice pratiqué à l'Opinel. Cet œil sur l'extérieur lui avait toujours permis d'épier les habitudes de la ferme. Une étincelle, et tout partirait en fumée bien avant que quiconque puisse réaliser. Lui-même, anéanti, deviendrait cendre, se brésillerait et sombrerait dans la paix éternelle. Oublié des vivants.

Il vit la silhouette un peu courbée de mémé Yolande devant la maison, qui regardait tout autour d'elle, sans doute avec cet air soupçonneux qu'elle avait toujours eu le concernant. Sa robe noire lui donnait une allure sévère. Il se rejeta en arrière quand elle s'attarda à détailler la grange comme si elle l'avait deviné derrière les lattes. Il fut presque soulagé de ne pas voir Marthe, dont l'œil acéré aurait transpercé les planches pour le trahir.

Tandis que l'image sombre s'imprimait en lui, son cœur s'emballa davantage, jusqu'à lui faire définitivement mal. Il en fut surpris : depuis qu'il avait pris sa décision, celui-ci n'avait manifesté aucune rébellion, ni même d'appréhension. Pourtant, à cet instant, précisément au moment où sa grand-mère apparaissait, le cœur s'insurgeait, comme pour le détourner d'un acte aussi fou, aussi vain. Il paniquait, soudain conscient que ses efforts quotidiens pour maintenir en vie cette jeunesse saine allaient se mesurer à un dégoût fatal. Le cœur subissait l'assaut de l'esprit révolté.

La jeune vie se repositionna devant la brèche. Mémé Yolande avait disparu. Ne restaient que l'espace et le soleil trop chaud, une journée pesante comme toutes celles du mois de juillet, la cour de la ferme emplie de gallinacés tranquilles et la vue dégagée, tout là-bas, sur les montagnes du Dévoluy, fumeuses et pâles dans la lumière éblouissante.

Quelque chose cependant exalta sa griserie ; la chienne Tiki, rhumatisante, avait quitté le relatif confort de sa niche et s'était immobilisée face à la grange. L'animal, dont l'instinct percevait son drame, pointait son beau et doux museau blanchi dans sa direction et, sans le voir mais le sachant là, semblait attendre, hésiter... Comprendre ?

Il y eut trois secondes chargées d'émotion intense, comme cela se produit lorsqu'un instant de grâce saisit les sens. Le temps de quelques battements de cœur, tous deux se communiquèrent une affection indéfectible, que lui, l'homme, avait un peu oubliée au fil des dernières années, trop préoccupé à réussir son pari.

Une nouvelle vague de remords lui tordit les entrailles, tandis qu'il restait à l'écoute, frissonnant malgré la chaleur.

Un autre appel rompit à nouveau le silence. La voix, qu'il crut reconnaître, acheva de le briser.

Alors, il ne sut plus s'il avait peur d'être surpris ou peur de mourir.

Quand il se remit à la tâche, ses doigts se firent plus malhabiles à nouer l'épaisse corde pour confectionner un lacet.

Il était trop tard. Pour tout.

Son histoire avait ressemblé à celle de ces enfants embarqués malgré eux dans les méandres abscons d'une vie scabreuse ; avec des instants bons ou mauvais qui l'avaient conduit à conjuguer le droit avec l'interdit, l'amour avec la haine.

Devait-il accuser le destin implacable, invoquer la méchanceté ou la bêtise humaine, une justice laxiste, la malchance ou même le hasard inconstant ? A moins qu'il ne sût reconnaître que le mal engendre le mal.

Mais n'avait-il pas mis, tout simplement, ses fragilités d'enfant au service d'une menace, d'une machination ?

La lourde corde rabattue sur l'épaule, il posa son pied sur le premier barreau de l'échelle et agrippa le montant lisse.

Mais son élan se figea.

Aussi soudain qu'inexplicable, un flash encombra ses gestes.

Comme dans un rêve, il revoyait le pépé raboter les bras de cette même échelle, polir les barreaux, les arrondir, limer les nœuds récalcitrants du pin. Il se revit lui-même passer un à un les rondins que le pépé encollait avant l'assemblage final. Si particulière, l'odeur d'amande de la colle blanche investit ses narines, tandis qu'il posait sa joue sur le montant de l'échelle en un abandon douloureux.

Il ferma les yeux, revenu à l'âge tendre, lorsqu'il était encore pur, si loin des vilenies et bassesses de ce monde, juste plein d'espoir, plein d'amour et d'ingénuité pour se construire à l'image des hommes.

Il allait se perdre dans l'infini.

Il crut sentir sur son front une caresse. Fugitive et légère. Douce comme un souffle tiède. Il aurait aimé sombrer dans un océan de douceur.

En rouvrant les yeux, il eut un choc. Allons, il divaguait ! Aussi sûrement que Marthe, cette folle !

Comment pourrait-il être là, le vieil homme mort, celui-là même qui l'aurait retenu à la vie après la lui avoir rendue belle ? Il jura entre ses dents. Il ne croyait pas aux fantômes.

Que n'avait-il conservé son admiration, unique, pour ce vieillard aux actions pleines de bon sens et de sagesse ?

Que n'avait-il eu le pouvoir de le protéger de l'être maléfique qui avait décidé de son destin ?

Son coup de tendresse fut balayé par un nouvel accès de désespoir, à la limite du ressentiment.

Il eut un sursaut. Il lui fallait atteindre son dernier but. Il avait traversé tous les degrés du désabusement et du mépris de soi, pour finalement buter contre un mur infranchissable. Son ultime résolution, par-delà la vie dont il ne voulait plus, clôturait tous ses mauvais choix et le rendait à l'innocence.

Surmontant une réticence, il gravit les derniers barreaux en courant, comme pour échapper au harcèlement d'autres clichés. Il mit le pied sur la poutre centrale autour de laquelle il fixa un bout de la corde, jeta le reste par-dessus sa tête, sur une deuxième traverse. Le moulinet servit à arrimer le chanvre, à presque cinq mètres du plancher.

Une autre image l'assaillit, surgie de sa démence, alors que le nœud coulant oscillait devant lui comme un fruit défendu. Image d'où germait le doute de l'utilité de son abandon du monde… La même corde déjà effilochée, qui lui servait autrefois, à cet endroit justement, de balançoire. Il lui fallait s'extraire de la spirale des souvenirs. Une corde poussée par le bras encore vigoureux de son ami… Des éclats de rire au temps de l'insouciance... Il lui fallait abréger cette souffrance-là aussi.

Une nouvelle fois, hallucinant, le visage du pépé emplit son champ visuel.

Pour échapper à la vision, Jean se barricada derrière ses paupières crispées. En vain. Saisissante de réalisme, l'image du vieillard chenu s'imposait. Alors qu'éclataient dans l'air électrique les hurlements de la chienne. La terreur de l'animal déclencha la sienne, le faisant crier à l'unisson :

— Va-t'en ! Va-t'en !

D'un revers désespéré de la main, il écrasa les gouttes, sueur ou larmes, qui se rejoignaient sous son menton. Maudissant Marthe, comme si la vision ne pouvait être que de son fait. Maudissant le monde, s'en remettant au diable. A Dieu. Peu importait. Il ne croyait en rien. Il sombrait dans la folie. Car ce n'était plus seulement le visage mais le corps tout entier du pépé qui s'interposait entre le vide et lui.

Il se concentra sur l'idée qu'il allait mourir au même endroit que le cher homme.

Il n'entendit pas les cris qui se rapprochaient.

Il était déjà virtuellement mort. Très loin dans sa souffrance, où nul ne pouvait le rejoindre.

Sitôt qu'il eut glissé sa tête dans le lacet, il se jeta dans le vide. Trop vite pour que ses mains, d'un suprême réflexe de survie, pussent venir protéger sa gorge.

Le pépé

1

Plus interrogatif que navré, le regard de Jean revint sur son copain Gilles.

L'hématome qui marquait la tempe de l'enfant blond l'intriguait pour une seule raison, non qu'il fût insensible à la douleur en général, mais il était encore à l'âge de cette insouciance. L'aspect du coup se modifiait de jour en jour et, cet après-midi-là tout particulièrement, s'accordait à la couleur des cieux.

L'œil de Jean fila vers la fenêtre pour une dernière comparaison.

Dans un ciel assombri, les nuages au bleu violacé luttaient contre un vent furieux venu du nord et se déchiraient aussi promptement qu'ils s'étaient agglutinés. Vive et piquante, la bise qui balayait en sifflant le plateau matheysin traversait les manteaux, courbait les échines, gelait l'atmosphère depuis le matin, charriant avec elle une poussière de neige.

Jean n'avait pas la tête à l'école. La voix du maître ne captait pas son attention, rien d'ailleurs ne l'intéressait que de connaître le temps qu'il lui restait encore à se tenir tranquille.

Il revint pour la énième fois examiner le profil au

front buté et se prit à admirer son voisin. A sept ans, le benjamin de trois garçons, Gilles Rénier savait jouer des poings pour affirmer son indépendance. Il devançait parfois les questions muettes de Jean.

— Je me suis pas laissé faire.

Plus âgés, Charles et François, les deux frères qui foulaient la cour des grands, à côté de la leur, ne paraissaient pourtant pas des plus bagarreurs. S'ils affichaient une mine renfrognée, ils semblaient avoir les mains collées au fond de leurs poches. Bien qu'ayant seulement onze et dix ans, ils avaient déjà les airs de futurs petits durs, bousculant pour la forme les loupiots qui collaient à leurs basques.

Une fois, pourtant, on aurait pu croire que les deux frères de Gilles lui étaient tombés dessus ensemble. Le garçon était arrivé à l'école en boitillant. Le maître l'avait gardé avec lui durant la récréation et Jean, de loin, l'avait vu parler longuement sans que Gilles fît un mouvement.

— Qu'est-ce qu'il t'a dit ? l'avait-il questionné à la reprise des cours.

Un haussement d'épaules avait clos ce second interrogatoire.

L'entente des deux enfants n'était pas faite de bavardage intime. Elle ne datait que de l'été, lorsque Jean et sa mère étaient venus habiter chez mémé Yolande et pépé Jules, à deux pas de La Mure. Ils échangeaient dans une complicité de bon aloi, avec une parcimonie de mots qui résumaient à peine leurs états d'âme.

Ils ne participaient aux jeux que contraints par le maître. Leur comportement se distinguait de celui des autres. S'ils agaçaient les enfants en les excluant de leur cercle, leur discrétion commune assurait leur alliance. Des partages de billes ou de goûters constituaient cette amitié qui n'avait besoin d'aucun discours et encore moins d'un troisième larron.

Ce n'était pas qu'ils se ressemblaient vraiment, ni physiquement ni moralement, mais, du genre taciturne et renfermé, tous deux avaient bien trop à faire en dehors de la cour de l'école pour se concentrer sur la vie en communauté. Gilles, blondinet délicat, pour supporter un triste quotidien lourd de menaces ; Jean, maigrelet brun de poil et de peau, pour se complaire dans l'affection du pépé. Le premier n'avait aucune référence sur le bonheur, le second s'en découvrait une : un arrière-grand-père de soixante-dix-neuf ans.

— Jean, pourrais-tu cacher ton impatience, s'il te plaît ?

La voix de l'instituteur arracha l'enfant à sa rêverie. Il arrêta de gigoter, confus, seul au milieu d'un ricanement collectif.

— Il reste cinq minutes avant la sonnerie. Tu pourrais peut-être te replonger dans ta lecture ?

Jean baissa le nez, soudain tout heureux. Cinq minutes ! Autant dire qu'il pouvait déjà ranger ses affaires. Mais il sentait l'œil du maître sur lui et il fit encore semblant de s'intéresser à l'illustration d'un texte.

Lorsque la sonnerie retentit, il oublia Gilles et tout le reste et se leva comme s'il avait été monté sur ressort. Il dut pourtant contenir sa fougue jusqu'au portail de l'école où, de loin, avec un réel soulagement, il avait repéré la masse imposante, immobile dans la froidure.

Et tout comme son impétuosité l'avait fait se

précipiter, une étrange timidité le retint face au vieil homme. Il nota le renflement, sous la cape, du sac qui devait contenir ses effets personnels. Les yeux baissés, sans un mot, il faufila sa menotte dans la large main qui avait emmagasiné de la chaleur sous la pèlerine et se mit à trotter auprès du pépé, abandonnant sans regret aucun, pour quarante-neuf heures – il avait laborieusement fait le compte –, l'école, sa mère et ses grands-parents.

Le cœur gonflé d'allégresse, il passa devant la petite maison des gardes-barrière, ignorant ses fenêtres éclairées, et laissa filer devant lui un troupeau d'enfants bruyants, dans lequel se trouvait Gilles. Ils ressemblaient tous à des bossus avec leur cartable sur le dos, penchés en avant, le nez enfoui dans leur écharpe, excités à l'idée des prochains flocons. Les rafales glacées allaient rapidement vider les rues déjà au seuil de la nuit. L'hiver arrivait à grands pas dans ce pays réputé froid.

L'homme et l'enfant sortirent de Nantizon pour pénétrer dans La Mure. La bise les poussait dans le dos, les pressait, les chassait, les fouettait de minuscules confettis blancs. Le pépé fit passer Jean sur sa droite, l'ensevelit sous la lourde cape, faisant écran de son grand corps aux attaques de grésil.

Aucun mot n'avait été prononcé, aucun ne le serait avant qu'ils ne fussent rendus. Mais rien ne comptait que cette proximité, ce contact à la fois rude et doux, cette poigne tiède et rassurante qui donnait à l'enfant le désir absolu de poursuivre, envers et contre tout, sa route avec le pépé. Il la savait longue, interminable à travers ce froid. Mais il en serait autrement quand la neige aurait recouvert les routes, les congères envahi les trottoirs. Le pépé ne ferait plus le trajet pour venir le chercher le vendredi et le ramener le dimanche. C'était mémé Yolande qui l'avait dit, sans se douter de l'émoi de Jean, comme elle aurait donné l'heure à un passant : « La neige arrive. »

Cela s'était passé la veille. Depuis, les trois mots tracassaient l'enfant.

— Mon père n'en fait qu'à sa tête, mais il tient à avoir le petit. A croire qu'il l'élèverait mieux qu'on ne t'a élevée, toi. Mais il ne fera pas les trajets pendant encore bien longtemps, la neige arrive.

L'espèce de reproche avait fait grimacer sa mère. Elle avait tordu la bouche avec cet air pincé qu'il n'aimait pas. Mine de rien, penché sur ses devoirs, il avait espéré une réponse ; sa mère parlait si rarement, sans jamais rien expliquer.

Mémé Yolande avait continué à éplucher des pommes de terre au-dessus d'un journal étalé sur la table, tandis que sa mère feuilletait nonchalamment un magazine, une cigarette à la main. Elle avait une vilaine manière de rejeter la fumée de ses gauloises, empruntée aux loubards des rues marseillaises. Jean les avait bien repérés, ces rictus en coin de bouche qui permettaient de souffler sur le côté.

— Enfin, s'il veut le voir cet hiver, il faudra bien que tu le lui amènes un peu, avait affirmé mémé Yolande.

— Quelle idée de le prendre toutes les fins de semaine, avait soupiré sa mère.

— Il est tout de même mieux là-bas. On sait bien

ce que ça t'a valu, à toi, de traîner avec tous les morveux du coin !

Un coup d'œil sur la tête brune penchée avait rassuré mémé Yolande. Jean était bien trop jeune pour comprendre quoi que ce soit.

— Tu ne vas pas recommencer, s'était rebiffée sa mère. Tu ne vas pas me rebattre les oreilles avec la même rengaine. Ça valait bien la peine que je déménage ! Je suis là depuis déjà trois mois et tu continues à me balancer tes reproches à la figure !

La riposte et le geste du couteau pointé vers elle avaient été vifs :

— Comme tu continues à te lever à point d'heure, à rêvasser et feignasser tous les matins en savates, à lire ces magazines à l'eau de rose, à fumer comme un pompier et à prendre ton temps pour chercher du travail ! Remarque, avant tu faisais la fière partout. Je préfère encore te voir comme ça. Les gens finiront bien par se taire quand ils se seront habitués. Et... on a le temps pour le reste.

Jean n'avait pas vu le coup de menton à son intention, mais il avait vu s'épaissir les pelures des pommes de terre et perçu la tension dans l'air.

— Laisse-les donc jacasser, avait répondu sa mère, agacée. Qu'est-ce que ça peut bien me faire, à moi ? J'ai ramené un gosse, mais j'ai aussi un mari !

— Ah, parlons-en, de celui-là, tiens ! Beau mari en perspective. La honte sur nous de ton escapade, d'un mariage à la sauvette, d'un retour la tête basse et d'un gendre fantôme. Ton père ne te pardonnera jamais tous ces affronts cumulés ! On voit bien que tu n'as pas connu le regard des gens, ni entendu leurs commentaires quand tu as pris tes cliques et tes claques ! Pour tous, tu es revenue avec un bâtard !

Mémé Yolande s'était subitement tue. Jean avait entendu sa respiration, courte et oppressée de contenir sa colère. Et puis la passoire en fer avait tinté trop fort contre l'évier, et l'eau avait giclé sur les légumes malmenés. Mémé Yolande avait recommencé à maugréer tout en séchant une saucisse d'herbes qui dessalait depuis la veille au fond d'une bassine emplie d'eau.

La voix de Charles Trenet avait repris possession des lieux, les éclaboussant de gaies envolées depuis la TSF posée sur le Frigidaire.

Les propos des adultes dépassaient Jean, particulièrement lorsqu'ils abordaient ce sujet, mais il se sentait concerné. Du haut de ses sept ans, il aurait aimé que les avis sur l'absent aient un même son de cloche. Par sa mère, il savait que son père était gravement malade, soigné dans un hôpital, loin. A l'étranger même. Jusqu'à quand restait le grand mystère. Mais depuis qu'ils étaient venus habiter chez les parents de sa mère, il devinait que cette vérité n'était pas la leur.

— Elle est toujours foldingue, la tante ?

Mémé Yolande n'avait pas été dupe du changement de conversation. Elle avait regardé la nuque penchée de Jean et approuvé, tout en emplissant une casserole d'eau.

— Elle continue en douce à tirer les cartes.

— Elle entend toujours des voix ?

— Vu son air azimuté, je pense que oui.

— Et l'aïeule, elle l'avait vraiment, le don ?

— Les gens le disaient. Mais tu ne vas pas t'y mettre, toi aussi, à croire ces âneries ?

— Et si c'était vrai ? Si elle entendait vraiment des voix ? Si elles avaient le don, toutes les deux ?

— Bêtises, avait contré mémé Yolande, butée, en posant la casserole sur la cuisinière à charbon.

— A la ville, des gens comme elle ont une clientèle.

— Charlatans, profiteurs, je te dis ! Qui abusent de la crédulité de ceux qui paient pour s'entendre dire ce qu'ils souhaitent !

— Je vois mal à qui la pauvre Marthe peut faire du tort, ici.

— A elle, d'abord ! Ça lui tourne la tête.

Stoppant le débat, une sonnerie avait retenti. Grêle. Stridente. Impérative.

Mémé Yolande avait levé un regard las sur la pendule qui trônait au milieu du mur gris de la cuisine, puis l'avait rabaissé sur sa fille avant de secouer la tête en grommelant.

— Ça n'est pas habillée comme ça que tu peux aller faire mon travail. En chemise de nuit à onze heures du matin !

Elle avait essuyé ses mains sur son tablier aux couleurs passées, avant de venir devant une boîte cubique accrochée au mur à côté de la porte, dont le volet gauche s'était ouvert. Elle avait actionné une petite manivelle, prévenant un invisible correspondant qu'elle avait compris la manœuvre, et son geste avait fait cesser la sonnerie.

Sans trop se presser, ella avait ramassé sur une chaise un gilet aux pans déformés et était sortie dans le froid attendre le train qui venait sur eux depuis Villaret, situé à moins de deux kilomètres ; le volet droit du boîtier, en s'ouvrant, aurait signalé un train venant de La Mure.

Jean avait bondi à la fenêtre et, sur la pointe des pieds, d'un large mouvement du bras, il avait essuyé la buée qui obstruait la vitre pour suivre l'avancée du train sur la longue ligne droite. Il adorait voir sa grand-mère provoquer l'abaissement des barrières de part et d'autre des rails luisants en actionnant la manivelle d'un geste énergique.

Le train n'avait pas tardé. Un tremblement sourd avait enveloppé la maisonnette, tandis qu'une joie toute bête avait étreint le cœur de Jean. Les yeux brillants, un sourire aux lèvres, il avait tourné la tête vers sa mère. Celle-ci, comme d'habitude, grimaçait, les mains collées sur ses oreilles. Le sourire de Jean s'était accentué en revenant à mémé Yolande dehors, frileusement engoncée dans le lainage qu'elle croisait sur sa poitrine, et dont la bouche soufflait une vapeur blanche.

Il avait le sentiment que le métier de garde-barrière était le plus beau métier du monde ; ami de ces grosses machines qui sillonnaient tous les pays, complice qui avait le pouvoir de stopper tous les autres véhicules et vélos pour donner priorité aux monstres de fer. Le parallélisme des rails avait pour lui la magie du continuel, de l'ininterrompu. Du rêve et de l'évasion.

Quand mémé Yolande était rentrée, frissonnante, elle l'avait regardé d'un œil morne.

— La neige arrive, mon gars. Je la sens dans tous mes os. Je doute que le pépé vienne te chercher demain soir.

2

Jean avait pris ce déménagement comme le début d'une aventure.

La vie qu'il avait jusque-là menée dans un quartier pauvre de Marseille n'avait pas tracé une empreinte indélébile en lui. Il ne se souvenait d'aucun personnage autre que sa mère et lui dans le minuscule appartement triste, mais seulement d'un grand vide, d'une grande absence. D'un immense ennui. D'une vie repliée sur elle-même, sans avenir.

Sa mère, démunie de toute fibre maternelle, avait travaillé dans divers endroits, sans qu'il eût su réellement ce qu'elle faisait. Des voisines de palier l'avaient souvent gardé, le gavant de quignons de pain pour l'occuper, le menaçant de taloches s'il bougeait, pestant quand sa mère tardait à rentrer, accentuant par là même sa peur d'être délaissé tout à fait.

Il s'était toujours senti solitaire, un peu malmené par sa mère, ignoré d'elle en tout cas, lorsqu'elle ne le traitait pas de boulet les soirs de déprime. Il la regardait se verser plusieurs verres de xérès et les boire à petits coups secs, attendant le moment où elle ne supporterait plus son regard grave posé sur elle. Il allait alors dans la chambre, qui contenait en tout et pour tout un petit et un grand lit, il se déshabillait, prenant soin de ne pas éparpiller ses vêtements mais de les amalgamer sous son sommier, et se hâtait de disparaître sous les couvertures. Pour ne pas l'entendre lui reprocher d'exister. Pour ne pas lui donner l'occasion de se défouler par quelques gifles ; c'était chose courante après le xérès.

Comme sa mère l'avait abandonné dans son parcours affectif, ne lui parlant jamais et le traînant dans sa vie comme un animal docile, Jean avait dû jusque-là développer seul ses aptitudes à l'intériorité.

Puisque sa mère le culpabilisait d'être trop curieux, il avait appris les silences, mais se préparait en secret à aimer son père. Car s'il n'était pas mort, il allait revenir. Cela, au moins, sa mère n'avait pu le démentir, même si le « oui » lâché avait contenu un tas de sous-entendus.

Son entrée à l'école n'avait pas su combler ce rythme d'ennui. Côtoyer les autres enfants ne lui apportait aucun plaisir, au contraire même, l'enveloppait d'une certaine crainte ; inconsciemment, il se savait différent. Peu motivé pour grandir, sevré d'amour, il portait ce manque comme une affection. Prostré dans une aura de mélancolie, il s'était senti constamment en attente du grand retour, anxieux de n'avoir pas le moindre souvenir à décortiquer. Alors, rêveur et distrait, au milieu de quelques babioles récupérées de-ci de-là qui constituaient tous ses trésors, il s'était inventé un père.

Il avait étudié la gent masculine avec avidité – c'était sa seule curiosité à l'égard du monde extérieur –, comme pour se préparer au choc de la rencontre. Parce que, avec le temps, une sorte d'appréhension l'oppressait à l'idée de ne pas reconnaître son père quand la guérison le lui rendrait.

Dans son monde à part, un visage évoluait selon son humeur ou ses doutes, lorsqu'il imaginait ce père dont il ne se rappelait rien. Qui prenait différentes allures, en fonction des hommes qu'il détaillait ; un tel lui semblait bien hautain, assis à la terrasse d'un café, et son père aurait eu cet air-là assurément, satisfait et sûr de lui. Un autre peinait, courbé sous une caisse de marchandises devant une épicerie, et l'idole devenait un simple travailleur honnête ; un autre encore avait le corps trop fin, comme amaigri et malade, et manquait de personnalité.

Finalement, il l'avait préféré en héros, grand, mince, brun comme lui – car d'où tirait-il ses cheveux noirs lui-même ? Il savait que les enfants ressemblent à leurs parents, il l'avait appris à l'école –, la lèvre supérieure ornée d'une petite moustache fine et distinguée, à l'image de celles des artistes affichés sur les devantures de cinéma et qu'il admirait passionnément.

Cela lui permettait de se construire malgré tout, fixé sur un objectif louable, et satisfaisait partiellement son attente au milieu d'un flot de questions sans réponses. Intuitivement, il calquait cette attente sur celle de sa mère. Il avait l'habitude de la voir assise contre la fenêtre dans l'unique fauteuil défoncé de la pièce et fumer cigarette sur cigarette, plongée dans un vague à l'âme qui l'exaspérait. Cet état ne lui prenait-il pas l'esprit de sa mère en la détournant de lui ? Elle sortait de ses méditations avec une envie plus marquée encore de l'éloigner d'elle. Il avait appris à refouler ses désirs de la voir le regarder pour se sentir beau, de l'embrasser pour humer son odeur. Il avait appris à ne rien témoigner d'autre qu'une même indifférence, pour ne pas s'imposer, pour ne pas la déranger davantage. Il savait se faire invisible, mais tout cela sans comprendre, nageant dans une incertitude chronique, n'en replongeant que mieux dans sa soif d'amour paternel.

Aussi prit-il l'annonce du grand voyage comme la cassure d'une vie monotone. Sa seule angoisse vint d'un doute affreux : son père connaîtrait-il leur nouvelle adresse ?

— Aucun danger à cela, rassure-toi, lui avait dit sa mère de ce ton vague et ironique qui cachait tant de choses.

Quant à se découvrir une famille, il n'aurait su dire si cela lui avait fait plaisir. Toujours se surveillant, il ne manifesta rien d'autre qu'un détachement mesuré. Mais, ayant écouté de toutes ses oreilles les propos échangés avec la voisine, il fut surpris d'entendre sa mère émettre des réserves sur son retour au pays.

Ils avaient débarqué une fin d'après-midi devant la petite maison des gardes-barrière de Nantizon, lieu-dit proche de La Mure, capitale de la Matheysine, en Isère, couloir nord-sud balayé par les vents, surnommée la Sibérie du Dauphiné. C'était une journée d'août, chaude et ensoleillée, dont tout le monde profitait avidement, conscient de la brièveté de l'été, là, en moyenne montagne.

La placette poussiéreuse, sur laquelle se dressait la statue d'un poilu baïonnette au poing, lui-même centré dans le monument aux morts, était le lieu de prédilection d'une dizaine d'enfants en culottes courtes. Tout autour s'alignaient des maisons d'allure identique, aux murs gris, presque noirs, demeures des mineurs accolées au Cimon, cette colline dont la tâche ingrate était de rivaliser avec des tas de charbon accumulés un peu plus loin.

Le car qui les avait déposés venait à peine de repartir et déjà, d'un même regard perplexe, tous les voisins présents observaient les arrivants encombrés de valises et de sacs. Les gosses avaient retenu le jet de leurs billes, des rideaux avaient bougé aux fenêtres, des lanières de plastique s'étaient écartées des portes. Des murmures avaient glissé jusqu'à eux : « Mais c'est la Josette qui revient ! C'est pas la Josette ? Pas possible ! Vous saviez qu'elle devait revenir ? Elle a un môme ? C'est le sien ? »

Imperturbable, la dénommée Josette avait traversé la voie ferrée, ouvert le portillon de la cour. Elle avait poussé les bagages devant elle en ordonnant à Jean de la suivre, alors qu'il n'avait d'yeux que pour les rails zébrant le sol à deux pas de l'habitation.

Ils s'étaient retrouvés dans une petite cuisine carrée, fraîche et un peu sombre, face à deux individus au visage figé dans une sévérité de circonstance. Les lieux n'avaient pas eu de quoi étonner l'enfant. Simples, sans chichi particulier. Le maximum avait réussi à être casé dans l'espace réduit. La seule note gaie venait de la table, dont le jaune vif de la toile cirée excitait quelques mouches. Jean en avait compté cinq. Et puis sa mère avait cassé le silence devenu pesant :

— Voici tes grands-parents, mémé Yolande et

pépé Jules. Nous allons vivre chez eux un temps. Tu as compris ?

Il s'était écarté d'elle, qui le cachait, et les avait mieux regardés, portant d'emblée son attention sur l'homme. Mais il n'avait pu rencontrer le regard qui jaugeait sa mère ; un regard lourd, froid. Un regard d'ennemi refusant la trêve.

L'homme portait une tenue de toile épaisse, dont la veste bleue était ouverte sur un tricot de corps gris. Son air las, étalé sur des traits durs, ses mains calleuses aux doigts épais qui prolongeaient les bras ballants, la voussure de ses épaules déjà tombantes, tout le vieillissait plus que les rides entremêlées sur son front bas. Rien, dans son attitude, n'avait laissé transpirer la plus infime étincelle de bienvenue. Son ignorance délibérée de sa présence avait affecté Jean, qui, au tréfonds de lui, avait senti s'envoler un infime espoir.

Après un affrontement silencieux, durant lequel sa fille l'avait bravé d'un regard analogue au sien, pépé Jules avait tourné les talons. Il s'en était allé sans hâte dans la pièce attenante, tandis que le corps de Josette se détendait un peu.

Jean s'était alors intéressé à la femme. De la taille de son époux, mémé Yolande le surpassait en poids. Des kilos s'étaient entassés sur ses hanches, qu'une jupe trop serrée saucissonnait. Ses seins voluptueux emplissaient un corsage à gros motifs. Bien que l'on fût en été, des chaussettes de laine tricotées surmontaient des charentaises fatiguées. Elle avait le mollet fort. Son air avait ressemblé à celui de son époux. Cependant son visage, plus avenant, marqué de rides lui aussi, avait gardé une jeunesse dans les yeux qui rappelaient ceux de la mère de l'enfant. Et ces yeux-là l'avaient enveloppé, inquisiteurs, pour le faire se recroqueviller davantage. A cet instant, il avait peut-être espéré un mouvement de sa mère : un demi-tour pour un ailleurs plus chaleureux.

— Ça ! Il fallait t'y attendre, ma fille ! Ça n'est pas d'ici demain qu'il te causera ! avait lancé la femme, d'une voix où fleurait la provocation.

— Ce n'était pas la peine d'approuver mon retour.

— Il fallait te laisser à la rue ?

— Je n'étais pas à la rue !

— Tu allais t'y retrouver, non ?

— Je ne sais pas si j'ai bien fait de revenir...

— On n'est pas des sauvages, tout de même. Allez, tu connais le chemin, je vais t'aider.

Ils s'étaient engagés dans un escalier étroit. Les valises avaient cogné et raclé les vieux murs crevassés par endroits.

La chambre qui leur était destinée était la plus petite des deux, mais elles étaient aussi austères l'une que l'autre. Comme sa mère, Jean avait conservé une attitude raide. Mémé Yolande avait ouvert un placard caché dans un mur d'où avait surgi un relent de naphtaline, tandis qu'ils étaient restés debout comme des visiteurs empruntés devant l'unique lit à rouleaux.

— Le lit n'est pas grand. Vous vous en accommoderez. J'avais enlevé les rideaux, à cause de l'humidité en hiver, tu sais. On les remettra, ça fera plus gai.

Josette avait acquiescé sans un mot, accentuant sa grimace oblique.

— Il a quel âge ? avait enfin demandé mémé Yolande en regardant Jean.

— Bientôt sept ans.

— Tu ne lui as rien donné de toi. Il a l'air bizarre... On dirait un romano. Et toi, avait-elle poursuivi, ce n'est pas à Marseille qu'il fallait te sauver pour avoir ce teint de navet ! Tu es malade ou quoi ?

Josette avait haussé les épaules en regardant ailleurs. Jean avait levé ses yeux noisette sur cette grand-mère toute neuve, qui allait peut-être... dont les traits autour des lèvres avaient semblé commencer à se détendre, mais s'étaient figés au bruit d'une sonnerie qui les avait surpris, sa mère et lui.

— Il va falloir aussi me réhabituer à ça, avait dit Josette d'un drôle d'air.

De son pas lourd, mémé Yolande était descendue dans l'escalier.

Jean s'était précipité à la fenêtre, le cœur battant. Un train ! Un train qu'il voyait venir à lui ! Un train comme il en rêvait ! Un air gourmand avait illuminé ses traits alors que la locomotive s'approchait, tractant ses wagons bien ordonnés à la queue leu leu, emplis d'un charbon brillant et noir. Le monstre de fer avait eu l'air de frôler les murs, à quelques mètres à peine de lui.

Et puis il avait eu le temps de se ronger les ongles en s'entamant la peau.

Josette était restée longtemps assise sur le lit sans s'occuper des valises, les yeux dans le vague. Jean avait attendu qu'elle se décidât à redescendre pour lui emboîter le pas.

Pépé Jules n'avait pas desserré les dents de tout le repas. Jean avait fait des tas de couleurs dans son assiette avec les légumes de la jardinière. Mémé Yolande avait fait de son mieux pour alléger l'atmosphère, mais, face aux monosyllabes qu'elle obtenait de sa fille, elle s'était renfrognée à son tour.

— Il sait toujours faire la gueule, il n'y a aucun doute, avait dit Josette lorsque son père, une fois de plus, leur avait tourné le dos.

— Ça lui passera. Tu connais son caractère, vous avez le même !

Et puis elle s'était désintéressée d'eux, prétextant un travail.

— C'est que maintenant, à quatre...

Dehors dans la courette, assis sur une caisse de bois retournée, Jean avait examiné son nouvel environnement, se familiarisant avec le carré de béton clôturé d'une palissade de bois côté rails, les espaces de fleurs que mémé Yolande entretenait avec acharnement pour imposer leurs coloris joyeux, la cabane à outils, le potager. Mais ses yeux revenaient toujours sur les rails magiques.

Il avait regardé sa mère aller et venir, les bras croisés contre sa maigre poitrine dans le carré restreint, lever son nez sur les collines alentour avec un air pincé.

Comme d'habitude, sans se soucier de son fils – elle ne le regardait même plus depuis son retour –, elle s'était renfermée sur elle-même.

Dès l'instant où elle avait foulé ce sol, Josette avait replongé dans l'atmosphère qu'elle avait fuie le jour de ses vingt et un ans.

Si la mélancolie l'avait accablée en retrouvant les tristes murs de sa chambre, une autre évidence la crucifiait. Celle de revoir, plus gris encore, les monticules de charbon alignés contre une colline, elle-même à cent lieues d'un décor bucolique. La mine était toujours là, face à elle, dans sa grisaille désespérante malgré le soleil et le bleu du ciel, de La Motte-d'Aveillans – dont l'exploitation était, depuis 1956, abandonnée au profit de celle de Villaret – à Prunières, en passant par Villaret, commercialisant son « charbon de La Mure » dans la France entière.

Elle avait quitté Nantizon pour un décor lumineux, pour le soleil de Marseille, un soleil véritable, pour une vie autrement plus gaie, loin de ce trou à rats, de ce milieu trop ouvrier et de ce paysage désolant. Loin aussi de ces hivers rudes où la neige, trop tôt descendue des cieux tourmentés, encombrait le sol jusqu'en mars, et parfois en avril.

Elle retrouvait l'odeur du charbon, de la suie, de la poussière grise qui s'infiltrait dans chaque demeure, se glissait dans le moindre recoin, la moindre fissure, qui noircissait tout à loisir, à longueur d'année, tout comme elle marquait les cicatrices des mineurs de fond.

Après avoir coupé les ponts avec ce monde qu'elle dénonçait comme résigné, voué à un avenir morose, aux journées tronçonnées en trois-huit, aux frayeurs quotidiennes des dégagements de gaz, elle reconnaissait ces visages de mineurs qui passaient et repassaient en car ou à vélo, à heures régulières, à travers les rails, pour se rendre à la mine ou en repartir. Elle replongeait dans la cadence des sonneries, des trains, dans tout ce qu'elle avait détesté, convaincue que la vraie vie était ailleurs, dans les magazines aux illustrations de rêve ou dans les mots trompeurs de son amoureux, le beau Jacques.

Jean l'avait vue se détourner pour éviter les questions et la curiosité des gens.

Car n'était-ce pas étrange de la revoir, la petite qui avait plaqué tout son monde afin de suivre un amoureux trop gouailleur et fanfaron pour se fondre dans la vie des gens d'ici ? Les tourtereaux, à l'époque, n'avaient obtenu aucun suffrage des leurs. Le fait de s'afficher ouvertement avec un « guignol » avait irrévocablement classé Josette dans le rang des marginaux bons à aller se faire oublier ailleurs ; jugement rédhibitoire qui n'avait eu aucune prise sur elle, comme les coups qui pleuvaient de la main de son père.

Aussi la regardait-on avec indiscrétion, suspicion même, revenue d'une autre vie comme si des Martiens l'avaient enfin libérée. Les hommes se doutaient qu'elle n'avait pu perdre sa morgue d'autrefois, et les femmes se souvenaient de ses airs de fille trop fière et aguicheuse. Si les uns cherchaient les traits de l'ancien tourtereau dans ceux du gamin, les autres étudiaient la silhouette restée juvénile. A trente ans, Josette était un beau brin de fille, dont la maternité avait embelli la maigreur. Le cheveu plus blond, plus long aussi, habillait le cou gracile d'un mouvement fluide. Le sourcil était resté foncé, contrastant avec le reste et accentuant la lourdeur du regard bleu. Une beauté froide, fatale disaient certains, un rien vulgaire pensaient d'autres, selon le pli de la bouche et le battement des paupières qu'elle maîtrisait à merveille.

Enfin, cet intérêt avait eu l'air de se dissiper. Seules les commères en fichu noir avaient gardé un œil vigilant sur la maison des gardes-barrière, attendant un commentaire maladroit lâché par leurs habitants. Il leur suffisait de voir la trogne du père Jules pour voir que tout allait mal, même si chez lui le sourire était denrée rare.

Les journées de Jean avaient pris un tour plus tranquille. Partagé entre la froideur de sa mère, la rogne constante et les regards torves de pépé Jules, et la gentillesse rude de mémé Yolande qui le poussait à quelques excursions sur la place, avec les fils Berthet, Rougon et Laurent. Mais il avait examiné ses congénères sans nulle envie de pénétrer dans leurs clans, ce qui faisait douter sa grand-mère de sa sociabilité.

— Il est bizarre, répétait-elle souvent en le regardant consolider un fossé avec les autres. Tu sais à quoi je le surprends ? Il étale de la confiture sur la table et il attend les mouches, pour les étudier pendant des heures. Il préfère s'enquiquiner et bayer aux corneilles plutôt que de jouer avec des mômes de son âge. Il n'est même pas attiré par le terrain de foot, en face, et par ce qui s'y passe !

— A l'école, il sera bien obligé de se mêler à eux, va ! bougonnait pépé Jules en le fixant méchamment. Il me paraît pas bien fini, ce merdeux.

Sa mère partait de plus en plus souvent dans la journée. Lorsqu'elle rentrait, mémé Yolande lui posait la même question avant de hausser les épaules :

— Alors ?

— Alors rien... quoi ! S'il y avait encore des grilleuses au triage à la mine, tu m'y enverrais avec plaisir, hein ?

Yolande pensait que se retrouver debout durant des heures à ôter du charbon le bois, les rochers et le baret, ce charbon de mauvaise qualité mélangé à la roche, aurait fait du bien à sa fille. Elle en avait eu, de ses amies, qui se protégeaient les mains des coupures d'anthracite, « qui vous marquent à vie », en enfilant à chaque doigt des morceaux de caoutchouc découpés dans des chambres à air. Elle les avait plaintes alors de devoir faire, à trois, mille caissons de quinze kilos par jour, pour que l'équipe obtienne des primes. Josette, la précieuse, aurait mérité de se frotter à une telle réalité... D'autant plus que sa situation, ambiguë pour les gens du coin, aurait pu la mettre prioritaire sur les rangs, puisque l'on embauchait d'abord pour cette tâche les veuves de mineurs ou les filles mères.

Et puis septembre était arrivé, piégeant Jean dans une cour d'école trop bruyante, dans une classe où des effrontés le bousculaient en le traitant de Marseillais.

3

Jean trottinait, le pépé limitait ses enjambées. Tous deux allaient à un rythme boiteux, mais leur seul souci était d'arriver rapidement à la ferme où Marthe devait s'appliquer à faire épaissir le chocolat.

La main du pépé emmitouflait celle de Jean, lui prodiguant plus que de la chaleur. Une émotion, véritable onde d'amour, transportait l'enfant d'une joie telle qu'il serait mort immanquablement, foudroyé, si on lui avait dit que tout s'arrêtait là. Bien sûr, la mort n'avait pas encore grande signification pour lui, sinon l'immobilité de ses soldats de plomb couchés sur le sol après la bataille, mais il n'aurait pu imaginer que cesserait un jour la véritable histoire d'amour qu'il avait commencée avec le pépé.

Il l'avait senti à la seconde où l'œil perçant du vieil homme s'était posé sur lui.

Le silence avait été bien lourd quand Josette, poussée depuis des jours par mémé Yolande, était venue présenter son fils à la famille un après-midi de fin août. Le soleil avait perdu de son ardeur, et dans l'air circulaient les douces senteurs de la terre tiède. Le chemin avait été long ; deux à trois kilomètres jusqu'à la ferme depuis la barrière de Nantizon.

Jean avait traîné les pieds, contrarié. Encore des allusions peu fines, des regards qui se concentreraient sur ses défauts. Encore une façon d'exister à travers des mots qui parleraient de lui comme s'il n'était qu'un objet sans valeur.

Sa mère l'avait bousculé devant elle.

— Tu crois que ça m'amuse d'aller les voir, les vieux, il faut encore que tu rechignes ? Tu as intérêt à être poli si je veux éviter les remontrances. Quoique, après tout, je me fiche pas mal de ce qu'ils peuvent penser de moi. Ils m'ont cataloguée depuis belle lurette.

Ils avaient poussé la lourde barrière et pénétré dans le silence d'une vaste cour de gravier, encombrée d'un tracteur, d'une charrette, d'outils divers, d'un tas de paille sur lequel paradait un coq hautain. Jean avait regardé de tous ses yeux ce nouveau décor, il avait senti ses narines s'élargir, sollicitées par des odeurs inconnues, fortes et âcres. Un chien jaune les avait apeurés en venant les renifler de trop près. Des poules les avaient ignorés. Un chat, roux de poil, avait interrompu sa toilette pour aussitôt les dédaigner.

Ils avaient longé la bâtisse dont les vieilles pierres apparaissent par endroits à travers le ciment éclaté. La porte, masquée par des lanières de plastique rouge, avait semblé s'ouvrir sur l'ombre car les volets d'une des deux fenêtres étaient à moitié rabattus. Ils s'étaient avancés sur l'ordre d'un « Entrez ! » pointu et avaient mis du temps à adapter leur vue dans la grande pièce aux murs badigeonnés de chaux.

Jean avait tout englobé d'un coup d'œil circulaire, en partant du carrelage aux tommettes rouge brique. Un lit, installé dans un angle, l'avait intrigué, ainsi que l'horloge au sol, si haute, dont le cadran d'émail luisait dans sa niche en noyer. Une bonnetière atteignait presque le plafond, au côté d'un vaisselier torsadé. Un fourneau à bois et charbon, raccordé au conduit de cheminée par un tuyau coudé, avait remplacé l'ancien feu ouvert. D'un côté, des fagots de bois et des bûches, un panier empli de pommes de pin ; de l'autre, dans une niche, des marmites de fonte, des casseroles de cuivre jaune, une écumoire, une passoire. Différents pots en faïence bleu et blanc s'alignaient en ordre croissant sur une corniche au-dessus du poêle.

Et puis Jean avait posé son regard sur le fauteuil calé contre la fenêtre aux volets à demi fermés, dans lequel somnolait en branlant du chef une très vieille femme. On aurait dit une marionnette affalée, un petit bout d'humain tout chiffonné, si menu qu'il semblait près de se casser en deux au moindre souffle, tassé sur un siège trop grand pour lui. Jean avait découvert Adrienne, sa trisaïeule, mère du pépé, centenaire de La Mure, au doux visage fripé auréolé de fins cheveux blancs. A bientôt cent un ans, celle-ci ne faisait plus que marmonner, était sourde comme un pot et donnait l'impression de végéter. Mais son regard s'allumait parfois de lueurs que Marthe pensait savoir traduire.

Marthe, la sœur aînée de mémé Yolande, n'avait pas bougé de la chaise qui trônait en bout de table, elle aussi toute de noir et de long vêtue. Immobile et silencieuse, elle avait dévisagé nièce et rejeton d'un air intense. Jean n'avait pu détacher ses yeux du nævus pileux situé sur le menton de sa grand-tante. Surplombée d'un nez camus, cette proéminence accentuait la fadeur d'un visage oublié par la beauté. Pourtant, une lumière particulière dans le regard venait éclairer les traits incertains, les parer d'une douce mélancolie.

— Il n'est pas bien épais, ce loustic, avait-elle dit enfin d'une voix fluette, oubliant que son propre corps frisait la maigreur. Il va falloir le remplumer. Oh, pépé ! avait-elle crié à la cantonade. Viens voir !

A travers une odeur de soupe et les tic-tac de l'horloge, une porte avait couiné sur ses gonds. Une masse avait envahi la pièce. Le pépé était apparu – père de Marthe et Yolande, grand-père de Josette – et en trois pas s'était approché à les toucher, géant à la carrure imposante, aux mains d'étrangleur, à la figure rougeaude surmontée d'un béret d'où s'échappaient des mèches blanches. Une moustache à la gauloise roussie aux pointes cernait des lèvres charnues. De cet ensemble impressionnant – et à cet instant, on ne pouvait s'empêcher de se demander comment le corps aussi frêle de l'aïeule avait pu engendrer une telle force –, vêtu de velours brun côtelé et diffusant une entêtante odeur de tabac, surgissait le regard ; un œil aigu au milieu des sourcils broussailleux, vif pour un homme de cet âge. Œil qui avait enveloppé Jean et sa crainte soudaine face à ce colosse aux gestes lourds.

L'homme et l'enfant s'étaient longuement regardés, l'un d'en haut, interrogatif, l'autre d'en bas, dans un sourd battement de cœur.

— Ma foi, tu as l'air d'une crevette, avait finalement lâché une voix rocailleuse.

Mais l'œil pénétrant avait transmis à Jean plus de choses que les mots ne traduiraient jamais. La bienveillance qui s'en était échappée avait touché une corde neuve. Privé jusque-là d'affection, le petit cœur alors comme une partition vierge était sans méfiance, dépendant d'un bonheur quelle que fût sa définition. Jean, tel un chiot perdu, venait de trouver quelqu'un à aimer, sans savoir s'il gagnerait son lot de caresses.

Il avait suffi de ce regard, de ces lèvres à l'ironie douce et de la large main qui avait pétri son épaule pour en constater la maigreur.

Les cinq années de bonheur qui allaient suivre submergeraient Jean, tout autant qu'elles convertiraient le pépé. Car l'homme trouverait en la crevette un fils à aimer, un gaillard qui le changerait de ses femmes qui avaient partagé sa vie, une tendresse que son âge avancé apprécierait dans sa pleine mesure.

Ce bonheur commença quand le pépé décida de prendre Jean à la ferme toutes les fins de semaine.

On crut à une lubie du vieux, tout en approuvant finalement cette solution. Jean ne tenait pas beaucoup de place, mais si quelqu'un en prenait la responsabilité deux jours par semaine, c'était toujours ça.

Marthe, qui voyait ainsi une nouvelle fois une prédiction se réaliser, en éprouva forte émotion. Un flot d'impressions étranges, face au garçonnet, l'avaient déjà conquise, et les mots en mémoire depuis tant d'années avaient resurgi du passé, comme pour mieux la convaincre. C'était cet enfant-là. Il n'y avait nul doute.

Pour la forme, pour alimenter cette autorité dont ils

se paraient, le père et elle à tour de rôle – selon les circonstances, qu'ils créaient d'ailleurs, chacun dans le but d'émoustiller l'autre –, elle maugréa un peu pour tester le vieil homme qui souvent n'en faisait qu'à sa tête, à ses dépens. Le père cherchait parfois des façons de l'agacer, elle personnellement, afin de lui faire payer les petites mesquineries dont elle se servait pour affirmer son ascendant, comme celle qui consistait à oublier de mettre la brique chaude au creux de son lit, l'hiver, quand elle savait qu'il était parti chez un autre lascar et qu'il rentrerait « suffisamment imbibé de gnôle pour ne pas avoir besoin de chauffer les draps ». Il leur arrivait de se chamailler comme un vieux couple. A vivre parfois en faux désaccord dans le simple but d'affirmer un pouvoir illusoire, le père et la fille trouvaient le compromis des silences. Alors le soir, libérés des corvées quotidiennes, gardiens du sommeil de l'aïeule que l'on avait couchée dans le lit du coin, ils se plongeaient dans *L'Almanach du vieux Dauphinois* ou autres magazines de l'époque, ou bien il réparait quelques outils ou paniers tandis qu'elle faisait des travaux de couture pour d'autres, reprisait ou tricotait des chaussettes pour l'hiver, ayant abandonné ses réussites devant les regards courroucés de son père.

Mais les cartes avaient parlé, annonçant depuis longtemps déjà l'arrivée de la crevette.

Alors leur vie, qui s'écoulait à travers des gestes et des mots à la fois tendres et bourrus, leur vie changea.

A l'annonce de la nouvelle, Jean avait conservé son air fermé. Il avait retenu la flamme qui aurait éclairé de l'intérieur son regard sombre. Il avait même eu le culot de hausser l'épaule pour traduire son manque d'intérêt. Mémé Yolande l'avait rabroué :

— En voilà un autre qui ne saura pas reconnaître les bontés qu'on a pour lui ! Ça pourrait te faire plaisir, au moins ! D'autant plus que finalement tu seras mieux là-bas qu'à rêvasser sur rien ici.

L'indifférence habituelle de sa mère et celle de pépé Jules avait accompagné le commentaire, mais Jean s'était aussitôt mis à compter les heures qui le séparaient du premier vendredi.

Il avait, comme ce jour-là, accompagné le géant silencieux venu le chercher à la sortie de l'école, chargé de son balluchon. Les mots auraient été superflus. La chaleur de leurs mains unies avait suffi. Dès le tout premier contact, Jean avait eu confiance ; à défaut de père il gagnait un arrière-grand-père. Il s'était laissé engloutir dans cette brèche avec délice.

— Oh ! le Toine, c'est le petit-fils ?

— Oh ! le Félix, c'est l'arrière !

— Oh ! le Toine, c'est le petit-fils ? L'est pas bien épais.

— Oh ! le François, c'est l'arrière-petit-fils.

Dans le quartier Beauregard, où se situait la ferme, les gens s'étaient retournés sur eux depuis leur estancot ou leur maison, pour les saluer tranquillement. Jean en avait éprouvé une sorte de petit bonheur.

— Te voici chez toi, petit, avait dit le pépé en arrivant avant de se débarrasser de son barda. Pose ton cartable. La Marthe va te montrer ton coin, mais avant tout, je t'emmène à la cueillette. Suis-moi.

La ferme faisait un *L*, qui bordait la route sur une grande longueur et revenait délimiter la cour sur une largeur d'au moins douze mètres. En face, une autre construction de granges et de remises s'alignait jusqu'à un haut mur mitoyen avec la ferme voisine, dont une partie était à l'abandon, occasionnant du tracas au pépé à cause d'un mauvais toit qui s'effondrait. Depuis quelques semaines, il se promettait d'étançonner à sa façon les murs qui ne lui appartenaient pas, pour épargner les siens. A gauche, fermant le *L* constitué d'une étable, d'une bergerie et d'une porcherie, un large portail fait de planches horizontales et toujours ouvert délimitait une seconde cour prolongée par un potager, que longeaient les bêtes pour partir ou revenir des champs. Un bassin de pierre assurait en permanence une eau fraîche et pure.

Par cette journée estivale, toutes les portes étaient ouvertes et l'air imprégné d'odeurs caractéristiques.

Jean avait froncé son petit nez.

— Ah ça, la crevette, avait dit le pépé en éclatant de rire, c'est pas pire que les odeurs de poisson de Marseille ! Au contraire, tu t'habitueras à celle-ci, elle est chaude comme la vie. Y a pas meilleur air que celui-là.

Il avait conduit Jean sur la gauche, au fond du bâtiment principal, et l'avait fait entrer dans une pièce aux voûtes de pierre, ancienne écurie aménagée en remise. En dehors d'outils, de coffres, de tonneaux et de cagettes, Jean avait tout de suite repéré contre un mur des casiers grillagés, dans lesquels remuaient des bestioles. Tout sourire, le pépé lui avait tendu une poignée d'herbe avant d'actionner le verrou d'une cage.

— Tiens, tu vas nourrir les lapins. Tu vois, ils

m'ont reconnu, mais tu les troubles. Tu as vu leurs grandes oreilles ?

A peine saisie, la poignée d'herbe se retrouva par terre. Jean n'avait eu nulle envie d'avancer ses doigts vers un animal peut-être dangereux.

— Oh là, petit ! Ils ont plus peur que toi. Viens, ne crains rien, fais comme moi. Regarde. Tu poses l'herbe ici, ils s'en débrouilleront bien, va.

Le sourcil froncé, Jean avait craint de décevoir le pépé dès le premier instant et avait surmonté sa peur pour vivement jeter trois brindilles dans la première cage. Heureusement l'homme n'avait pas insisté et avait poursuivi seul la besogne. Et puis, moqueur, il avait repris :

— On va laisser les cochons pour aujourd'hui, ton odorat de gosse de la ville n'y résisterait pas. On n'a plus qu'un vieux cheval, cinq vaches et quelques brebis et chèvres. Ils sont tous quelque part dans les champs, je te les présenterai demain. Mais, à présent, la cueillette ! Viens par là !

Bien campé sur ses jambes, le pépé s'était penché dans un coin du local, et Jean avait vu des paniers recouverts de paille, dans lesquels se trouvaient des objets presque ronds, d'un jaune pâle.

— Il y a deux poules qui refusent de pondre ailleurs qu'ici. Voilà de beaux œufs frais, ma crevette. Tiens, mets ton tricot comme ça, on va y empiler la récolte. Attention ! C'est fragile !

Jean avait eu si peur de signer son arrivée à la ferme par une bêtise qu'il avait fait le chemin du retour à une allure d'escargot, les doigts de pied crispés dans ses sandalettes aux lanières trop lâches, le genou raide, le souffle court. Il n'avait été soulagé que lorsque Marthe l'avait débarrassé de son trésor.

L'épreuve était venue après.

— Laisses-en deux, Marthe. On va se les gober, avait commandé l'homme en s'asseyant à la table.

Jean avait attendu, un peu effrayé de la grimace ébauchée par la tante. Il avait regardé le pépé casser la partie la plus arrondie d'un œuf, puis le déposer dans un coquetier tendu par sa fille, faire de même avec l'autre, et reprendre le premier.

— Tu vas le gober ! Tout cru ! Un coup de fouet qui va requinquer tes pattes de grenouille. Tout ce qu'il faut pour lutter contre le rachitisme ! Tu fais comme moi, tu avales en aspirant bien fort.

Rejetant sa tête en arrière, il avait amené la partie ouverte de l'œuf dans sa bouche et frappé d'un vif coup de cuillère l'autre extrémité. Le tout accompagné d'une aspiration goulue, d'une bruyante déglutition, d'un soupir satisfait. Un revers de la main sur la bouche avait clôturé ce cérémonial.

— A toi !

Jean n'avait pas été très sûr, mais poussé par le désir de bien faire.

Le rejet avait été immédiat. Jean n'avait même pas eu le sentiment de vomir. Ce fut en voyant l'énorme flaque jaune et glaireuse s'étaler sur la table et dégouliner sur les vêtements du pépé qu'il avait ressenti une des premières grandes hontes de sa vie.

Il aurait juré entendre un gloussement dans la moustache, tandis que Marthe traitait son père de petits noms d'oiseaux.

Après cet acte peu glorieux, Jean avait senti son estomac se soulever à la seule vue d'un œuf. Le pépé, sermonné par sa fille, n'avait pas renouvelé l'expérience.

Et puis Marthe lui avait montré son coin, c'est-à-dire sa propre chambre, située à l'étage, après avoir franchi un corridor obscur et une volée de marches en bois. Comme elle était passée devant lui, il avait pu examiner de près sa boiterie et l'avait même imitée en posant les deux pieds sur chacun des degrés.

Vaste, la chambre contenait une garde-robe à chapiteau, un fauteuil en bois, un lit dont la hauteur provoquait le vertige, une commode à tiroirs sculptés sur laquelle trônaient des photographies sous verre, et un berger en porcelaine de Saxe saluant sa bergère. Elle donnait sur la cour. Ses murs étaient chaulés. Un linoléum, d'une affreuse couleur verte, épousait en les cachant les imperfections d'un vieux plancher clouté. Une branche de buis asséché embrassait un crucifix accroché à la tête du lit, à quelques centimètres d'un cadre représentant la Vierge Marie. Une vague odeur d'encens persistait, malgré l'ouverture de la fenêtre par laquelle s'engouffraient celles de la ferme.

— On a pensé que tu aurais peut-être peur tout seul dans cette nouvelle maison. Alors tu dormiras avec moi, dans le lit des parents. Il est plus grand que celui du pépé. Et puis, lui, il ronfle si fort que tu aurais du mal à trouver le sommeil. On verra plus tard. Il y a encore deux autres pièces à l'étage, il suffira de les débarrasser en temps voulu. C'est incroyable comme on peut empiler des reliques dans une famille. Si tu voyais le fourbi !

Jean avait attendu, immobile et muet.

— Tu causes peu, toi, n'est-ce pas ? avait prononcé Marthe de sa voix fluette. Le pépé te dira qu'il arrive de plaire en parlant mais qu'on plaît toujours en se taisant. Je sens que tu es un bon petit. Un bon petit, avait-elle répété en lui tapotant les cheveux, je l'ai vu tout de suite. Allez, file, le pépé t'attend.

Et tandis que Jean, sans se faire prier, était allé rejoindre son nouvel ami, Marthe avait ouvert un tiroir de la commode et en avait rapporté une petite boîte en fer, de pâtes Pectosan pour la toux, de laquelle elle avait extirpé son jeu de tarots.

Les cartes avaient déjà confirmé l'arrivée du petit. Mais, une fois encore, elle voulait s'assurer que la crevette ne leur apporterait que du bon dans leur vie. Les yeux plissés, après avoir vérifié que la porte était bien fermée, elle étala les figures sur le lit et oublia le reste.

4

De tout temps initiée par sa grand-mère Adrienne, médium, Marthe avait eu une sensibilité exacerbée et le goût insolite des cartes, malgré les critiques moqueuses arguant de sa folie. Toujours le pépé avait secoué la tête, approuvé par sa fille Yolande, qui ne se gênait pas pour traiter sa sœur de toquée, faisant tout pour la décourager de cette mauvaise pratique.

Les deux sœurs ne se ressemblaient en rien. Yolande, solide comme un homme, avait très vite apporté sa contribution aux travaux fermiers. L'aînée, de par sa nature fragile, était restée dans les jupes de la grand-mère après la disparition brutale de leur mère, et tout en s'imprégnant de sa dévotion avait été à son écoute, captivée et passionnée par ses confessions particulières, ouverte à l'existence probable d'un plan parallèle à celui des vivants.

De commérages en commentaires partis du voisinage pour traverser la ville et dépasser ses frontières, Marthe s'était fait dans le pays une réputation de pauvre fille originale, inquiétante – voire limitée –, à cause de ce goût douteux pour les choses généralement incomprises. On lui reconnaissait pourtant un don pour les plantes, une chose qui arrangeait un peu l'autre, puisque celui-là s'expliquait par la connaissance. Mais si le secret des tisanes lui donnait une sorte de prestige, sa claudication, due à une naissance catastrophique au temps des accouchements à domicile, n'avait fait que renforcer l'image d'un personnage singulier. Et l'on trouva une autre raison d'accabler son mental : son inconséquence à avoir abandonné un fiancé de qualité. On affirmait que se refuser en mariage à un homme aussi sain et travailleur que le jeune Nicolas Gontrand, scieur de long, fils d'une famille respectable, relevait de la folie pure. Pour qui s'était-elle donc prise, la Marthe, avec son visage ingrat et son déhanchement ?

Un soir où elle avait subi pour la énième fois force reproches de la part de sa sœur, Marthe avait osé, dans un murmure résigné, donner la raison de sa rupture.

— C'est la maman... avait-elle avoué, le souffle court, assise sur son lit, la tête baissée.

— Comment ça, la maman ? avait réagi Yolande, choquée par l'évocation de la morte en un tel moment. Mais tu blasphèmes !

— Tu ne peux pas comprendre.

Tout en se balançant d'avant en arrière, l'air effaré, les mains jointes et crispées entre ses cuisses serrées, Marthe avait lâché, comme un secret trop longuement gardé :

— Elle m'a parlé. Elle m'a dit de ne pas l'épouser afin de ne pas être une jeune veuve.

— Ma pauvre Marthe, tu es possédée ! s'était insurgée Yolande en la secouant comme un prunier. Tu entends des voix, à présent ! Ce sont ces cartes qui te tourneboulent la tête ! Arrête donc de les triturer et tu verras la vie autrement ! Crois-moi !

Agrandis et fixes, les yeux de Marthe avaient effrayé Yolande.

— Reconnais plutôt qu'il ne te plaît plus, ton Nicolas !

— Elle m'a parlé, je te dis ! avait soufflé la rebelle.

— Ces tarots vont te rendre folle ! Je m'en vais t'en débarrasser une bonne fois pour toutes.

— Non ! avait hurlé Marthe en s'agrippant au bras de sa sœur Je savais bien que tu ne pouvais pas comprendre !

— Je comprends que ton Nicolas fera l'affaire d'une autre. Et tu t'en mordras les doigts ! Tu as un grain, ma pauvre fille. Ce n'est pas Dieu possible de voir des âneries dans un jeu de cartes !

— Ce n'est pas dans les cartes que je vois, avait murmuré Marthe, oppressée.

— Comment ça, pas dans les cartes ?

— Je l'ai vue, elle...

— Alors, c'est encore pire ! avait décrété Yolande en la plantant là.

La porte avait claqué sur leur dissension, pulvérisant l'ultime once de crédibilité de Marthe aux yeux de sa sœur.

Sans se douter qu'elles reviendraient sur un sujet aussi controversable, trente-quatre années plus tard, Yolande, que l'inexplicable apeurait tout en offensant son bon sens de paysanne, avait relégué sa sœur dans le clan des faibles d'esprit.

Trois mois après, lorsque l'accident était survenu, dans lequel le jeune Nicolas avait perdu la vie, écrasé par un énorme fayard, Yolande, qui s'était difficilement retenue d'accuser sa sœur d'avoir attiré le malheur sur lui, avait refusé de répondre à ses longs regards douloureux.

Avant et après la mort de Nicolas, durant d'interminables semaines, Marthe était restée sous le choc, prostrée, à s'interroger sur le sens de sa vision. Elle avait cherché de l'aide auprès de sa grand-mère, mais, perdue dans une douce torpeur depuis quelques années, celle-ci ne vivait plus à leur rythme. Elle s'était replongée avec désespoir dans les discours que l'aïeule lui tenait en grande confidence, à l'abri de toute oreille non initiée. Adrienne instruisait la filette qu'elle était alors et qui buvait chacune de ses paroles :

— L'Eglise n'enseigne pas l'intégralité de ce mystère, mais l'homme fait partie, sans le comprendre, d'un grand dessein divin. Son existence continue au-delà de sa mort physique. Il arrive à certaines personnes de pouvoir communiquer avec cet autre monde imbriqué dans le nôtre de manière si cohérente que tout ce que nous vivons ici-bas s'explique entièrement. Ce monde-là est si merveilleux que j'ai grande hâte de le rejoindre, vois-tu. Mais mon temps n'est pas encore venu. Je verrai l'enfant de l'enfant de ta sœur.

— Et moi, mémé, j'aurai des enfants ?

— Pas dans cette vie-là, ma pitchoune, mais il y en aura un que tu prendras plaisir à aimer.

— Pas dans cette vie-là, mémé ?

— Il faudra que je te parle de la roue des réincarnations.

— Qui te dit tout ça ? demandait Marthe,

impressionnée par les mots qui sortaient de la bouche pourtant peu instruite d'Adrienne.

— Eux, nos guides. Ils m'enseignent.

— Tu les vois, mémé ?

Adrienne hochait la tête et lui confiait qu'elle voyait des corps de lumière, ces âmes de l'au-delà qui veillaient avec un incommensurable amour sur tous les vivants.

— Ta mère est là, souvent, près de nous. Elle ne t'a pas abandonnée, elle te protège.

Adrienne assurait à Marthe qu'elle les verrait aussi à son tour, plus tard, mais qu'elle serait incomprise de ceux qui, ignorant tout du spirituel, n'entendaient pas les appels de leurs disparus.

— Tu auras beau essayer de convaincre les autres, s'ils n'ont pas vécu une telle expérience, ils ne pourront pas l'accepter. Mais toi, ma petite, toi, tu as ce pouvoir, ne le crains pas.

Les croyances d'Adrienne n'étaient-elles pas déjà la démonstration de cet engourdissement qui avait progressivement étouffé ses facultés ?

Son Nicolas était-il auprès d'elle ? Marthe aurait tant aimé ressentir sa présence, ou même rêver de lui. En vain, elle avait attendu une réponse, une autre manifestation de quelque genre que ce soit, mais rien n'était venu apaiser son tourment. Mariée à Nicolas, aurait-elle inversé le cours du destin ? Et même, n'avait-elle pas cru lui sauver la vie en refusant son statut d'épouse, modifiant ainsi un paramètre majeur de l'énoncé ? Ou, plus simplement, n'avait-elle pas été victime d'un simple rêve prémonitoire ? Son imagination seule – influencée par une éducation plus ou moins mystique – avait-elle pu créer de toutes pièces la vision de sa mère ?

Mais comment renier le souvenir de la voix et celui du visage, qui l'avaient épouvantée malgré les paroles rassurantes d'Adrienne sur son don à venir ? Sous le coup d'une émotion considérable, elle avait alors frénétiquement prié, comme elle avait souvent vu sa grand-mère le faire, jusqu'à ce que la conviction l'emporte, intime et irrévocable malgré sa terrible souffrance. Elle l'aimait tant son Nicolas...

Ensuite courageusement, Marthe avait surmonté sa douleur, priant cette fois pour le jeune disparu, comme l'aurait fait Adrienne, afin qu'il se libère rapidement de ses chaînes terrestres et baigne dans la lumière divine.

Des âmes sensibles ou désemparées avaient continué de venir la solliciter en cachette, quand les hommes étaient aux champs et les commères occupées. La ferme, un peu isolée en bout de ville, permettait la démarche qu'un discret bouche-à-oreille entretenait. A travers ses tarots, Marthe sentait des choses, mais, même sans eux, il lui arrivait d'être assaillie par des clichés qui ébranlaient son psychisme tout en agrandissant ses pouvoirs. Mais à qui faire part de ses intuitions et chimères ? Auprès de qui se délivrer de ces sensations étouffantes ? Elle s'était rendu compte qu'elle commençait à parler toute seule. Elle s'était surveillée devant les regards irrités des siens.

Et puis un jour, Yolande avait quitté la maison pour se marier à Jules, un cheminot taciturne de dix ans plus âgé qu'elle. Elle s'était faite à l'idée que son aînée ne trouverait jamais à se marier, et ce n'était pas faute d'avoir sollicité saint Blaise pour elle. Il n'y avait pas de quoi s'offusquer à l'idée que les aînées restent à leur poste pour prendre en charge les parents ou ce qu'il en restait, cela avait toujours fait partie de ces loyautés campagnardes. Et, dans un sens, la savoir auprès du père la rassurait ; l'un et l'autre trouveraient leur compte à vivre ensemble.

Ce que Marthe avait omis de révéler à Yolande était les autres mots de la morte. La voix avait résonné en elle à deux reprises : « Ne te marie pas, tu serais veuve aussitôt ! » et « Tu aimeras l'enfant qui viendra ».

De quel enfant pouvait-il s'agir ? Son ventre ne devait-il pas demeurer stérile dans cette vie-là ? Etait-ce celui dont lui avait parlé Adrienne, autrefois ?

La voix avait ensuite perdu de sa force pour murmurer : « Merci de si bien t'occuper du père, ma chérie. Protège-le encore. »

Protéger le père... A presque quatre-vingts ans, celui-ci se portait comme un vieux chêne indéracinable. Il avait traversé toutes ces années préservé des coups durs. Au départ de Yolande, Marcel Baume, un silicosé de la mine en retraite anticipée, était venu proposer ses services, ce qui l'avait soulagé. Désormais, le cheptel avait diminué, mais il restait suffisamment à faire tant aux champs et au jardin qu'à la ferme. Le père, certes costaud, bon buveur, bon mangeur, abattait un travail colossal. Pourtant, Marthe pensait qu'il devrait lever le pied. Mais que pouvait-il lui arriver maintenant, à cet âge, qui n'advenait à tout un chacun ? On lui prédisait la longévité de mémé Adrienne. Celle-ci disait que l'être humain choisissait l'heure du grand départ comme celle de son arrivée sur terre. Que pouvait faire sa fille de mieux pour lui, qui s'était bien protégé tout seul sa vie durant ?

Après tout ce temps, Marthe ne savait plus quoi penser, hésitant même à évoquer la première et unique vision de la mère, quelquefois à deux doigts de donner raison à sa sœur sur les événements d'alors.

Et pourtant, une toute petite voix lui avait murmuré que la ferme accueillerait d'autres habitants. Elle devait se tromper sur le nombre, voilà tout.

Mais surtout, d'où lui venait cette nouvelle intuition, si forte, que la crevette allait leur apporter une longue période de douceur ? Et ce pressentiment, confus encore, que cette douceur ne ferait que précéder le malheur…

Au fil des mois, la présence de l'enfant leur dispensa quelque chose dont ils n'avaient plus guère conscience. Du bonheur !

Si Jean apporta de la jeunesse dans le cœur du pépé, il sema de la tendresse dans celui de Marthe, et celle-ci se rappela la prédiction d'Adrienne et de sa mère. Les relations entre le père et la fille s'adoucirent. Ils continuèrent à se chipoter durant la semaine, pour s'entendre à merveille dès le vendredi. S'ils avaient compté le nombre de fois où ils évoquaient l'enfant en son absence, ils auraient été étonnés. Leurs pensées se nourrissaient de lui.

Marthe n'était pas dupe de l'attachement du gosse pour le pépé, mais elle ne lui en voulait aucunement. Elle-même n'avait-elle pas adoré Adrienne, ne l'adorait-elle pas encore et pour toujours, ce petit corps rabougri dont la vivacité d'esprit, qui rejaillissait parfois du fond des prunelles, la bouleversait jusqu'au fond de l'âme ? Alors elle participait de son mieux au rapprochement de ces deux êtres, charitablement, sans jalousie.

— Tu as vu ses grandes mains ? disait-elle à l'enfant avec fierté. Sa carrure ? Il était si fort qu'il pouvait soulever un homme par le col et lui faire quitter les pieds du sol. On m'a raconté qu'un jour même il en a soulevé deux d'un coup, un de chaque bras. Ah ! personne ne lui cherchait des noises, à ton pépé, du temps de sa jeunesse, d'autant plus qu'il avait le sang vif. Il en aurait à te raconter sur ses quatre cents coups. Mais avec ça, le meilleur des hommes.

Jean la crevette était devenu leur petit Jean, puis leur Jeannot.

Et chacun d'enfouir au fond de lui sa satisfaction, tout comme Jean, qui gardait secrètes toutes ses impressions. Lors de ses retours à Nantizon, il ne partageait rien, comme s'il avait craint qu'on ne lui supprime ce qui lui faisait plaisir, comme si, déjà, il avait eu conscience des cruautés gratuites. L'air qu'il se donnait, en revenant de la ferme, était une protection calculée. Son expression contenait ce qu'il fallait pour éviter toute curiosité, si bien que mémé Yolande le poussait un peu rudement :

— Celui-là, où qu'il se trouvera, il ne sera jamais content. Il a de qui tenir.

Mais Jean se créait son propre bonheur.

Le seul à qui il parlait de ce qu'il découvrait de la vie là-bas était Gilles, qu'il retrouvait les lundis matin à l'école. Les yeux brillants, l'enfant écoutait son ami, qui, parfois, sortait de sa poche une nouvelle bricole.

— Tiens, je te la donne, disait-il d'une flûte.

— Qu'est-ce qu'il va dire, ton grand-père ?
— Il m'en fera une autre au printemps.
— Pourquoi au printemps ?
— C'est quand les arbres ont de la sève qu'on peut les travailler.
— C'est quoi la sève ?
— C'est l'énergie des arbres.
— Ah !
— On avale même des œufs tout crus !
— Berk, c'est dégoûtant !
— Non, c'est rudement bon, et puis c'est pour lutter contre le rachitisse.

Les « ah » admiratifs qui ponctuaient ses savantes explications apportaient à Jean une confiance grisante. Mais ce qu'il ne pouvait traduire, et qu'il se serait gardé de faire s'il l'avait su, était cet amour qui croissait en lui. Un amour pour un vieil homme qui ne le trouvait pas beau, mais qui l'avouait en rigolant et en se tapant les cuisses. Un vieil homme à la pensée vive, cabot et moqueur, cabochard et sûr de lui, bon vivant.

— T'en as pas, de grand-père ? demandait-il.
— Si, j'en ai même deux.
— Deux ? Tu les vois jamais ?
— Des fois.
— Tu vas chez eux ?
— Non... Mon père et eux, ils s'engueulent toujours.

Son intuition lui faisait bien sentir que Gilles ne vibrait pas de bonheur. Ne s'étaient-ils pas tous les deux reconnu des affinités à cause de cela ? A présent qu'il touchait à cette chose merveilleuse de compter pour quelqu'un, dans un premier temps, avant de s'y noyer en égoïste parfait, il avait envie de se faire éclater le cœur en fanfaronnades. Après s'être senti un balluchon encombrant, il devenait le petit Jeannot que l'on voyait enfin, que l'on éveillait au monde, à qui l'on parlait, que l'on écoutait. Alors il partageait les résultats de sa nouvelle alliance : tous les mystères qu'un vieux personnage lui dévoilait, en offrant de son temps le meilleur qui lui restait, le plus riche. Sans imaginer un instant la souffrance morale de Gilles, sans plus remarquer les bleus et contusions que son ami cachait mieux maintenant qu'il portait à nouveau des tricots à manches longues. Car Gilles avait un père, il ne pouvait pâtir de son absence.

L'arrivée du sien ne fit bientôt plus partie des préoccupations de Jean.

5

Enfin la haute barrière fut là, que le pépé ébranla d'un robuste coup d'épaules. Dans un violent tourbillon de grésil, Jean attendit qu'elle fût correctement refermée. Puis tous deux s'engouffrèrent dans la maison, accueillis par une douce chaleur odorante.

Debout contre le poêle ronronnant, Marthe remuait un liquide ambré dans une casserole. Une robe noire serrée à la taille l'enveloppait du col aux chevilles. Jean ne l'avait jamais vue habillée autrement que les jambes cachées.

— Alors, mon Jeannot, tu languissais mon chocolat, pas vrai ?

C'était le salut hebdomadaire de Marthe, auquel Jean répondait d'un vigoureux hochement de tête.

Il se débarrassa de son cartable et de son manteau en les posant dans un coin, tout en jetant un coup d'œil à la forme noire recroquevillée dans le fauteuil en osier. Il arrivait à l'aïeule de retrouver, durant de brefs instants, le contrôle de ses mouvements. Alors sa tête se relevait un peu et son doux regard mouillé faisait la tour de la pièce. Marthe avait remarqué qu'à chacune des arrivées de Jean le comportement et la physionomie de l'invalide changeaient.

— Elle est contente de te voir, regarde comme elle te fixe. Va l'embrasser, va.

Les embrassades n'étaient pas le fort de Jean. Dans son entourage, personne ne se touchait. Et l'aïeule, elle piquait dru ! La première fois l'avait pris en traître. Maintenant, il effleurait seulement la joue, du bout des lèvres, comme un coup de bec. Mais cela suffisait à la vieille, qui souriait en remontant sa couverture.

— Tu vois, faisait Marthe à son père, elle a encore sa tête. Elle le reconnaît, le Jeannot.

— Ah, si ça peut lui faire du bien, à la mémé, il va falloir que tu viennes plus souvent, petit. Allez, viens t'attabler !

Jean s'installa sur le banc devant la longue table, ancien pétrin familial, sur laquelle trônait le goutarou. S'asseyant face à lui, le pépé déplia son Opinel, qu'il avait retiré de sa poche, un beau couteau au manche de bois rouge qui fascinait Jean. Plaquant un gros pain de campagne contre son torse, il se mit à découper de larges tranches qu'il allait enrichir d'un miel blond fluidifié au bain-marie.

Doucement, lentement, pour amortir la claudication de sa jambe, Marthe s'approcha avec la casserole fumante dont elle avait entortillé le manche d'un torchon, tout en continuant à racler la cuillère contre le fer ; bruit caractéristique que Jean associerait toujours à la préparation du chocolat.

— Tiens, mon Jeannot, réchauffe-toi.

Jean aspira longuement les lambeaux de fumée qui montaient droit du bol rempli à ras bord. Il se pencha et trempa ses lèvres dans le liquide, jusqu'à les affubler d'une moustache brune qu'il se garda d'essuyer. Jamais il n'avait consommé de chocolat aussi moelleux que celui de Marthe. Le pépé lui avait soufflé un jour, malicieux :

— La Marthe, je la soupçonne d'économiser la crème tous les jours pour que le chocolat des fins de semaine soit meilleur.

Suspendus à sa bouche, les deux ne perdaient pas un geste du petit, qui avait l'impression d'accomplir un rituel. Il les devinait heureux de le voir dévorer à pleines dents les tartines trempées dans le chocolat crémeux. Alors il exagérait ses mimiques goulues.

A leur tour, ils avalèrent leur bol et tranchèrent un bout de fromage et de jambon, collation qui les ferait tenir jusqu'à l'heure de la soupe. Jean ne se lassait pas de regarder le grand-père piquer un bout de nourriture avec la pointe du couteau pour l'amener jusqu'à sa bouche.

Les habitudes s'étaient déjà établies.

Jean était attendu pour faire le tour des bêtes et traire deux laitières des plus tranquilles. Il enfila des bottes en caoutchouc que le pépé s'était procurées pour lui. Il y flottait dedans, mais « comme ça, elles t'iront encore l'année prochaine, il suffit de mettre deux paires de chaussettes », avait dit le vieil homme.

La traite était un travail qu'affectionnait Jean. Le pépé lui avait fait un tabouret à sa mesure et lui avait expliqué les gestes :

— Regarde, comme ça. Régulièrement, sans forcer…

La Marguerite et la Pivoine, deux belles vaches aux yeux tendres, s'étaient accoutumées à se laisser tripoter les pis par ce jeunot inexpérimenté qui avait peur de leur faire mal.

Le chien jaune collé à leurs talons, ils emplissaient chacun leur seau quand Jean ouvrit la bouche, chose si rare que le pépé eut une temps de réflexion avant de répondre :

— Un bâtard ? C'est notre Junki, ce grand chien jaune. Un corniaud. Son père et sa mère sont de races différentes. Il ne ressemble à personne.

Le bruit chuintant du lait qui s'échappait des mamelles gonflées pour gicler dans le fond des seaux emplit à nouveau le silence. Poursuivant sa tâche, Jean, le front collé contre le flanc de la vache, aimait la chaleur animale, tout comme l'odeur si pénétrante qui s'en dégageait et qu'il avait cru détester à sa première visite à la ferme. Il n'y avait plus que celles du fumier et du purin qui le révulsaient un peu, mais, depuis qu'il avait ses bottes, patauger dans les bouses et les crottes ne représentait plus un handicap.

— Et c'est quoi, un affront ?

— Ah ça, mon Jeannot, tu me fais jouer au professeur ? Eh bien, c'est une offense, une insulte. Enfin, quelque chose de méchant qu'on fait à quelqu'un, devant d'autres personnes. Quelque chose comme ça, quoi. C'est humilier quelqu'un. Tu comprends ?

Le pépé n'était pas sûr que Jean connaisse tous ces mots, mais il était encore moins sûr de saisir lui-même l'intérêt de ses questions.

— Et c'est quoi, un gendre ?

— Eh bien, mais... c'est ton père pour ta mémé Yolande et ton pépé Jules. Quand tu épouseras une jeune femme, tu deviendras le gendre de ses parents à elle. Le Jules, c'est mon gendre. Tu sais, les liens de parenté, c'est un peu compliqué.

— Et c'est quoi, un fantôme ?

— Ah ! Nom de Diou, c'est quoi, ces questions ? s'agita le pépé. Tu as entendu des fadaises, toi, pas vrai ? Qui t'a parlé de ça ? J'espère que ce n'est pas la Marthe, sinon… Je n'aime pas qu'on parle de ces choses-là ! C'est la Marthe ?

— C'est à l'école, dit Jean timidement.

— Ah, si c'est à l'école… Bon. Un fantôme, pour certaines personnes comme la Marthe, c'est une apparition, une ombre, un esprit… C'est difficile à expliquer, tu es encore un peu jeune pour comprendre. Mais pour des gens sains d'esprit comme toi et moi, un fantôme, c'est seulement une apparence trompeuse. C'est rien du tout.

La traite se termina et les questions cessèrent. Ils allèrent rendre visite aux cochons, aux brebis et aux chèvres, caresser le vieux cheval Bijou. Ils s'assuraient que chaque animal avait du goût pour sa nourriture, et fermaient bien les locaux. Quelques bêtes renâclaient dans la paille de leur box. Les poules avaient rejoint les pintades et les canards dans leur poulailler situé dans la bergerie. Le chien Junki se faufila dans sa niche insérée dans une pile de bois ; le temps arrivait où il passerait ses nuits à l'écurie. La bise avait doublé en force et sifflait à leurs oreilles. De fines particules blanches et légères voltigeaient dans les rafales froides, disparaissant à peine arrivées au sol, comme si elles n'avaient jamais existé.

Ils réintégrèrent la chaleur, accueillis par des effluves de potage. Jean étala ses livres et ses cahiers sur la table débarrassée, et joua à l'élève consciencieux, tandis que Marthe et le pépé retenaient leur souffle. Ils avaient tiré la lampe depuis le plafond pour éclairer davantage. Jean savait que le silence était pour lui. Il gagnait en importance entre ces deux êtres respectueux de lui, qui l'aimaient presque comme un miracle en le regardant tracer l'alphabet d'une plume tremblotante ou bien tirer des traits sous les chiffres à soustraire ou à additionner. Il les sentait se consulter du regard par-dessus sa tête et approuver du chef, avant qu'ils ne s'éloignent avec un chuchotement : « Fichons-lui la paix, il réfléchit. »

Bien que piètre écolier, Jean ne sortait jamais ses cahiers avec autant de cœur que là, accoudé à ce vieux pétrin dont les taches ancestrales lui devenaient familières.

Comme il finissait de ranger son livre de lecture dans son cartable, un toc résonna et Marcel Baume entra après s'être vivement frotté les pieds. Aussitôt la porte refermée, il s'approcha du poêle en soufflant sur ses mains et les tendit au-dessus de la marmite fumante. Petit et râblé, tout en muscles, il ne se débarrassait jamais d'une cigarette sèche coincée dans la commissure de ses lèvres. Il parla sans qu'elle bouge, de sa voix légèrement traînante :

— On a bien fait d'arracher les dernières pommes de terre. La neige approche.

Ces trois mots firent battre plus fort le cœur de Jean.

— Si la bise tombe, c'est pour cette nuit, répondit le pépé. Ça me surprendrait peu qu'on retrouve tout blanc, demain. Marthe ! Sers-nous la goutte.

Marthe était en train de donner la becquée à la grand-mère, à petits coups de cuillerées de soupe.

Elle se leva pour aller chercher une bouteille d'eau-de-vie de prune, deux verres et quelques sucres tandis que Jean saisissait un éclair dans les yeux de Marcel. Le commis avait enlevé sa veste et s'était attablé tout en jetant autour de lui des regards satisfaits qui avaient l'air de dire : « On se sent bien ici. » Il s'arrêta sur Jean.

— Tu as déjà vu la neige, petit ?

Jean secoua négativement la tête.

— C'est vrai qu'à Marseille on voit plutôt des bateaux, fit l'autre en riant, certain d'avoir sorti une bonne blague.

Non, Jean ne connaissait rien de la neige et de l'hiver, mais il voulait bien croire ce que sa mère en disait : « Attends de voir pendre les glaçons aux fenêtres de la chambre et même au gant de toilette, les canalisations péter, le froid nous saisir jusqu'aux os, jusqu'au retour du printemps. Je déteste ce pays.
— Si tu étais si bien à Marseille, il fallait y rester, ma fille ! » grinçait mémé Yolande.

— Goûte-moi ça, fiston.

Le pépé lui tendait un canard délicatement serré entre deux de ses gros doigts.

— Allons, pépé, laisse-le tranquille, fit Marthe en reprenant sa place auprès de la grand-mère. C'est trop fort pour lui, même sur un sucre.

— Goûte seulement, insista le pépé sous l'œil narquois de Marcel.

Jean se souvint de l'œuf cru et de l'espièglerie du vieux. Il avança la main, s'empara du sucre imbibé d'alcool et en goûta prudemment un bord. Il retint sa grimace et rendit le tout, imperturbable.

— J'aime pas.

— Bien dit, mon Jeannot, approuva Marthe. Tu as le temps pour apprécier l'eau-de-vie autant que ces boit-sans-soif.

— Moi, j'ai appris à l'aimer, la gnôle, quand on m'a soigné les dents avec, rigola Marcel en avalant d'un coup sec le contenu de son verre. Il y avait pas meilleur remède, en fin de compte. A la vôtre, patron, ajouta-t-il avec un geste qui en redemandait.

— La Marthe, elle préfère soigner les miennes avec une chique ou un clou de girofle ou même la reine-des-prés, s'esclaffa le grand-père en resservant son ami. Ah, elles nous compliquent la vie, parfois. Regardez comme il est beau, notre Jean, berchu d'en haut. A quoi elles servent, les dents ? Regardez la grand-mère, elle n'a jamais vu un docteur de sa vie, c'est peut-être bien pour ça qu'elle est encore là. Elle n'a plus de dents et pourtant, il n'y a pas si longtemps de ça, elle croquait des pommes, cassait des noix, avec des gencives devenues aussi dures que la pierre. La nature s'adapte, je l'ai toujours dit.

Marthe secouait la tête en les écoutant. Avec le rebord de la cuillère, elle essuyait la soupe qui coulait sur le menton d'Adrienne. Comme d'habitude, avant que l'assiette ne fût vide, la tête s'alourdit et bientôt se cala sur une épaule. La grand-mère s'était endormie. Marthe avait avancé les horaires de son repas, les avait reculés, rien n'y avait fait : Adrienne s'endormait systématiquement après le même nombre de cuillerées.

Alors que les deux hommes continuaient à échanger d'anodins propos sur la journée passée et celle à venir, Marthe ouvrit le lit. Marcel se leva et vint soulever la vieille du fauteuil pour doucement la déposer sur les draps. Puis, tandis que Marthe finissait d'installer la dormeuse, il retourna terminer sa causerie.

Jean, de son côté, avait sorti d'une boîte à chaussures une ménagerie faite en pommes de terre et allumettes. Jusqu'à l'heure de la soupe, il avait le temps de confectionner un autre animal, comme le lui avait montré le pépé. Il lui suffisait de choisir quelques patates dans le cagibi sous l'escalier. Lorsqu'il réapparut, porteur du futur corps de la quatrième vache de son cheptel, il entendit Marcel faire ses adieux.

— Je vais aller saluer les camarades avant de rentrer. Hier, ils avaient un souci dans une galerie.

Le pépé et Marthe savaient que Marcel s'apprêtait à faire le Breuil, c'est-à-dire dévaler tout le boulevard central de La Mure, sur lequel s'alignaient bon nombre de cafés. Ces lieux de rencontre immuables et journaliers étaient fréquentés par tous les mineurs qui venaient se soulager de leur peur quotidienne de l'éboulement ou du dégagement instantané. Sans regretter la dure vie du fond, Marcel regrettait l'ambiance de la couble, unique, la solidarité, le clan des mineurs. Alors souvent, pour ne pas dire toujours, en revenant de la ferme il passait d'un café à un autre pour saluer des potes, qui l'accompagnaient à leur tour jusqu'au café suivant pour en retrouver d'autres. On disait que certains passaient plus de temps dans ces bars que chez eux.

— Ne viens pas demain, il y a le petiot pour m'aider, dit le pépé.

Et Jean se sentit devenir immense.

— Ouais, mais ce sera peut-être une des dernières fois. La neige arrive, affirma Marcel.

Et Jean ressentit un rude coup à l'estomac.

— Qué neige ! On ne va pas se laisser déborder par la neige ! Qu'est-ce qu'on fait de la 203 garée dans la grange ?

Un « Quoi ? » fusa des deux bouches. Marthe et Marcel regardèrent d'un même œil rond le vieux qui riait dans sa moustache. Chacun se retint de dire ce qu'il pensait, mais chacun savait qu'il pensait de même que l'autre.

Jean, qui n'en continuait pas moins à triturer ses pommes de terre d'un air indifférent, s'était arrêté de respirer.

Vingt ans auparavant, après une virée bien arrosée avec les « conscrits », le pépé, qui avait bu beaucoup plus qu'il ne fallait, avait planté de belle façon la 203 contre un bassin de la ville, devant des dizaines de témoins. Il avait effrontément insulté le vieux clou, déclaré le manque de fiabilité du véhicule, et l'avait remisé depuis ce temps dans une des granges de la ferme, décrétant à tout va qu'il l'avait descendu à la casse de Grenoble. Ressortir la vieille Peugeot, la conduire à nouveau, c'était reconnaître publiquement sa mauvaise foi. Il est vrai que la population des conscrits avait baissé de plus de la moitié, mais tout de même... Marcel regardait son patron, mi-figue, mi-raisin. Il se souvenait de son engueulade, le jour où il avait découvert la 203 cachée sous un amas de paille dans un hangar dit désaffecté, et du serment qu'il avait dû faire de n'en parler à quiconque. Marthe regardait son père bouche bée.

— Et puis, reprit le parjure en enflant de la voix et en roulant de gros yeux subitement sévères, avec tout ce que ce petit entend comme âneries chez ses grands-parents, il vaut mieux qu'il se rince les oreilles chez nous le plus souvent possible ! Demain, Jeannot, tu m'aideras à réveiller la 203. C'est vrai qu'elle a dû rouiller un peu, depuis le temps.

— Allons, tu ne sais même plus la conduire ! protesta Marthe. A ton âge, il serait plus prudent de demander au voisin.

— Ne rien devoir à personne ! Voilà le bien-vivre ! Au début, l'Eric, il dira oui, et même avec plaisir, et puis après je l'emmerderai. Alors, on va faire comme j'ai dit, ponctua le pépé d'un coup de poing sur la table. Et je commence à avoir faim, sacré nom de Diou ! Qu'est-ce qu'il a à voir, mon âge ? finit-il en grommelant.

Le tic-tac de la grande horloge, la chaleur, le doux ronronnement du poêle, l'odeur appétissante du ragoût de midi mélangé aux légumes, la lumière même, plus intime depuis qu'on l'avait remontée au plafond, la vieille Adrienne sagement endormie comme une enfant dans le lit tout au fond de la pièce, le chat roux juché sur le tas de bois calé contre le poêle... Jean était au paradis, pour sûr.

— Jeannot, va nous chauffer les lits, va, demanda Marthe. Moi, je vais m'occuper de la table.

Et tandis que Marcel s'en allait, Jean, aidé du pépé, retirait les six briques du four de la cuisinière en prenant garde de ne pas se brûler comme la première fois. Il les emmaillota par paires dans un linge et fit trois voyages jusqu'à l'étage, fier de sa besogne.

Après la soupe, que le pépé but avec des bruits de bouche, Jean se remit à sa collection de vaches en pommes de terre, pendant qu'une douce odeur de violette se mettait à flotter dans la pièce, escamotant celle des légumes. Ce qu'il y avait d'extraordinaire avec Marthe, c'était de la voir multiplier l'usage des choses. Un jour, elle utilisait la violette en infusion pour lutter contre la toux d'un proche ; le lendemain, elle en parfumait ses lessives – parfois c'était de la lavande – en les faisant bouillir avec un petit sac contenant les mêmes fleurs. Cette opération laissait au linge une douce odeur apaisante, que Jean aimait à respirer, comme celle du tabac blond bourré dans la pipe de l'arrière-grand-père.

6

Jean préférait partager le lit de Marthe plutôt que celui de sa mère, même si la tante rouspétait lorsqu'il traînait pour se coucher ou gigotait un peu trop sous les couvertures.

— Viens près de moi, mon Jeannot, si tu veux avoir plus chaud.

Il se sentait accepté dans ce lit-là, contrairement à l'autre, où il devait s'accrocher aux bords du matelas pour ne pas rouler contre le corps de Josette.

Il n'y avait que les prières qui le dérangeaient. Marthe insistait afin qu'il récite un Pater et un Ave chaque soir. Il ânonnait en même temps qu'elle, l'esprit très loin des mots, comme s'il s'était agi d'une langue étrangère.

Du bout des pieds, il repoussa tout doucement les briques refroidies jusqu'au fond du lit. Puis il sortit son museau de sous l'édredon. Il n'arrivait plus à dormir. Sans tout à fait ronfler, Marthe expirait à grands bruits. Il avait entendu le pépé descendre depuis un moment. C'était lui qui avait charge de réamorcer le feu dans la cuisine et de faire le premier café de la journée. La chasse d'eau des cabinets avait fonctionné. Une fragile lueur tentait de filtrer à travers les lattes des volets. Jean écouta, tous ses sens à l'affût. La bise semblait s'être calmée. Le pépé avait-il eu raison d'annoncer la neige pour le matin ? « Les bécasses s'en vont plus tôt que prévu, mon Jeannot, avait-il averti un jour d'octobre, le regard levé au ciel. Et tu vois, il n'y a déjà plus de papillons dans l'air. On aura un hiver précoce. »

Décidément, il lui fallait savoir.

Lentement, Jean s'extirpa des draps et se laissa glisser sans bruit du haut sommier. Le lino froid lui glaça aussitôt les pieds. Il tâtonna, à la recherche de ses pantoufles, les enfila, vint jusqu'à la porte avec des ruses de Sioux pour éviter les lattes grinçantes. Les gonds de la porte risquaient de le trahir. Il s'arma de patience et enfin réussit à sortir de la chambre sans se faire rappeler à l'ordre.

Il vit le pépé penché devant la cuisinière, en train d'ôter le tiroir du fourneau, de vider les cendres dans un seau. L'homme se retourna et s'exclama :

— Déjà levé ? Alors viens m'aider à faire du papier pendant que je m'occupe des brindilles.

Et Jean de déchirer les feuilles d'un journal avant de les froisser de ses petits doigts malhabiles, et le pépé de casser des brindilles sur son genou, sans souci de réveiller l'aïeule, bien trop sourde.

— Jette les boulettes sur la grille, là, moi, je mets le bois. On va vite avoir chaud.

— Il y a de la neige ?

Le pépé le regarda sans répondre, mais Jean capta l'étincelle qui couvait à la lisière des sourcils.

— Va un peu t'habiller, lui dit-il d'un ton coquin

en s'occupant d'ouvrir une fenêtre pour pousser les volets.

Tout excité, Jean fila dans le couloir, arracha son anorak de la patère et revint en courant, les yeux brillants, pour enfiler nerveusement ses grandes bottes.

Le pépé ouvrit la porte et ne rata aucune des expressions qui passèrent sur le fin visage. Peu soucieux de faire entrer le froid – Adrienne étant bien à l'abri sous un édredon dodu –, il laissait à l'enfant l'initiative du pas qui l'amènerait dans la poudre blanche, ressentant un plaisir analogue au sien même si la cause différait. Il suivait avec un attention inhabituelle tous les sentiments du gosse, de son émerveillement à son hésitation, face à la neige mystérieuse.

Enfin, Jean se décida. Spectateur en retrait, silencieux, le pépé lui emboîta le pas jusqu'au milieu de la cour.

Jean écoutait avec bonheur le craquement de la neige sous la semelle de ses bottes tout en regardant, la tête levée, les milliers de flocons descendre au ralenti d'un ciel plombé, comme une pluie magique. Il les sentait finir leur chute, légères caresses mouillées contre sa peau après l'avoir picotée de leur froidure. Il mit ses mains en coupe pour les recueillir, fragiles particules aux formes géométriques exceptionnelles, fondant aussitôt, insaisissables. Tout avait changé, tout avait disparu sous un linceul ; même le silence avait un son inaccoutumé dans cette aube insolite. Junki, le bâtard, sortit encore ensommeillé de sa niche pour les saluer et s'étirer, avant de flairer l'air en tous sens. Jean était charmé. Il huma à plein nez l'apparition féerique, insensible au froid qui attaquait ses pieds nus dans le caoutchouc. Il se baissa pour saisir une poignée de cette poudre si docile et la compacta aisément à deux mains. Il regarda le pépé qui avait fait de même tout en épiant ses gestes. La bagarre débuta, lancée par l'homme. Leurs éclats de rire emplirent la cour de jeunesse.

Lorsqu'il rentrèrent, Marthe les sermonna, mais la vivacité de l'œil contrastait avec les mots sévères. A travers les carreaux, après s'être chargée du café oublié, elle les avait longuement regardés, lui, le père, immense, aux gestes lents et mesurés, et lui, le gosse, dont le pyjama trop court flottait autour de ses jambes maigres, s'affronter dans un jeu sans règles.

— Pourquoi il serait malade, notre Jeannot ? Ça n'est pas quelques cheveux mouillés qui vont l'enrhumer. Il faut bien qu'il profite de sa première neige. Ma foi, cet exercice m'a ouvert l'appétit, pas vrai, fils ?

Jean ne sentait plus ni pieds ni mains mais il ne se serait plaint pour rien au monde. Il devinait que ses joues et son nez étaient aussi rouges que ceux du pépé, ses cheveux aussi dégoulinants que le béret encore tout blanc. Marthe leur avait tendu leurs pantoufles, qu'elle avait entreposées dans le four du poêle durant leur sortie, et maintenant séchait la tête de Jean avec un torchon de cuisine en priant son père d'ôter sa veste de velours mouillée. Mais le luron haussa les épaules et s'installa à table devant le bol qui avait étonné Jean la première fois ; un vieux bol en porcelaine, blanc au liseré doré, tout à fait ordinaire et pourtant curieusement fêlé de l'intérieur. « Cristallisé par la gnôle », s'était moquée Marthe.

Le pépé avait déjà bu d'un trait le brûlant café quotidien et s'appliquait à préparer la deuxième fournée. Debout de l'autre côté de la table, Jean le regardait faire tandis que Marthe s'occupait du chocolat.

Le pépé emplit le fond du bol d'eau-de-vie et s'adressa à Jean :

— La boisson la plus saine qui soit. Mon père est mort à quatre-vingt-dix-neuf ans, avec ce régime-là. Et encore, c'était du ratafia qu'il buvait, lui ! La mémé, elle boit des litres de thé de frêne par jour. Le résultat est le même, va te faire une idée avec ça !

Et il riait tout bas, trempant dans le liquide transparent de grosses mouillettes de pain rassis de la veille. Quand la croûte de pain était ramollie, totalement imbibée d'alcool, il prenait son temps pour la mâchouiller et l'avaler.

— Cet après-midi, on sortira la luge, on ira faire un tour dans les champs, affirma-t-il la bouche encore pleine. Et tout à l'heure on ira réveiller la 203. L'Eric nous donnera un coup de main pour la mécanique, s'il y a besoin, c'est un as.

— L'Eric ? Tu lui as déjà demandé ? s'étonna Marthe.

Sans répondre, son père hocha la tête, et Marthe fut certaine que le bonhomme étudiait la question depuis plus longtemps que la veille.

A cet instant arriva Germaine Millet, une forte femme à la figure sans relief, à la voix de stentor.

— Ça y est, nous voilà propres ! Il y en a déjà quinze centimètres, fit-elle, essoufflée, en s'ébrouant comme un chien.

Le paillasson, qui en avait vu d'autres, se mit à absorber l'eau qui dégoulinait de son parapluie.

— Celle-là ne tiendra pas, c'est juste un coup de

semonce, la rassura le pépé. Demain soir, le soleil aura tout fait partir.

— Vous avez bu votre café, Germaine ? Il m'en reste un peu, proposa Marthe.

— C'est pas de refus. Tiens, Jean, va accrocher mon manteau, tu seras bien brave.

Jean raidit ses petits bras sous le lourd vêtement de laine.

Germaine Millet venait chaque matin aider Marthe pour les soins d'Adrienne et repartait avec des draps et du linge à laver. Sa robustesse contrastait avec la fragilité de Marthe, même si celle-ci, quoi qu'on eût pu croire, compensait son infirmité par une énergie farouche.

Quand Jean eut terminé d'avaler son pain, le pépé l'envoya s'habiller chaudement et l'entraîna au-dehors, laissant les femmes à leur tâche. Ils s'occupèrent des bêtes, en commençant par les lapins et en finissant par le cochon qui serait bientôt sacrifié à la tradition.

Enfin le grand moment arriva.

L'ouverture du hangar, avec une clé d'une étonnante grosseur, ressembla à celle d'un coffre à trésor. A grand renfort de gestes mystérieux, le pépé invita Jean à se rapprocher d'une bâche que la poussière et la paille tombée de la grange par les espacements des lattes du plancher avaient rendue jaune.

— A dire vrai, j'ai été un peu couillon de l'avoir laissée se morfondre toutes ces années. Elle nous aurait rendu bien des services. Les hommes, mon Jeannot, c'est souvent trop orgueilleux. Enfin, tu vas voir ce que tu vas voir, fit-il en détachant la bâche de ses liens.

Avec le doux frôlement d'un jupon soyeux, la banne glissa lentement tout autour de la carrosserie beige pour venir se plier à leurs pieds, tandis qu'un mélange pulvérulent les enveloppait.

La Peugeot reposait sur des moellons en guise de cales. Jean repéra tout de suite l'impact sur l'aile avant droite, le phare éclaté, la tôle enfoncée au niveau de la calandre dont la rouille avait investi les plis froissés. Tout heureux, il se hissa sur la pointe des pieds pour examiner l'intérieur.

— C'est une 203, tu vois ?

— C'est une 203, répéta Jean d'un air entendu sans toutefois comprendre.

Cette sensation le gonflait d'un immense crédit.

— La batterie était à l'abri, je l'ai fait recharger toute la nuit. On va la réinstaller de suite.

Cela prit peu de temps.

— Je ne pense pas que les pneus soient trop dégonflés. Dans mon souvenir, la manivelle devrait être sur le siège arrière. Passe-la-moi.

Sans savoir de quoi il s'agissait, Jean chercha un objet à l'arrière et rapporta une tige de fer. Le pépé la fixa à l'avant du véhicule, sous le capot, et s'échina à lancer le moteur. Les à-coups étaient durs, il transpira bientôt et se mit à jurer en patois. Tout en se redressant péniblement, il s'épongea le front de son grand mouchoir à carreaux.

— C'est qu'elle me fait un caprice ! Elle m'en veut de l'avoir escagassée et remisée comme une malpropre !

— On va voir le voisin ? fit Jean, doutant des capacités en mécanique du pépé et pressé de savoir.

— Tu as raison. Il a plus de nerfs dans les bras.

Eric Froment, dont l'atelier était à une centaine de mètres de la ferme, réparait la roue d'un tombereau et leur demanda de patienter quelques minutes. Jean contempla cet athlète au torse nu, quinquagénaire aux bras noueux, au ventre ceint d'un tablier de cuir, en train de frapper en cadence un métal rougi, dans l'expiration d'un grand soufflet. Le front en sueur, il maîtrisait le fer en le martelant, puis l'immergeait dans une vaste cuve emplie d'eau, au milieu d'un nuage de vapeur.

Enfin, il s'essuya les pectoraux à l'aide d'une serviette-éponge, s'en tamponna les aisselles, poilues comme celles du diable, s'en tapota le dos et enfila deux vieux pull-overs troués et tachés, avant de les suivre sous les flocons de neige qui diminuaient d'intensité.

Eric trifouilla dans le moteur. Ce qu'il y fit de miraculeux, ni le pépé ni Jean n'auraient pu l'expliquer, mais au deuxième tour de manivelle le vieux moteur se mit à crachoter, à trembloter, pour finalement s'exécuter. Le ronflement se fit régulier tandis qu'une fumée noire sortait du pot d'échappement.

— Je l'avais déjà bien chauffée, tu vois ? dit le pépé à Jean d'un coup de menton important.

— En détordant un peu la tôle de ce côté, tu pourras rouler sans difficulté, Toine. Voyons, poursuivit l'athlète en se baissant, ça me paraît faisable à l'instant.

Et aussi sec, les pieds calés contre la roue, il tira sur la carrosserie de tous ses muscles.

Quand le pépé se gara devant la barrière, le lendemeain soir, au volant de la 203, il avait un fiérot à ses côtés. Ils avaient fait des essais dans la cour de la ferme, manœuvrant sur la neige, laissant une multitude de traces s'entrecroiser dans un sens et dans l'autre, accompagnés d'un Junki bondissant et hurlant. Le pépé avait réappris à conduire, donnant en même temps des leçons à Jean, à qui il avait confié le volant.

Ce dernier avait l'impression que tout le monde les regardait, les reconnaissait, les enviait. Il descendit du véhicule, droit comme un *I*, le visage imperturbable mais le cœur en émoi.

Yolande n'en revint pas :

— Tu crois que c'est prudent de…

— Prudent de quoi ? Je ne suis pas une ruine, tout de même.

— Allons, tu sais bien que ce n'est pas ce que je voulais dire.

— Alors, il n'y a rien à dire. Mais je pourrais venir chercher le gosse le mercredi soir, par exemple, plus souvent en tout cas.

— Mais le jeudi, il a ses devoirs à faire, il doit aller au catéchisme…

— Et si je restais tout le temps à la ferme ? fit Jean, brusquement inspiré.

— Et puis quoi encore ? riposta Yolande, presque vexée.

— Ma foi… fit le pépé en se curant un ongle. C'est finalement pas une si mauvaise idée.

— Tu n'y penses pas ? Les voisins seraient capables de dire qu'on ne l'aime pas, ce gosse, ou qu'on veut s'en débarrasser !

— Ma pauvre Yolande, ça ne t'a pas encore passé de donner tant d'importance à l'opinion des gens ?

Il pouvait dire ça, tiens, lui, avec l'histoire de la 203... Il en rigola tout seul en rentrant à la ferme.

7

Deux années passèrent ainsi, ballottant Jean de Nantizon à La Mure. Deux années dont tout le monde s'accommoda.

A l'école, les jeux marquèrent les saisons, sans que Jean et Gilles y prissent spécialement part. Gendarmes et voleurs, saute-mouton, boules de neige, luge, billes, marelle et cerceau se succédèrent invariablement jusqu'à ce nouveau printemps.

La vie entre mémé Yolande, pépé Jules et sa mère, que Jean ne voyait que le soir au coucher, se déroulait dans des silences, des sournoiseries. Jean n'ouvrait jamais la bouche, ne levait jamais les yeux, se fondait dans le décor, renforçant l'image de ce que les autres s'imaginaient de lui.

Il n'avait pas beaucoup grandi et faisait toujours moins que son âge. Il avait gardé sa figure tout en pointe et noiraude, mais les années passées le consolidaient intérieurement, colmatant les fêlures de son premier âge.

Il ne vivait que pour les vacances et fins de semaine, pour la vie à la ferme où il participait aux fenaisons, conduisait le tracteur et le cheval, et accomplissait sa part. Après que le pépé eut scié le bois le matin, lui, à la hachette, faisait du bois d'allume dans les rondins de frêne et de tilleul. Il empilait aussi les bûches dans le bûcher et savait choisir l'acacia pour faire la flamme, le chêne et le fayard pour faire la braise, le vieil aulne noir pour durer. Dans la pièce, le poêle fonctionnait été comme hiver ; au gros de la froidure, on remplaçait le bois par du charbon. Il aimait lorsque le garde champêtre arrivait jusqu'à l'angle de la ferme, suivi d'un attroupement de gosses, pour émettre ses avis à la population. Les roulements du tambour lui donnaient des envies d'être musicien. Il écoutait avec une attention peu commune le pépé compléter ses leçons sur la nature, sur la vie telle qu'il la concevait. L'aïeul le laissait réfléchir, profitant de ses erreurs pour l'instruire. Quand il le traitait de gros bêta, le ton était toujours empreint d'affection, d'une complicité qui ne faisait que s'affermir. Pour Jean, qui avait si longtemps espéré un homme dans sa vie, celui-ci représentait le centre de son univers, ressortait même grandi, plus important de jour en jour pour ce qu'il représentait de promesses sur les lendemains à venir. Jean ne se serait jamais douté qu'il arrivait au vieil homme de contourner de sombres pensées sur l'avancement de son âge, pour ne se consacrer qu'à l'instant présent. Celles de Jean débordaient de lui et ne se heurtaient jamais à la notion de fin. Comment aurait-il pu imaginer, protégé sous une cloche d'amour, que les choses pourtant ne font que passer, que changer ?

Jean n'avait pratiquement besoin de personne d'autre pour se projeter dans l'avenir. Le quotidien restant, il ne faisait qu'attendre, mêlant son ennui de l'école à celui de Gilles.

Ses résultats scolaires étaient loin d'être brillants et son passage en sixième devenu illusoire. Mais comme personne ne paraissait s'émouvoir, Jean ne s'en formalisait pas le moins du monde et se moquait d'être un cancre, d'autant que Gilles restait fidèlement dans son camp. Les deux amis squattaient le fond de la classe, gravant sur leurs pupitres leurs initiales aux côtés de celles de générations d'élèves inattentifs. Ils vivaient en marge, pointaient bons derniers sur la liste des notes, n'écoutaient, ni ne comprenaient, ni n'apprenaient tout ce que leur disaient le maître ou le curé au catéchisme.

Ils avaient la tête ailleurs.

Pourtant, Jean allait enfin décoder la tristesse rivée dans les yeux clairs de son compagnon.

Si Jean faisait l'éloge de son vieil ami personnel, Gilles avait un secret : un repaire bien à lui. Mais comme Jean commençait à douter de la réalité d'une telle révélation, l'enfant blond avait finalement décidé de lui montrer sa cachette. Un après-midi, peu soucieux de se faire gronder par mémé Yolande pour un retard prévisible, Jean avait suivi son ami.

La maison de Gilles était la toute dernière de la cité minière, accolée au Cimon, à deux pas de la forêt, à cinq cents mètres à vol d'oiseau de la barrière. Sans s'arrêter chez lui, évitant de se faire repérer par sa mère qui attendait le retour de l'école de ses trois fils, Gilles intima à Jean l'ordre de le suivre le long d'un jardin commun, longer la haie à la manière des Indiens en chasse, se faufiler à travers un fouillis de troènes dégénérés, escalader quelques troncs renversés tapissés de mousse et de lierre. Une courte grimpée à l'assaut de la colline les amena sur un léger replat. Ils obliquèrent à gauche et s'enfoncèrent dans un sous-bois touffu avant que Gilles ne s'arrête face à un mur de végétation inextricable. Après un vif regard alentour, il enjoignit Jean, plus que surprit, de faire comme lui. Il s'accroupit, releva un pan du mur végétal comme il l'aurait fait d'une mystérieuse toile suspendue, invitant Jean à se glisser dans l'ouverture, après avoir enjambé un obstacle pierreux.

Jean resta abasourdi. Ils venaient de pénétrer dans une sorte de grotte encastrée sous un rocher en surplomb, au sol recouvert de cartons d'emballage. Deux caisses vides de bouteilles de limonade faisaient office de sièges, des boîtes de chaussures s'empilaient dans un coin, un tas d'objets divers et emmêlés encombrait la partie la plus sombre. Un cadre vide attendait son heure, suspendu à une racine s'échappant d'une fissure rocheuse. Etrangement, la lumière arrivait à percer l'épaisseur des ronces pour éclairer suffisamment la cache, que Jean avait aussitôt appréciée. Une moiteur fortement musquée y régnait, une haute rangée de pierres empêchait toute intrusion animale le long du rideau de verdure. Des bougies se nichaient dans les anfractuosités de la roche, collées à de la cire fondue qui avait dégouliné en laissant des traînées jaunâtres et fusibles. La surface devait bien atteindre vingt-cinq mètres carrés.

Jean n'avait jamais vu les yeux de Gilles luire aussi fort. Il envia sur-le-champ son ami de posséder ce territoire secret, cet îlot de solitude, cet antre sauvage au parfum d'aventure.

— Tes frères connaissent cet endroit ? demanda Jean d'un ton où frisait l'admiration.

— Ben oui, c'est à nous. Mais ils viennent presque plus.

Déjà Jean retournait à son inspection, repérant une caisse débordante : vieux livres sur les pirates, Thermos cabossée, patins à roulettes, lance-pierre, couverture, lampe de poche... Il se sentait tout excité, presque aventurier. Il s'empara d'un sécateur, le reposa pour palper des tenailles, retourner une assiette, effleurer la lame ébréchée d'un couteau, soupeser une pelote de cordelette à linge, des boîtes d'allumettes, une radio.

— Elle marche ? demanda-t-il en se retournant vers Gilles.

— Oui.

— Tu as trouvé tout ça où ? insista Jean, émerveillé.

— Dans les poubelles, ou fauché.

— A qui ?

— Aux voisins. Ils laissent tout traîner. Mes frères, ils ramènent des trucs qu'ils piquent dans les rues de La Mure.

— C'est quoi, ça ? demanda Jean en exhibant des bouts de bois ficelés en croix.

— C'est pour mes cadavres.

— Quoi ? s'étonna Jean, un délicieux frisson lui parcourant l'échine.

— Je les enterre ici, fit Gilles en montrant la partie la plus sombre de la grotte.

Jean remarqua alors, presque enfouies sous la

roche, une dizaine de petites croix identiques à celle qu'il avait en main, plantées dans un ordre presque symétrique.

— C'est quoi, comme cadavres ?

— Des bêtes... pour l'instant.

L'hésitation et le sous-entendu plurent à Jean, qui entrait à fond dans la peau d'un téméraire.

— C'est quoi comme bêtes ?

— Des souris, des oiseaux, j'ai même un chat, avoua Gilles en haussant les épaules.

— C'est toi qui les tues ?

— Pas toujours. Le chat, c'est mon père. Il lui a ratatiné la tête avec une pierre.

— Pourquoi ?

— Parce qu'il aime pas les chats.

La figure de Gilles avait quelque chose de changé. Jean lui trouva un air dur et, curieusement, l'admira davantage.

— Tu viens souvent ici ?

— Quand mon père est au boulot. Ma mère, elle croit que je suis avec mes frangins. Mais tu dois jurer le secret. Tu craches et tu jures, sinon...

Jean n'avait pas besoin de menaces. Ils crachèrent dans leurs mains et les unirent en un geste sacré.

L'ambiance des lieux, le secret partagé firent que l'heure fut oubliée. Lorsqu'ils s'en rendirent compte, ni l'un ni l'autre ne voulurent dévoiler un quelconque malaise et cela contribua à les retarder un peu plus. Mais ils revinrent au jardin, à grand renfort de précautions, plus soudés que jamais.

Ils allaient se séparer quand une espèce d'immense escogriffe s'abattit sur eux. Venant de nulle part.

Phénomène hurlant qui les prit chacun par les oreilles et les tira jusqu'a la volée de marches conduisant chez Gilles. Sous la surprise, le choc et la douleur, ils franchirent en gémissant et trébuchant chaque degré de ciment, tiraillés, poussés, bouculés, jusqu'en haut. La porte claqua contre le mur comme un coup de fusil et se referma sur un violent coup de pied, tandis que Jean, hébété, englobait la scène : la mère – aussi triste que sa robe, aussi frêle qu'un lis – et les deux frères, raidis de peur, debout contre la table encombrée du goûter.

L'homme les jeta comme deux vulgaires sacs au-devant des autres. Il était grand, sec et nerveux. Il avait la force titanesque des alcooliques agressifs. Pendant la lutte, Jean avait senti un souffle aviné, mais le nez, spongieux et violacé, était à lui seul un verdict irrévocable. Les deux enfants se retrouvèrent, titubants, la main sur leur oreille endolorie, les yeux emplis de larmes, face à la mine paniquée de Jeanne, que ses deux aînés tentaient de protéger. Complètement ahuri, Jean se retourna et vit avec horreur son agresseur retirer la ceinture de cuir de son pantalon et la faire tournoyer au-dessus de sa tête d'un geste menaçant.

— Fernand, je t'en prie, laisse partir ce gosse, articula sa femme d'une voix sans timbre.

— L'avait qu'à pas se trouver là, fit une voix pâteuse. Le Gilles, il avait qu'à être à sa place avec vous autres ! Mais c'est quoi, c'te discipline, nom de Dieu ! Quand j'suis pas là, tout l'monde en fait qu'à sa tête ! J'm'en vais lui montrer de quel bois j'me chauffe !

Charles et François, que la peur rendait pâles comme la mort, avaient tiré leur petit frère en arrière, mais hésitaient encore vis-à-vis de Jean. Tous savaient que le cirque allait commencer, et la présence d'un étranger ajoutait à leur terreur. Tous quatre avaient reculé derrière la table, essayant de définir le degré de colère et de raison du père qui avait débarqué à une heure inhabituelle.

— Qui c'est, ce morpion ? D'où il sort ? fit celui-ci d'un ton rogue en s'avançant, le blanc de l'œil strié de vaisseaux rouges.

— C'est un voisin, laisse-le s'en aller. Fernand, laisse-le !

— On le connaît pas, insista Charles en s'approchant de Jean, statufié.

— Vous le connaissez pas ? Le Gilles a l'air de le connaître, pas vrai ? hurla l'homme. Qui se fout de qui, ici ? Où est-ce que t'étais ? répéta-t-il en fixant son rejeton comme un possédé.

— Ils n'ont rien fait de mal, plaida une voix.

— C'est moi qui décide, nom de Dieu ! éclata l'homme en cinglant la table d'un coup de ceinturon, boucle en avant.

Un bol en verre jaune explosa, des couverts s'envolèrent pour retomber avec fracas sur le carrelage. François s'était rejeté en arrière, sa main épargnée de peu. Jeanne étouffa un cri et Charles, avec courage, vint braver son père. Il put éviter le premier coup, rata la ceinture dont il voulait s'emparer, reçut un méchant coup de poing dans les côtes, un autre dans le ventre, pendant que François réussissait à bousculer Jean vers la porte. Aussitôt, celui-ci émergea de son état d'inhibition pour se précipiter et s'acharner sur le loquet, le tournant en tous sens, paniqué à l'idée de manquer sa sortie, entendant dans son dos les coups, les cris et les gémissements de cette famille de dingues. Catapulté par la peur, il franchit le perron, rebondit sur les marches en s'épargnant miraculeusement les chevilles, traversa la cité comme un dératé sous des regards curieux et n'arrêta sa course que devant le monument aux morts. La tête en désordre, il se rendit compte qu'il ne risquait plus rien. Jean n'avait jamais côtoyé la violence à l'état pur. La scène sauvage restait imprimée en lui tandis qu'il reprenait son souffle.

La pauvre vie de Gilles venait de s'exposer à lui dans sa vérité la plus crue. Si on lui avait raconté la suite des événements, Jean aurait eu du mal à la croire. Gilles, sa mère et ses frères avaient dû assouvir la haine du père en se flagellant à tour de rôle, soumis à la peur du ceinturon. Jeanne avait eu beau supplier, comme à chaque fois, le père n'avait cédé qu'après que la peau de ses rejetons eut viré au rouge brique.

A partir de ce jour, Jean regarda Gilles autrement. Toute la nuit, il avait ressassé les événements de la veille, pour finalement occulter la partie dramatique et enjoliver la partie aventure car il se découvrait une âme de Robinson.

Dès le lendemain, en guettant Gilles, il vit arriver les trois frères. Un air plus fanfaron que d'habitude recouvrait la face des aînés, qui le regardèrent droit dans les yeux sans broncher avant de continuer en direction du car qui les emmènerait au lycée de La Mure. Seul Gilles regardait le sol, perdu dans la contemplation d'un goudron desséché. Jean lui emboîta le pas.

— Elle est vraiment chouette, ta grotte, tu sais, fit-il.

Il lut du plaisir dans le bref coup d'œil de son ami, qui vint en dissiper la honte. Il repéra aussi une trace suspecte à la limite du col de la blouse.

8

Jean honora avec zèle les rendez-vous fixés à la grotte. Il avoua qu'il allait jouer chez Gilles, mémé Yolande – qui avait comme tout le monde connaissance du calvaire de Jeanne – ne trouvant rien à redire ; les fils Rénier filaient à la baguette, Jean n'aurait pu choisir meilleure fréquentation. Il était d'ailleurs temps qu'il eût un camarade.

Alors commença une habile manœuvre de la part de Jean. Il fut à l'affût de tout ce qu'il pourrait s'approprier sans se soucier du côté immoral de ses actes. Il escamota toutes sortes d'objets, de la savonnette à la petite pelle à charbon, qu'il chercha du reste, en bel hypocrite, dans tous les recoins de la maison et de la cour à la demande de mémé Yolande. Une balayette, un calendrier, un thermomètre, une boîte de conserve disparurent ainsi en quelques semaines, jusqu'à ce que les regards suspicieux de la grand-mère vinssent endiguer le phénomène.

Généreuse contribution de son partenaire, tous ces nouveaux trésors grossirent ceux de Gilles. Un vieux torchon en guise de foulard en travers de la tête pour cacher un œil perdu à la bataille, le menton noirci au liège de bouchons brûlés, ils comptèrent leurs prises, notant dans un grand cahier fauché à l'instituteur la liste de ce qui manquait à leur butin pour soutenir un siège. Leur imagination les entraînait dans une île au fin fond du Pacifique, où les hommes n'étaient qu'ennemis à combattre ou à fuir.

La perversité de Gilles n'apparut pas tout de suite à Jean. Pourtant, déjà, un malaise inexplicable l'envahissait lorsque son ami s'adonnait à son jeu favori : blanchir les os de ses victimes.

Ce jour-là, Gilles passait et repassait les os d'un mulot à la flamme d'une bougie pour en ôter les derniers vestiges de chair, qu'il grattait ensuite avec une vieille lame de couteau.

— Pourquoi tu aimes faire ça ? questionna Jean.

— J'aime bien mettre des os propres dans mes boîtes. Tu veux voir le squelette de l'écureuil ?

— Non. D'où il vient, celui-là ?

— Le piège a fonctionné.

— Il était mort ?

— Pas tout à fait.

— Pourquoi tu les tues ?

Gilles haussa les épaules. Avait-il vraiment une réponse ? Un désir de cruauté se développait de jour en jour en lui. Des envies de môme, de gosse battu qui cherche à transférer une peur qu'il ne sait résoudre.

Jean se tut. Il n'aimait pas l'insensibilité de Gilles à l'égard des animaux, lui qui n'osait dépiauter un lapin, qui n'osait regarder le pépé trancher le cou d'un canard, qui se bouchait les oreilles lorsque l'on égorgeait le cochon.

Mais, cette fois-ci, Gilles avait décidé de l'impressionner.

Déposant l'os en question sur la caisse qui leur servait de table, l'enfant blond fit passer la lame à plusieurs reprises dans la flamme vacillante. Sans se soucier de Jean mais le devinant captivé, il appliqua le tranchant de la lame sur son poignet et tira, tout doucement, jubilant de voir l'ornière ainsi créée se gorger de sang.

— T'es malade ! s'exclama Jean. T'es dingue ! Pourquoi tu fais ça ?

— J'apprends à supporter la douleur. Regarde.

Jean examina tout un fin réseau de cicatrices et de croûtes autour de l'entaille rouge. Gilles se scarifiait les bras !

— Tiens, on va faire une expérience.

— Laquelle ? lança Jean sur la défensive.

— On va voir si tu supportes les brûlures de cigarette.

— Ça va pas !

— T'as la trouille ?

— Non, mais c'est bête comme jeu.

— C'est pas un jeu. T'as la trouille ?

— Non.

— Ben alors, essaie.

L'esbroufe de Gilles l'impressionnait. Dans cette grotte, Jean découvrait un autre enfant depuis plus d'un an, un Gilles bon pour l'asile, lui aurait soufflé un adulte averti. A la fois gêné et admiratif, il le laissa allumer une gauloise. La brûlure le surprit, vive, douloureuse. Il retira son bras, que l'autre tenait fort avec un sourire presque mauvais. La cloque se forma aussitôt sur la partie tendre de l'avant-bras. L'élancement perdura. Jean réussit à conserver un sourire de matamore, mais fut mécontent de lui.

Une fréquentation assidue de son compagnon influençait le côté rêveur et marginal de Jean, révélait une fibre rebelle jusque-là canalisée par le contact du pépé.

Le monde de Gilles n'était que souffrance, celui de Jean balançait entre le tourment d'un enfant et la joie de vivre d'un vieillard.

Ferait-il siens la vision du monde de Gilles, son approche de la vie, son goût marqué de la solitude complice de sa morbidité ? La question ne se posait pas encore. Pour l'instant, tout était bien. Les séjours à la ferme étaient certainement le plus salutaire des antidotes car, à l'âge de basculer dans un excès ou dans un autre, Jean développait une facile tendance à l'illégalité et appréciait la force qu'il tirait de ses méfaits. Mais les objets qui auraient pu l'inciter au vol à la ferme ne furent pas assez convoités pour atterrir au fond de son cartable ; la ferme était pour lui un lieu à part, un terrain intouchable.

D'ailleurs, un événement allait bientôt survenir, qui éloignerait provisoirement Jean de l'ascendant de son jeune ami.

Il trouva Gilles un matin d'octobre assis devant la grotte. Un pâle soleil peinait pour diluer l'humidité nocturne du sous-bois. Des oiseaux pépiaient sous les couverts peu à peu dégarnis par un automne précoce, un train s'éloignait sur Villaret. Des cris d'enfants venaient jusqu'à eux. C'était un jeudi comme les autres, où l'absence du père de Gilles, retenu à la mine jusqu'en début d'après-midi, donnait du lest à ses fils. Mais Gilles gardait la tête enfouie dans ses bras repliés sur ses genoux. Jean s'assit à ses côtés, silencieux, et l'entendit.

— Je le tuerai !

Jean n'avait pas besoin d'explication. Son ami portait encore la trace rouge des doigts paternels sur son cou. Même à jeun, l'homme pouvait être méchant.

— Si tu devais tuer quelqu'un, tu tuerais qui, toi ? reprit l'enfant âprement.

— Personne, fit Jean en haussant les épaules.

— Mais si ! il y a toujours forcément qulequ'un qui nous gâche la vie !

Jean se mit à réfléchir. Non, vraiment, personne. S'il fallait cependant citer quelqu'un... Le pépé Jules, peut-être. C'était celui en tout cas qui lui manquerait le moins.

Quand la chose arriva, Jean se demanda s'il suffisait d'émettre un vœu pour qu'il se réalise.

La nuit du samedi au dimanche, Marthe se réveilla en sueur, le cœur affolé. Elle tendit le bras vers la lampe de chevet, le retint, écouta les coups cogner dans sa poitrine. La présence de Jean à ses côtés l'empêcha de se lever afin d'interroger ses cartes. Elle en était sûre : le rêve qu'elle avait fait était un avertissement. Elle avait visualisé le déroulement du drame avec une précision extraordinaire. Elle ne put fermer l'œil le restant de la nuit.

Elle passa la matinée à cacher et surmonter son agitation, guettant sa sœur, que Jules devait amener à déjeuner. De temps en temps, Yolande laissait à son époux la corvée de la barrière et se rendait à la ferme pour retrouver la famille. Le soir, il revenait la chercher, en profitant pour ramener Jean. C'étaient les rares fois où Jules acceptait de faire rouler sa 4 CV.

Toute à ses fourneaux, Marthe ne pouvait détacher son esprit de la scène ensanglantée imprimée en elle, attendant son beau-frère avec une impatience croissante. A partir de onze heures trente, elle fut sur le qui-vive, à l'écoute d'un bruit de moteur. Enfin, à presque midi, l'automobile s'annonça. Marthe, malgré son handicap, se précipita au-dehors. Lorsque Jules la salua, elle sut, avec une vibrante certitude, que l'événement annoncé allait se produire. Centrée sur sa précognition, elle continua à s'essuyer machinalement les mains sur son tablier, refoulant son malaise à grand-peine. Venant du potager, le pépé et Jean apparurent, les manches de leurs chemises molletonnées relevées jusqu'aux coudes, encombrés de salades et de légumes que le visiteur emporterait.

Sitôt que la voiture de Jules eut quitté la cour, Yolande sortit sa formule habituelle :

— Pas évident de se sentir libre avec un métier pareil. Quand je pense qu'on a eu un contrôle en pleine nuit, tu ne vas pas me dire ! ajouta-t-elle en remuant la tête.

— Allez, ne pense plus à la barrière pour aujourd'hui, entre.

— Qu'est-ce que tu nous as fait de bon ? interrogea Yolande en se penchant sur la grand-mère.

— Fricassée d'agneau et polenta, répondit Marthe.

Son regard venait de se poser sur Adrienne, dont la tête maîtrisait ses mouvements syncopés. A cet instant, Adrienne observait sa deuxième petite-fille d'un air appuyé et cela remua d'autant plus Marthe, qui regretta que Jules, considérant que cela ne servait à rien dans son état, perdît rarement son temps à venir saluer l'aïeule. Elle s'approcha. Adrienne fixait Yolande avec une infinie compassion, comme si elle écoutait un être invisible lui parler d'elle.

— Elle a de ces expressions parfois... On dirait presque qu'elle a retrouvé toute sa tête, chuchota Yolande, bien que sachant la vieille femme sourde. Tu lui donnes toujours de la *Vinca major* ?

Ramassée le troisième dimanche de carême et préparée en décoction, la pervenche, cette fameuse *Vinca major* qui luttait si efficacement contre la sclérose cérébrale, les troubles de la mémoire, la diminution des facultés intellectuelles des vieillards – et qui faisait dire au pépé blagueur, chaque fois que l'on parlait d'un tel qui perdait la boule, qu'il soit jeune ou vieux : « Il est bon pour la pervenche » –, ne pouvait pas faire de mal à l'aïeule. Marthe acquiesça avant de l'interroger en s'efforçant au naturel :

— Comment va ton époux ?

Yolande s'assit pesamment à la table. Elle avait encore forci ces dernières années. Les couverts étaient posés sur une nappe blanche finement brodée à la main. Tous les dimanches, sans exception, Marthe dressait une jolie table, sortait la belle vaisselle familiale. Le pépé et Jean, qui venaient de se savonner les mains, s'installèrent à leur tour. Yolande fut sur le point de dire quelque chose en examinant l'enfant ; elle le trouvait si différent à la ferme.

— Oh, Jules ! Il devient un véritable ours. Avant c'était déjà pas triste ; le retour de Josette et de l'artiste, fit-elle en visant Jean, n'a pas arrangé les choses. Entre le père et la fille, le courant ne passera jamais.

— Il n'a jamais été bien loquace, ne te tracasse donc pas, affirma le pépé qui se mit à couper et distribuer le pain.

— Il faut dire qu'il devient sourd. Ça le rend mauvais. Plus moyen de lui tirer deux mots.

— Sourd ? demanda Marthe, qui, en déposant un pichet de vin devant le pépé, pâlit brusquement.

— Sourd. Mais il ne veut rien dire à la Compagnie.

— Sourd au point de ne pas entendre la sonnerie à la barrière ? Ou un train arrivant à sa hauteur ?

— Dieu ! J'espère bien que non ! D'après lui, non. En tout cas, son humeur a bien changé. Il fait de longs stages au Cercle.

— Il boit ?

— Il commence.

— Bah, un canon n'a jamais fait de mal à personne, intervint le pépé en emplissant les verres d'un vin de sa composition. Jeannot, va te chercher la limonade.

— J'aimerais mieux lui faire passer l'envie tout de suite. Marthe, tu dois bien avoir une petite recette pour ça ?

— Si tu veux dégoûter ton mari de l'alcool, il te faut faire bouillir pendant quinze minutes une poignée de feuilles de chêne sèches pour un bol d'eau, ensuite tu verses deux gouttes de cette décoction dans un litre de vin. La mère Millet a essayé avec son Constant, ça a marché. Je te donnerai ce qu'il faut, ce soir.

— C'est le père Rénier qui aurait besoin de suivre cette prescription. En voilà, un cas.

— Marcel Baume nous en a parlé l'autre soir. Il paraît qu'il mène une vie d'enfer à sa famille.

— Il paraît qu'il cogne dur. Les gendarmes se sont déjà déplacés une fois. Pauvres gosses. L'un d'eux est l'ami de Jean, d'ailleurs – hein, Jean ? –, il te parle de son père, le Gilles ?

Jean secoua la tête négativement, sans répondre. Le pépé attaqua la mie de son pain. Il écoutait ses filles, la tête pleine de ce qui lui restait à faire au jardin.

— Marcel dit que son alcoolisme est dû à la mine. Il ne faut pas oublier qu'il a perdu un frère et un oncle là-bas, dans le dernier dégagement de gaz. Ça les chamboule tous de descendre au fond.

— Moi, je suis bien contente que mon Jules ait trouvé ce travail de cheminot.

— Et Josette, elle est passée où, aujourd'hui ?

— Depuis qu'elle a trouvé ce travail de serveuse au café Pelloux, elle est bien occupée. Au fait, on sait pour...

— Ah... répondit Marthe en regardant Jean tranquillement assis sur le banc, en train d'attaquer lui aussi sa tranche de pain.

— Il en a encore pour deux ans, à ce qu'il paraît.

Jean ne se doutait pas que l'on parlait de lui. Ces mots couverts agaçaient le pépé, mais il était bien conscient qu'il valait mieux qu'il en fût ainsi. Jean n'avait pas à connaître ces choses-là. Pas encore.

— Personne ne semble être au courant ici, fit Marthe.

— Après tout, il s'agit d'un étranger. Les gens jasent plus sur le Jacques qui n'est pas revenu et qui n'est pas le père, vu le manque de ressemblances. Donc, l'autre, il n'intéresse que par son absence, et les gens s'inventent des tas d'histoires. Elle aurait peut-être mieux fait de revenir veuve, tiens, avec ce qui nous attend.

— Arrêtez donc de dire des couillonnades, les femmes. Qu'est-ce qui peut bien nous attendre de grave, hein ? Profitons donc de la vie comme elle nous vient. Elle n'est pas belle, la vie, mon Jeannot ? On aura bien le temps de faire taire les ragots, va.

Comme si les mots du père avaient été un signal, les deux sœurs se levèrent, l'une pour apporter le saladier, l'autre pour remuer la fricassée qui mijotait sur le poêle.

Sans que quiconque remarquât le trouble de Marthe, le repas se déroula dans la bonne humeur, à échanger quelques nouvelles recettes ou conseils divers, à se raconter les bavardages de l'épicier, les potins du dernier marché, ceux de Marcel Baume, de Germaine Millet ou d'Eric, le maréchal-ferrant. Un café, servi dans une fine porcelaine de Limoges, accompagna un sabayon tiède au vermouth blanc. Le pépé s'emparait du fragile objet comme s'il se fût agi du verre de la semaine, mais le reposait précautionneusement sur la table, surveillé par Marthe, qui tenait à ces souvenirs de famille comme à la prunelle de ses yeux.

A ce moment, le glas se mit à sonner.

— C'est le père Roche. Il a fini de souffrir, le pauvre, murmura Yolande.

Le malaise de Marthe s'accrut. Elle savait que le tintement lent de la cloche d'église, qui annonçait la mort de Louis Roche, ne faisait que précéder celui qui signalerait celle de Jules. Un silence accompagna l'envolée des notes lugubres.

Lorsque le repas fut terminé, le pépé essuya la lame de son Opinel, ferma l'objet d'un geste ample, le fourra dans la poche de son pantalon et s'adressa à Jean :

— On va aller au jardin recouvrir de sel toutes les racines de ronces que j'ai taillées dans la semaine. Ensuite on filera au cellier, tu m'aideras à couper des gousses d'ail que l'on intercalera entre les pommes et les poires, si on veut les sauver des insectes et des champignons. A moins que tu ne préfères aider les femmes à la vaisselle ?

Le regard offusqué de Jean fit briller les yeux du pépé tandis qu'un sourire étirait sa moustache.

— Et voilà comment on rend les garçons peu serviables en cuisine, tiens, marmonna Yolande.

— Va, mon Jeannot, va aider le pépé, insista pourtant Marthe.

Quand ils eurent disparu, Yolande s'exclama :

— Quel petit finaud, ce Jean ! Mais c'est qu'ils sont cul et chemise, lui et le père ! Ils ne font pas un pas l'un sans l'autre.

Marthe obligea sa sœur à se resservir en café pour la garder à table.

— Etre sourd, c'est dangereux dans son métier, au Jules. Il devrait s'arrêter de travailler.

— Tu es marrante, toi, il a encore trois ans à faire ! Tu le vois, lui, profiter d'une pension pour se la couler douce, comme il dit des autres ?

— Il serait peut-être temps…

— Je comprends bien, mais…

— Ecoute, j'ai fait un mauvais rêve cette nuit.

— Ah, non ! Si tu commences à radoter, je m'en vais ! Arrête tout de suite !

— Ecoute-moi…

— Tu nous as déjà fait le coup, autrefois.

— Justement. Je n'avais pas raison ?

Yolande s'était mise à pâlir. Marthe en fut remuée, mais s'il y avait moyen de modifier le cours des choses, elle se devait de parler.

— J'ai un mauvais pressentiment, commença-t-elle.

— Mais qu'est-ce que tu racontes, ma pauvre Marthe ? s'écria Yolande, plus affolée qu'elle ne voulait le laisser paraître. Qu'est-ce que tu cherches à me faire ?

— A te prévenir, tout simplement, dit Marthe avec douceur.

— L'autre fois, c'était une voix, maintenant, c'est un rêve ? Tu dérailles complètement. Tu me fiches la chair de poule. Arrête !

Yolande s'était levée et commençait à s'agiter autour de la vaisselle pour continuer à se préserver. Elle stoppa net Marthe qui ouvrait à nouveau la bouche, en pointant violemment un doigt en avant.

— Je ne veux rien savoir ! Rien, tu entends ? Rien de rien !

Marthe hocha la tête, se sentant soudain impuissante. De quel droit parlait-elle ainsi à sa sœur ? Que ne la laissait-elle à son insouciance jusqu'au moment du drame ? Lui appartenait-il de faire contourner son destin à Jules en le connaissant par avance ?

— Ne me fais pas croire que tu peux anticiper les choses, voir le futur ! s'exclama sa sœur en colère. Foutaises ! Si tu y réussis avec d'autres, c'est par pure coïncidence ! Pur hasard ! Et tu oses jouer avec moi ?

Malheureuse ! Je te remercie pour la journée ! Tu n'es pas près de me revoir !

La vaisselle fut sur le point de se briser dans l'évier sous son énervement.

Lorsque Jules revint chercher les siens, Marthe, comme le matin, ne ressentit rien à son contact, seulement le vide, le blanc complet… Comme s'il n'existait déjà plus.

9

Jean était resté à la ferme. Ce jour-là, on enterrait pépé Jules. Le glas égrenait ses lentes notes noires dans l'air vif, Marthe et le pépé s'étaient mis sur leur trente et un et venaient de partir dans la 203.

Jean se retrouvait désœuvré, bien qu'il eût reçu quelques recommandations. Il regarda Adrienne et fut embarrassé. La vieille le fixait, un fragile sourire édenté étirait ses lèvres sèches. Il alla remplir un verre d'eau et l'approcha de la bouche de l'aïeule. Mais elle secoua la tête et prit sa main avec une douceur inouïe, malgré ses doigts osseux déformés par l'arthrose. Allons, que lui voulait-elle ? Il pensa alors qu'elle aussi mourrait bientôt. Quand on était vieux, c'était comme ça. Pépé Jules avait juste pris de l'avance. Il récupéra sa main et lui fit un grand sourire compréhensif, puis il se détourna d'elle. Il avisa le seau en fer sur le seuil de la porte, s'en empara et fila en direction du bassin, suivi de Junki. Il ajouta la quantité d'eau nécessaire au lait en poudre qui couvrait déjà le fond du récipient et touilla la mixture de ses doigts tout en revenant vers l'étable. Pio, le petit veau couleur chocolat, avait l'air de l'attendre, étendu sur de la paille fraîche. Jean retrempa ses doigts dans le mélange blanc et lui présenta sa main à sucer. Attendrissante, la bête téta ses doigts avec un drôle de bruit mouillé. Lorsqu'elle eut terminé sa ration, Jean resta à ses côtés, allongé dans le fourrage, et, tout en lui chatouillant les oreilles, se mit à réfléchir aux événements.

Les deux jours qui venaient de passer lui avaient laissé le champ libre. Il avait bien tenté de jeter un œil dans la salle à manger où l'on avait entreposé le corps avant la mise en bière. Il avait écouté les conversations chuchotées. Mémé Yolande ne l'avait plus voulu dans ses jambes. Une voisine l'avait récupéré à la sortie des classes, le soir de la veillée funèbre.

L'accident de Jules était survenu le mardi qui avait suivi ses allers et retours à la ferme. Le chauffeur de la draisine ne s'en remettait pas : « Il a enjambé les rails au moment où j'arrivais. C'est pas Dieu possible ! Comment j'aurais pu imaginer qu'il allait traverser ? Il était en train de se rouler une cigarette ! »

Et ce que Jean avait cru comprendre dans les bouts de conversations surpris de-ci de-là devint d'actualité, pour sa grande joie.

Veuve, mémé Yolande ne pouvait conserver son travail à la barrière ; un autre couple aménagerait dans la quinzaine à venir. Il fut convenu qu'elle s'installerait à la ferme avec Jean et Josette.

Chacun dut se trouver de nouvelles marques.

Une tension s'installa vite, que tout le monde tenta de gérer du mieux possible, mais des réflexions comme celles de Josette – dont le seul intérêt qu'elle avait trouvé à ce changement était de se rapprocher du centre de La Mure et de quitter la grisaille de Nantizon – en agacèrent plus d'un :

— Il est hors de question que vous comptiez sur moi, les femmes, pour vous aider à bâtir des ourlets ou coudre des boutons. Pas question non plus pour moi de m'occuper des bêtes ou bêcher le jardin. Pour ce qui est de la chambre, je préfère la rose, en bout de couloir.

— Mais pour qui elle se prend, celle-là, avec ses grands airs ? marmonna Marthe à Yolande, qui leva les yeux au plafond. Elle va pourtant à la messe avec tout le monde, non ?

— Egoïste. Comme son père. Que veux-tu que j'y fasse ?

— Elle n'a qu'à se trouver un appartement en ville.

— Elle le fera quand son... quand le père du môme reviendra.

— Va savoir si on la supportera deux ans d'affilée.

Marthe fit de son mieux pour que sa sœur se sente à l'aise. Yolande essaya de surmonter sa douleur et le chamboulement qu'engendrait la perte de son homme.

— On ne prévoit jamais ces choses-là, disait-elle à chaque visite du voisinage.

La présence de Josette était rare et ne manquait à personne. Mais des petits riens, des contrariétés s'immisçaient dans les relations.

— On ne change pas d'habitudes comme de chemises, disait le pépé en emmenant Jean loin de ce climat parfois lourd. Elles doivent trouver leur place, que veux-tu, la Marthe, elle gouverne depuis si longtemps à la ferme. Et ma Yolande, elle a un rude caractère. Quand la peine l'aura un peu quittée, ce sera pire, mais tout finira par rentrer dans l'ordre. Pour nous deux, ça n'a rien changé, pas vrai ? Ou plutôt si, on ne se quitte plus. Tu vois, parfois le malheur des uns fait le bonheur des autres. Mais il va falloir qu'on parle. On m'a touché quelques mots de l'école... Pas brillant, n'est-ce pas ? Il y a peut-être un moyen de renverser la vapeur, si tu le veux bien. Tu me fais confiance ?

Aucun autre mot n'aurait été plus juste. Jean s'empressa de hocher la tête, en expliquant, découragé :

— A l'école, on compte que les fautes que je fais, pas tout ce qui est bon.

— C'est comme ça, mon Jean, il faut toujours essayer d'être le meilleur. Dans la vie, on n'obtient pas ce qu'on veut mais ce qu'on provoque, c'est différent. Quand j'ai passé mon certificat d'études, j'ai été deuxième du canton. J'ai une mémoire d'éléphant. Je pourrais encore te déclamer quelques fables de La Fontaine. En mathématiques, entre les baignoires qui fuient et les trains qui se doublent à telle vitesse, à telle heure, à telle distance d'un certain point... là encore, je crois que je suis dans le coup. Pour ce qui est des leçons, il te suffit, à toi, de les apprendre, à nous, de te les faire réciter. Alors, ton boulot sera de me permettre une remise à niveau avec toi. Qu'est-ce que tu en penses ? Pour le catéchisme... il paraît que le curé se plaint. Bon, tu ne couperas pas à la communion solennelle si on veut éviter le scandale à la maison, mais on ne va pas se mettre martel en tête. La Marthe saura bien le remplacer, le curé, sans trop de bondieuseries, j'y veillerai. Pour commencer, tu vas changer d'école. Dès la semaine prochaine, tu iras à celle des Capucins, tu sais, la place où s'installent les manèges le 14-Juillet, à deux pas d'ici. Au début, je t'emmènerai, après tu auras tes copains, il y a de braves garnements dans le coin avec qui tu pourrais aller ramasser des pommes de pin pour allumer le feu, ou bien dénicher les oiseaux, pêcher à la main, fabriquer des lance-pierres. Et puis, j'ai réfléchi, il te faut des muscles pour être le premier en gymnastique. Alors, tu sais, la grange, au-dessus du hangar, il y a de quoi faire à l'étage. J'ai dit au Marcel de t'y accrocher une corde. Tu feras des nœuds, si tu veux. On en profitera pour faire aussi une balançoire. Qu'est-ce que tu en dis ? J'ai préparé le bois qu'il faut pour faire une échelle toute neuve. Tu m'aideras à encoller les rondins et à les assembler.

Jamais discours du pépé ne fut aussi long. Ils revenaient de leur promenade avec des trompettes-de-la-mort, des bolets et des sanguins. Dans quelques semaines, ils auraient pour mission de recueillir des baies de genévrier pour Marthe.

Les tâches furent finalement définies. Laissant à sa sœur ses habitudes d'intérieur, Yolande, après s'être un peu laissée aller, se sentit un besoin d'exercice. Elle retrouva sa force et les gestes d'alors pour aider son père à lier les cardons, repiquer les salades pour le printemps, butter le fenouil, arracher les betteraves et les carottes pour les rentrer en cave, charrier le bois coupé en forêt. Les travaux au jardin, aux champs et au verger s'étalaient suffisamment sur l'année pour occuper tout le monde. Marcel Baume continua à venir, mais on libéra Germaine Millet ; Yolande se chargeait aussi de la grand-mère. Mais la brave femme passait néanmoins de temps à autre pour un petit coup de main ou une causerie ; la maison était appréciée.

Un après-midi de pluie où les deux sœurs étaient seules à la cuisine, Yolande interrompit Marthe, qui était en train de faire un pain de noix.

— Qu'est-ce que tu peux bien savoir... d'une chose comme ça ?

Prise de court, Marthe se tourna vers elle sans comprendre.

— J'ai besoin de savoir. Qu'est-ce que tu vois, réellement ?

— Je ne vois pas au sens propre du mot, dit doucement Marthe en essuyant la farine de ses mains.

Elle vint s'asseoir, mais Yolande restait obstinément debout et ne la regardait pas.

— Habituellement, je sens les choses. C'est une voyance intuitive. Mais cette fois, pour Jules...

— Qu'est-ce que tu voulais donc me dire sur mon homme ? souffla Yolande plus qu'elle ne parla, les bras raides posés sur l'évier, la tête rentrée dans les épaules.

— Je l'ai vu se faire renverser par la draisine.

— Tu l'as vu mort ?

— Il était en train de se rouler une cigarette. Un coup de vent a emporté son papier. C'est comme cela que ça a dû se passer, n'est-ce pas ?

Yolande semblait soudain épuisée, abandonnant son refus de croire en sa sœur. Les larmes aux yeux, elle demanda :

— Comment tu expliques ta voyance ?

— Constamment, notre inconscient infiltre toutes nos pensées. Informé de notre propre avenir, il nous délivre des clichés de manière impromptue, hors de toute demande consciente. C'est ce que tout le monde appelle l'intuition. Ce n'est pas une connaissance réservée à des surhommes, nous sommes tous voyants... Le temps n'existe pas, ce n'est qu'une construction mentale, il n'y a ni passé ni futur, seulement ici et maintenant, je capte aussi bien le passé que l'avenir des êtres, simultanément, grâce à une vision élargie des choses et à la sensation d'une énergie différente.

— Comment ça t'a pris ? demanda Yolande, qui regardait sa sœur bizarrement.

— Je crois que je suis comme ça depuis toujours. Vous avez toujours eu peur. Au début, moi aussi ça me faisait peur. Heureusement, mémé Adrienne m'expliquait. Je pourrais le faire à mon tour, si tu le souhaitais...

Mais Yolande n'eut aucune envie d'en savoir davantage. Marthe renonça avec tristesse à se soulager de ses secrets.

Il faudrait aux deux sœurs encore deux ans pour entamer une longue discussion sur ce sujet, et huit supplémentaires pour convaincre définitivement une Yolande incrédule. Mais à l'avenir, celle-ci hésiterait à blesser Marthe devant témoins, à l'occasion d'une rumeur ou d'une réflexion, fermant même les yeux sur ses pratiques.

Les dernières hirondelles se rassemblèrent sur les fils électriques pour le grand départ. Les battues de sangliers s'organisaient dans les bois. Les coups de fusil se faisaient nombreux du côté de Prunières.

Novembre arriva. Jean eut dix ans et, ce jour-là, eut le droit de faire chabrot devant la mine mi-choquée, mi-amusée des femmes, avant que le pépé ne lui offrît un beau couteau de poche. Il avait deux lames, une grande et une petite, mais aussi une alêne et un tire-bouchon.

— Ne l'utilise que par ici et surtout ne l'emmène pas à l'école, ou alors bien enfoncé au fond de ta poche. Je t'ai gardé quelques quartiers d'érable et de noyer pour les sculpter.

Submergé d'émotion, Jean s'était senti trembler. Son regard lumineux avait plus remercié son donateur que tous les mercis du monde. Toute la soirée et durant des jours, il caressa le plus beau cadeau qu'il eût jamais eu, le regarda, le soupesa, l'embrassa, l'ouvrit et le referma à tout bout de champ.

Il avait réintégré une classe de CM 2 à l'école des Capucins, et n'avait plus revu Gilles ni n'en avait eu des nouvelles. Pourtant, le jour où le cochon fut tué, Marcel Baume, qui faisait partie de la main-d'œuvre, leur en apporta d'une manière indirecte. Jean, juché sur le pilier du bassin, écoutait comme d'habitude de toutes ses oreilles, après les avoir bouchées le temps des terribles cris de l'animal égorgé.

— Déjà ce froid ! Ça va empêcher les poules de pondre, répondait Yolande à une voisine venue leur prêter main-forte. Marcel, vous ne pouvez pas jeter votre mégot, pour ce qu'il vous sert ? reprit-elle, supportant mal de voir une cigarette depuis la mort de Jules.

Sans se formaliser, Marcel s'exécuta et se lança dans une explication :

— J'ai un neveu qui a été réformé, il est devenu la

honte de la famille, dit-il en détachant la bête, désormais inerte, de l'échelle sur laquelle on l'avait entravée la tête en bas. Quand je pense qu'il en a failli se suicider, le gosse ! Moi, je n'ai pas d'enfants, mais vrai, je ne vois pas ce que ça enlève à un homme de ne pas faire l'armée. D'autant plus qu'en temps de guerre on ne fait pas tant de différence entre ceux qui peuvent et ceux qui peuvent pas. Pas vrai, vous autres ? On en a bien vu partir qui n'y voyaient pas à deux mètres et d'autres qui marchaient pas droit.

Contrairement à son habitude, le pépé ne se mêla pas aux commentaires. Il se souvenait qu'en 40 il avait été heureux de n'avoir que des filles. Et maintenant, si une autre guerre devait lui emporter celui-là... Son regard partit rencontrer celui de Jean, qui le regardait à l'instant même. Eh bien... il préférait ne pas y penser.

Du sang avait giclé sur sa blouse. Il contrôla le tranchant de son coutelas qui avait transpercé la dure couenne du cou de l'animal. Les femmes avaient apporté les bassines pour récupérer le sang, qui servirait à confectionner les boudins et les caillettes. Marthe restait un peu à l'écart, appuyée sur une canne à cause de sa mauvaise hanche. La cour était redevenue silencieuse après l'agonie de la bête. On tenait Junki à l'écart, la volaille avait déserté le lieu du crime. Ce soir-là, les femmes couperaient les morceaux de la gorge du cochon, les jailles, pour en faire une fricassée liée avec un bol de sang frais, tandis que le pépé et Marcel empliraient les saloirs des victuailles tirées de la bête. Rien ne se perdait dans le cochon.

— Il paraît qu'on a enlevé l'ami Rénier du

soutirage, reprit Marcel Baume, on ne lui fait plus confiance. L'autre jour, il a cru voir des rats qui s'enfuyaient des galeries, il a gueulé comme un forcené qu'il fallait évacuer les lieux, et pris une crise dans la cagée en remontant. Ça a perturbé tout le travail de l'équipe. Il a de plus en plus de mal à supporter la chaleur moite du fond, et en même temps il ne veut pas faillir à la mémoire des siens. Et aussi, il a eu la visite d'une assistante sociale. Il y a eu des plaintes des voisins. J'ai appris que ses gosses sont dans le collimateur des gendarmes... Quelques larcins, je crois.

Yolande avait froncé les sourcils et regardé Jean de travers.

— Que voulez-vous, commenta Marcel, avec un ivrogne pour père et une vie de baffes, on a du mal à imaginer des enfants parfaits. Il y en a qui poussent comme du chiendent, mais il faut quand même un minimum de respect et d'amour.

Un deuxième regard du pépé en direction de Jean eut le même effet que le premier. On aurait dit que le petit lisait dans son esprit. Le vieil homme en fut un peu troublé.

Marthe, en retrait, avait surpris ces courts échanges. Elle fut traversée d'une pensée, qui vint en conforter une autre, encore imprécise.

De son perchoir, Jean les regardait tous, en bas, d'un œil curieux, et s'étonnait de ressentir des choses nouvelles, comme s'il pouvait imaginer, même sans le voir, un lien invisible qui le reliait à eux, comme une onde qui lui apportait des informations sur chacun d'entre eux. Alors il éprouva une sorte de relâchement, de détente, et même une espèce de petit vertige le prit, qui le fit s'agripper à la pierre. Ce fut fugace. Aussi vif que l'éclair... Comme une bulle qui éclate à la surface de l'inconscient, libérant son contenu dans le conscient. Se surprenant à les aimer, il venait de recevoir un retour identique de la part de chacun.

— C'est pas qu'il fait spécialement froid, mais un bon vin chaud, Marthe, ne serait pas de refus, dit Marcel en plongeant ses poings ensanglantés dans l'eau du lavoir.

Jean apprécia la demande. Comme les grands, il aimait le vin chaud de Marthe. Il aurait droit à un fond de verre. Il avait souvent regardé sa grand-tante verser du vin rouge dans une casserole, y faire fondre du sucre cristallisé qu'elle lui faisait peser dans la balance aux plateaux de cuivre, avant de tout remuer avec une cuillère en bois. Elle ajoutait une orange coupée en fines tranches, de la cannelle, une gousse de vanille, un clou de girofle, et mettait à feu doux jusqu'à ébullition, laissait bouillir encore quelques minutes, puis filtrait le tout, qu'elle servait très chaud dans les verres.

10

Ainsi donc la vie de Jean aurait pu se poursuivre dans un petit bonheur tranquille. Mais, des événements qui survinrent les deux années suivantes, trois d'importance capitale méritent d'être signalés.

Le premier concerna l'arrivée d'un étranger que Jean croisa à plusieurs reprises sans le remarquer ; un homme entre deux âges qui avait débarqué un jour de mars pour emménager face à l'école des Capucins. Comme pour tout ce qui est nouveau, la nouvelle fit le tour du pays. Comme pour tout ce qui ne s'explique pas, la curiosité s'amplifia. Mais le mystère resta entier sur le passé de cet homme au demeurant affable et discret. Il se promenait lentement, un peu penché, les épaules rentrées, les mains derrière le dos, le talon de ses chaussures frottant le sol. Il passait sans retenir l'attention, le cheveu terne sous une casquette grise, le vêtement simple. Il avait des traits agréables mais communs, une courte barbe presque blanche qui lui mangeait le visage, des yeux marron, vifs mais petits, des sourcils clairsemés. Il entrait dans un bar et s'asseyait tranquillement à une table isolée, pour lire son journal et siroter un blanc limé. Il faisait ses courses avec la même discrétion, sans s'attarder. Il ne restait guère longtemps, non plus, à suivre les parties de pétanque sur la place, qu'il regardait de loin, de sa fenêtre du deuxième étage. Tant et si bien qu'il n'intéressa bientôt plus. Peu à peu, les questions sur lui cessèrent, la curiosité aussi. Même son nom sur sa boîte aux lettres semblait impersonnel, sans originalité. On rangea Emile Brun dans la catégorie des sans-histoire. Il se fit même des sympathies, pour en avoir fait don lui-même à travers des sourires humbles et des saluts courtois.

A midi, un jour qu'il dirigeait lentement ses pas en direction de Prunières, il s'arrêta un instant pour examiner la croix de fer forgé située en bordure de route, à la bifurcation du boulevard Paul-Decard, puis s'engagea nonchalamment dans le quartier Beauregard. A cet instant arrivaient Jean et deux camarades, le dos plié sous le poids des cartables. L'homme les regarda venir dans sa direction, immobile, sans désir particulier, à l'écoute des coucous et des pics dont les cris printaniers arrivaient jusqu'à ce quartier en bordure de campagne.

Une neige coriace encombrait encore le bord des routes. Salie, elle attristait les rues, qui ne demandaient qu'à s'en débarrasser pour annoncer le retour des beaux jours. Des primevères fleurissaient sur quelques balcons coquets. La bise froide s'enfilait d'un pâté de maisons à un autre, revenait sur ses pas, repartait de plus belle, contournait un quartier et venait en surprendre un autre. Elle chassait une multitude de nuages venus s'accaparer le ciel depuis le matin. Le soleil, qui s'enhardissait de jour en jour, prenait enfin possession de l'azur pour le bonheur des Murois qui trouvaient l'hiver un peu long.

Les enfants se séparèrent. Le hasard, semble-t-il, fit que le promeneur prit la direction suivie par Jean. Un lacet défait, obligea Jean à se baisser, ce qui laissa le temps à l'homme de remonter à son niveau. Lorsqu'il se releva, il vit l'étranger le regarder d'un air tranquille.

— Tu habites par là ?

— Là, fit Jean avec un mouvement de la tête.

— Ah ! Moi aussi, avant, j'habitais dans une ferme. Je parie que tu aimes les bêtes.

Jean accéléra le pas. Il n'aimait pas que l'on s'intéresse à lui. L'homme se laissa distancer, poursuivant son chemin en flânant, et se trouva à hauteur de la barrière quand le pépé, qui attendait Jean, en referma le vantail.

Leurs regards se croisèrent. L'homme salua d'un mouvement poli de la tête, s'apprêtant à continuer sa promenade, tandis que le pépé le photographiait d'un air dubitatif. Il connaissait l'étranger pour l'avoir aperçu de loin, pour en avoir vaguement entendu parler, mais ne l'avait jamais abordé.

— Je disais au petit que j'avais vécu dans une ferme moi aussi. La vôtre m'a l'air de belle taille.

— Faut ce qu'il faut, répondit l'arrière-grand-père sans se mouiller.

— J'ai vu votre rucher en passant de l'autre côté. Vous avez commencé à nourrir vos abeilles ?

— Va falloir. Vous vous y connaissez en ruches ?

— Oh, rien que le minimum.

Marthe, à ce moment, apparut dans leur champ. Lentement, pour éviter les à-coups, elle transportait un cageot empli de fleurs de bourrache, dont le pouvoir diaphorétique soignerait les bronchites et les grippes de l'hiver prochain. Elle le déposa au soleil, tout contre la porte d'une des granges, afin de le faire sécher. En se redressant, elle aperçut les deux hommes de part et d'autre de la barrière, et mit une de ses mains en visière pour essayer de reconnaître le vis-à-vis du père.

Quelque chose de plus fort qu'elle la poussa à s'approcher de sa démarche cassée. Elle répondit au salut civil par un bref coup de tête, tout émue qu'elle était de lutter contre des impressions fortes. Ses yeux se rétrécirent pour n'être plus que des fentes à travers lesquelles s'engouffrait un monde de sensations étranges. Cela venait par vagues successives, lancinantes. C'était toujours comme ça. Les clichés survenaient surtout lors d'une première rencontre, particulièrement dans ses premiers instants.

D'emblée, elle se méfia de cet homme dont le passé, ainsi que l'avenir, lui apparaissait trouble, menaçant…

Mais était-il vraiment le premier pour qui sa sympathie n'était pas spontanée ? Des tas d'individus portaient des péchés en eux, sans pour autant être de mauvaise compagnie. La vieille Adrienne lui avait enseigné la tolérance, l'amour du prochain, et ses prières quotidiennes ne servaient-elles pas au salut de toutes les âmes ?

Cette rencontre fut vite oubliée, puisque les autres se firent rares et de loin, puisque les échos rapportés sur l'étranger étaient rassurants car insignifiants.

Les mois suivants s'égrenèrent à la même cadence, sans autre souci particulier pour Jean que de récupérer un bon niveau scolaire. L'aide du pépé et des femmes eut du bon.

Le reste du temps, il faisait les courses, continuait à s'occuper du bois, escortait parfois le pépé au café ou chez un ami, et écoutait ses commentaires grandiloquents sur les nouvelles communales ou nationales. Il prenait plaisir à le voir donner de grands coups de poing sur la table au milieu des conversations en jurant tranquillement. De temps à autre, il avait le droit de sucer quelques fruits bien macérés dans l'alcool, pour accompagner les hommes. Lorsqu'ils revenaient à la ferme en riant comme des enfants mal élevés, il avait chaud aux oreilles. Marthe et Yolande soupçonnaient le pépé de se servir de lui comme alibi. Le vieil homme leur répondait, sérieux, la moustache levée :

— Ça fait partie de l'éducation, tout ça. Il faut qu'il découvre et entende des tas de choses, le petit, pour se faire sa propre opinion sur la vie.

Jamais les deux femmes ne pouvaient leur faire avouer leurs discussions et capitulaient devant leur mutisme effronté.

Mais Jean aimait faire plaisir à Yolande et à Marthe. Il soulageait l'une en transportant telle ou telle chose, et aidait l'autre à compléter sa collection de plantes. Depuis qu'il vivait à la ferme, Jean avait développé son sens olfactif. En dehors de la « remise du pépé », dans laquelle s'entremêlaient, pour le bonheur des narines, les lourdes odeurs des fruits du verger, des noix, des légumes et du vin, Jean aimait aussi pénétrer dans la « remise de Marthe ». Son petit nez, alors, était assailli par un tourbillon de parfums exacerbés dont les pierres même semblaient être imprégnées. Les plantes y séchaient tout au long de l'année, entreposées dans des caissons de bois alignés côte à côte sur des traverses et des tréteaux, étiquetées de leur nom, de la date de cueillette, amoureusement surveillées. Marthe lui confiait le nom de toutes les herbes, les racines et les baies, de la chicorée aux yeux bleus à la centaurée, en passant par l'aubépine et la bourdaine. Elle lui apprenait comment procéder précautionneusement avec la reine-des-prés, remède spécifique des rhumatisants et des goutteux, en évitant l'ébullition qui ôte le principe essentiel de la plante. Elle passait d'une caisse à l'autre, caressant tendrement telle ou telle fleur, telle ou telle plante. Elle récoltait les fleurs d'aubépine dès l'éclosion des boutons, « pour l'angine de poitrine et l'hypertension ». Elle mesurait avec délicatesse l'assèchement de la fleur de lis, « pour les brûlures, pour adoucir la peau du visage, pour guérir le zona ». Puis elle en sentait une autre, la mettait sous le nez de Jean en chuchotant presque :

— Sens celle-là, c'est la saponaire. En temps de restriction, on en faisait du savon. En infusion, elle est bonne pour les crises de foie et les affections des voies respiratoires. Et la petite centaurée, là, qui fait tant de bien aux personnes souffrant de faiblesse générale.

Jean préférait, entre toutes, l'odeur de la menthe dont il connaissait le rôle dans la digestion. Il savait reconnaître également la verveine, efficace en cataplasme pour les coups, la camomille, le tilleul, les feuilles de ronce, l'ortie, et bien d'autres encore.

Les leçons de catéchisme étaient peut-être ce qui

risquait le plus de ternir l'entente de la maisonnée, car le vieil homme conservait toujours une amorce de sourire ironique qui agaçait Marthe quand elle exposait à Jean les bases de la religion. Au milieu de la troisième leçon, la fille conseilla tout net à son père d'aller faire un tour ailleurs. Cachant sa vexation sous une colère étudiée, ce dernier prit sa veste devant l'air navré de Jean et le sourire sous cape de Yolande. Mais, arrivé à la porte, il ne put se contenir plus longtemps et jeta :

— La religion, c'est pas la vérité d'une armada convaincue d'avoir raison ! Le péché originel, l'enfer, le paradis, c'est de la connerie pour asservir les hommes à l'Eglise ! Il n'y a rien après la mort, rien de rien, il faut être débile pour croire à des trucs pareils !

Content de lui, il repositionna son béret d'un geste crâneur et referma la porte derrière lui.

Mais l'homme savait pratiquer l'art du bonheur et Jean se délectait d'avoir un si bon compagnon. Sa présence, celle de Marthe, de Yolande aussi, malgré son approche plus rêche, comblaient ses carences affectives. Jean ne cherchait pas spécialement à fréquenter d'autres enfants et préférait se plonger dans les livres que l'on avait ressortis pour lui de vieilles malles ; des livres qu'Adrienne avait fait lire à son fils et à ses deux petites-filles, venant même de ses parents. Il y avait là tous les livres d'histoire de France de Michelet, tous les romans de Victor Hugo et toutes les œuvres poétiques de Lamartine, ainsi que les cinq tomes du *Comte de Monte-Cristo*, la trilogie des *Mousquetaires*, *La Tulipe noire*, *Le Chevalier de Maison-Rouge* et d'autres collections sur les découvertes du monde.

Jean aimait la lecture de ces aventures, et aussi les histoires racontées par le pépé les soirs de grande forme où il tournait tout en dérision, comme celle citée dans *Le Journal des Affiches* que le vieil homme ressortait de son tiroir, découpée dans ledit journal et conservée dans un esprit moqueur.

> « En 1776, un monsieur Guettard, parcourant le canton de Valbonnais, s'aperçut qu'il y avait beaucoup d'enfants imbéciles à Entraigues. Cette observation frappa ce philosophe naturaliste. Il en chercha la cause et apprit que dès qu'un enfant était né on lui arrosait la tête avec de l'eau-de-vie où l'on avait fait dissoudre de l'encens, et qu'on appliquait sur les fontanelles des compresses de cette liqueur. Cette pratique funeste lui donna la solution du problème. Il est visible, en effet, que ces applications, loin de fortifier le cerveau comme le prétendent les caillettes du Valbonnais, empêchent son développement. De là l'imbécillité endémique à Entraigues. »

Comblé dans ce cocon familial, Jean se mit à parler davantage, à rire plus haut, à pratiquer le même humour que le pépé, à faire des blagues, comme à inverser les choses bien ordonnées par Marthe : mettre le morceau de carotte dans le café moulu et les grains de gros sel dans le tabac, ou remplacer au dernier moment par de la farine le marc de café qui servait à tout, aussi bien à désinfecter les tuyaux, dégraisser la vaisselle, nettoyer les métaux que dépoussiérer les tapis. Il partait en courant pour échapper à leurs mains, riant encore de leur tête, réfléchissant à sa prochaine farce. Sa meilleure cache était la grange, où le pépé le rejoignait en gravissant l'échelle de bois pour lui raconter d'autres histoires, des petits secrets d'homme.

11

Particulièrement triste, le second événement survint dans la nuit du 31 octobre au 1er novembre de la même année.

Une première chute de neige sans conséquence avait déjà rafraîchi la région, mais seules les montagnes alentour restaient parées de blanc. Les labours et semailles étaient terminés, les derniers fruits rentrés, l'hibernation des blaireaux et des loirs avait débuté au creux des forêts. On glissait tout doucement vers l'hiver.

Quelque chose qui bloquait sa poitrine gêna Marthe toute la soirée du 31. Elle eut beau faire, quitter Adrienne lui coûta, bien que celle-ci eût vécu la journée comme toutes les autres. Elle fut la dernière à aller se coucher, se trouvant d'ultimes tâches qui ne pouvaient attendre le lendemain, et venait à tout bout de champ surveiller le souffle de l'aïeule. Lorsqu'elle regagna sa chambre, Jean dormait si profondément, pelotonné sous l'édredon, couché en plein milieu du lit, qu'elle préféra s'asseoir sur la chaise, enveloppée dans un grand châle. Elle fit le vide en elle...

Elle sut qu'elle était en parfaite empathie avec sa grand-mère. Elle sut aussi que le moment tant redouté était sur le point d'arriver. Une forte émotion lui serra la poitrine, et des larmes emplirent ses yeux. Espérant qu'un sommeil bienheureux servirait de passerelle à Adrienne pour accéder à l'autre vie, elle pria, quand un signal mystérieux vint l'avertir. Elle faillit aller réveiller Yolande, mais quelque chose l'en empêcha. Elle redescendit sans bruit et s'approcha du lit avec appréhension après avoir allumé une lampe à l'opposé de la pièce.

La mourante avait les yeux ouverts. Des yeux mobiles, rajeunis au fond de leurs orbites, empreints d'intelligence. Elle retrouvait dans les derniers instants de sa vie une lucidité merveilleuse. La faible lumière faisait rayonner son visage parcheminé, renforçait son air habituel de bonté. Mêlés à sa douleur présente, des effluves de souvenirs montèrent à la gorge de Marthe, qui se mit à sangloter en s'emparant des chères mains. Personne ne peut être préparé à…

— Si, je t'y ai préparée, fit Adrienne de sa lente voix douce retrouvée, un peu cassée de n'avoir pas fonctionné ces dernières années. Ne pleure pas, mon ange. Voici le moment venu pour moi. Prie, prie pour que j'aille très vite retrouver tous ceux qui m'attendent. Il n'y a rien de tragique à quitter son corps, bien au contraire. Souviens-toi, nous sommes de passage, la mort n'est que la naissance à l'au-delà. On se retrouvera chaque fois que tu le souhaiteras, il te suffira de penser à moi…

Marthe avait porté une main fripée jusqu'à sa bouche et la couvrait de baisers mouillés. Elle retenait ses sanglots pour écouter les chuchotements de la vieille femme.

— Je suis heureuse. Ils sont là, une armée bienveillante de lumière, à m'attendre pour le grand voyage. Je vais retrouver ta mère, mon petit, et Jules, et tous les autres.

— Attends encore, encore un peu, s'il te plaît, quémanda Marthe, bouleversée.

— Ne soyez pas tristes. Dis-leur... Je serai près de vous souvent... Et tu me verras, ma chérie, je te l'ai dit, tu m'entendras... comme notre Jean. Lui aussi saura plus tard...

— Il a le don ? souffla Marthe, ébranlée, à travers un pâle sourire. Je l'avais pressenti, je crois.

Adrienne ne pouvait l'entendre, trop sourde, tout comme elle ne pouvait lire sur les lèvres restées dans l'ombre du contre-jour. Pourtant il y avait télépathie, échange véritable, il y avait réponse aux questions que posait Marthe. La vieille femme hésita, comme si elle retenait ses mots, sourit d'un magnifique sourire édenté, cligna des yeux à plusieurs reprises puis les ferma, ce qui affola Marthe, mais elle reprit d'une voix plus basse encore :

— Jean est venu sur terre en choisissant les épreuves qui lui seront nécessaires à la compréhension de l'amour. Car dans le monde de Dieu, tout tend vers l'amour... Souviens-toi, l'âme vient au corps, et le corps à la vie dans le but d'évoluer, en réussissant la mission qu'il s'est fixée. Mais Jean, comme chacun de nous une fois sur terre, mènera sa vie à sa guise, perdant de vue le sens de sa mission à cause de son libre arbitre... Je t'ai déjà expliqué tout cela, ma chérie, Jean doit élever son niveau de conscience, comme nous tous...

La lassitude d'Adrienne affaiblissait sa voix, qui ne fut plus que murmure.

— Souviens-toi, la vie n'est pas le résultat du hasard. Il y a un but divin derrière chaque chose... Non, laisse le curé dans son lit. Si nous lui disions tout ce que nous savons, il nous prendrait pour de gentilles folles...

Marthe crut que c'était fini. Adrienne n'avait pas rouvert les yeux, et son souffle s'était éteint. Pourtant, un regain de force souleva les paupières flétries.

— Maintenant, je vais m'endormir tranquillement, si heureuse, si heureuse de rejoindre l'amour éternel... Dieu est amour, Dieu est lumière... Je t'aime, ma pitchoune.

Ce furent ses derniers mots.

Elle laissa Marthe recroquevillée sur sa souffrance, qui resta auprès du corps, décidant de n'avertir les autres qu'au petit matin. Elle regarda les traits qui se détendaient. Le visage de la centenaire irradiait de l'intérieur, la paix l'envahissait, faite de joie, de lumière, de certitude. Un rayonnement intense émanait d'elle. De l'amour.

Ce fut ce que dirent les visiteurs le lendemain, en approuvant une telle mort.

— Mourir dans son lit, en dormant, c'est la mort la plus belle, celle qui console ceux qui restent. Voyez comme elle a l'air bien.

— Elle a fait son temps, y a rien à dire.

— Elle aura attendu la Toussaint.

— Il y en a qui préfèrent mourir seuls. Ils choisissent leur moment.

— Elle a eu une belle vie, elle a fait une belle fin. Elle paraît si heureuse, voyez.

— Elle a vraiment le visage reposé.

Tous ces commentaires sortaient en chuchotant des bouches de voisins, amicales, curieuses, compatissantes, dévouées. Jean en saisissait quelques-uns, en devinait d'autres, tous identiques au fil des allées et venues. Il n'avait pas voulu aller chez Eric Froment, le maréchal-ferrant. On avait mis un paravent entre le lit et le reste de la pièce. Jean supportait mal l'atmosphère feutrée, l'odeur d'émeri, les entrées et sorties incessantes à travers une porte restée ouverte – pour conserver le corps avant l'arrivée du menuisier, lui avait-on dit en lui faisant enfiler une veste –, les poignées de main à n'en plus finir, les condoléances, les tons de circonstance, les regards qu'on lui lançait ou l'indifférence qu'il suscitait. Il était de plus en plus mal à l'aise et se rongeait un ongle après l'autre.

Quand il entendit le glas retentir, il réalisa soudain que la vieille Adrienne allait disparaître de sa vie. Il en venait à regretter ses baisers si rapides, trop brefs et furtifs. Il l'aimait bien, Adrienne, avec ses dodelinements de la tête, sa façon gentille de le regarder. Très vite, avant que Yolande ne le pousse de côté, il l'avait entraperçue, le matin, au milieu du lit, un drap recouvrant son corps frêle. Il eut envie de pleurer. Alors il s'enfuit de la cuisine et grimpa quatre à quatre l'échelle qui accédait à sa grange, son domaine.

La mort d'Adrienne plongea Jean dans une peur affreuse : le prochain à mourir autour de lui serait forcément le pépé. Jamais, jusqu'à ce jour, il n'avait songé à la mort aussi puissamment. Des mots flottaient en lui, certifiés par son vieil ami lui-même : « Il n'y a rien après la mort, rien de rien ! » Cette fin absolue le terrorisait. Celle du pépé était inconcevable !

A partir de ce moment, il redouta tout effort pour l'aïeul. Il eut peur, il crut déceler une nouvelle lenteur dans ses gestes, dans sa marche, il se mit à compter son âge, il se mit à lui simplifier les choses. Il abandonna l'accès à la grange depuis le hangar dont l'échelle était trop raide : il préféra emprunter celle de l'autre côté du bâtiment en passant par le jardin, aux rondins plus épais, plus courte et moins pentue car partant d'un montoir, espèce de talus surélevé permettant d'engranger plus aisément le foin. Il prétexta la facilité pour eux deux, et même un manque d'intérêt pour la balançoire maintenant qu'il grandissait. Il multiplia les tâches pour lui diminuer les siennes, avec une envie folle de le protéger.

Il s'alarma pour les problèmes de « tuyauterie » avoués avec un sourire crispé après plusieurs tentatives de pissoter douloureuses. Il s'inquiéta tout autant de la volonté plus marquée de Marthe à soigner son père. Avant, il riait avec lui de ses difficultés répétées pour uriner ; à présent, il veillait à ce qu'il prenne les baies de genièvre, pépins compris, prescrites par sa fille pendant neuf jours pour soigner ses problèmes de vessie.

Une réflexion de Yolande à Marthe : « Il nous fera bientôt quatre-vingt-cinq ans, le père », le mit en colère. Une autre, qui répondait à une question non entendue : « Lui ? Une canne ? Jamais il ne se servira d'un tel moyen, cela signifierait son entrée dans un autre âge », le contraria.

Mais, puisque ses craintes sur la santé du vieil homme rejoignaient celles de Marthe, il garda un œil sur elle pour évaluer ses propres inquiétudes. Et cela l'amena à constater un comportement étrange de sa grand-tante. Depuis la mort d'Adrienne, Marthe passait de longs moments assise dans le fauteuil de l'aïeule, fauteuil qu'elle avait refusé tout net d'installer ailleurs. Celui-ci faisait maintenant face au bureau ministre que le pépé avait rapporté un soir après l'avoir acheté au notaire, destiné à devenir le bureau de Jean.

Ce dernier surprenait les hochements de tête, les balbutiements au bord des lèvres. On aurait dit que Marthe entretenait une conversation avec un interlocuteur invisible.

— Le chagrin lui tourne la tête, disait le pépé à Jean. Je te parie qu'elle entend notre Adrienne lui parler.

— Si ça se trouve, leur répondait Yolande, que son père regardait alors bizarrement, elle est moins folle qu'on le suppose.

— Elle est là, tu sais, mon Jean, lui disait Marthe, les yeux brillants lorsqu'ils étaient seuls tous les deux. Elle me parle, c'était convenu entre nous. Elle me parle dans ma tête. Elle nous protège de son mieux, en nous inspirant les bonnes décisions, les bons conseils. Ce matin, elle m'a fait retrouver de vieilles formules oubliées pour mes plantes, elle a aussi...

Mais Jean, pris à partie par elle, rejetait aussitôt toute connivence, la plantait là et s'enfuyait rejoindre le pépé ou Yolande, dont il préférait les propos plus raisonnables.

Alors elle souriait un peu tristement et reprenait avec Adrienne les conversations d'autrefois, auxquelles personne ne se serait rallié. La présence de l'aïeule s'était manifestée quelques semaines seulement après sa mort, étonnant à peine Marthe, qui comptait sur une telle manifestation. Elle perçut immédiatement la présence et les mots qui envahissaient sa tête, qu'elle aurait pu croire issus de sa propre imagination. Elle avait fait le vide en elle et avait alors entendu clairement Adrienne, tandis qu'elle avait senti une légère caresse sur ses cheveux. Elle n'avait pas eu peur un seul instant, trop heureuse, tout comme Adrienne qui pouvait « passer » ses messages d'enseignement, trouvant en Marthe le canal idéal. Elle lui décrivait un au-delà d'amour et d'harmonie : « ... tel qu'on me l'annonçait. Je me ressource dans des sphères de calme, de paix et de beauté. Ici, il n'y a ni temps ni sensation de durée. Je suis si heureuse dans ce sentiment d'épanouissement. Immensément heureuse... Bientôt j'accéderai à un état supérieur, recevant un enseignement de maîtres d'un niveau spirituel très élevé. Pour l'instant, je souhaite rester encore près de toi. Je te parlerai souvent de l'amour, qui est la clé de tout... »

Et tandis que Marthe se laissait emporter dans le tourbillon de la foi, Jean reprenait goût aux promenades en forêt, où le pépé lui faisait découvrir des traces fraîches de la nuit et du matin, lui expliquait la différence qui existait entre elles. A vrai dire, Jean faisait souvent semblant de voir et de comprendre. Mais son réel plaisir était la compagnie de l'homme qui connaissait comme sa poche les bois et leurs sentiers.

Au volant de la vieille 203, le pépé l'emmena à la prairie de la Rencontre, au sommet de la côte de Laffrey où Napoléon, évadé de sa prison de l'île d'Elbe, avait failli être stoppé par les soldats de Louis XVIII, en 1815. Amusé par les talents d'orateur du vieil homme, Jean admira la statue de l'homme à cheval tout en écoutant son mentor.

— Il avait considéré que sa seule chance de parvenir à la capitale sans rencontrer les troupes du roi était de faire traverser les Alpes à sa maigre armée reconstituée, mais l'Aigle fut tout de même stoppé et mis en joue, ici, à l'emplacement de la statue. « Soldats ! Ne me reconnaissez-vous pas ? clama le pépé, théâtral, en ouvrant sa veste de velours sur une chemise molletonnée à carreaux marron, s'adressant à une armée fantôme. S'il en est un, parmi vous, qui veuille tuer son général, me voilà ! » Une clameur lui répondit : « Vive l'empereur ! Vive l'empereur ! » mima le pépé en jetant son béret en l'air. Inutile de te dire que son arrivée à Grenoble fut un triomphe. De là, il vola jusqu'à Notre-Dame de Paris, où il retrouva le pouvoir pour la période des Cent-Jours.

Une autre balade en voiture les amena à la Motte-d'Aveillans, puis au hameau de la Grandaye, d'où ils partirent à pied jusqu'à une sorte d'arc de triomphe naturel résultant d'un phénomène d'érosion : la Pierre percée, une des sept merveilles du Dauphiné, située sur la commune de Pierre-Châtel, à deux pas de celle de La Motte.

— Ce site a été classé par les Beaux-Arts en 1911. Regarde un peu cette drôle de forme. Il y en a qui disent qu'elle représente un dragon se mordant la queue, mais la légende veut que cette roche figure le diable en prière, pétrifié en punition de sa défaite contre le connétable de Lesdiguières.

— Quelle défaite ? fit Jean, curieux.

— Un jour, le diable a mis l'âme de Lesdiguières en jeu. Sous les traits de Giacomo, l'architecte de Lesdiguières, il a défié son maître de construire le mur d'enceinte du parc du château de Vizille en moins de temps qu'il ne lui en faudrait, à lui, pour franchir la distance entre le château et l'endroit où se rejoindraient les deux pans du mur. A la fin des douze coups de minuit, poussant son cheval au maximum, Lesdiguières est arrivé à l'endroit prévu à l'instant où les deux murailles allaient se rejoindre. D'un dernier effort, il a fait franchir à la bête le court espace qui se refermait et a dû même trancher d'un coup d'épée la queue du cheval restée prisonnière entre les deux murs. Il paraît que ceux-ci se croisent véritablement au lieu de s'arrêter... Il nous faudra aller contrôler.

Ils s'assirent sur l'herbe drue et admirèrent le grandiose panorama tout autour d'eux, le Chauvet et le Colombier, les montagnes du Dévoluy, Châtel et l'Objou, sur leur gauche, le Bois Noir face à eux, avec les Treize Bises et le sommet du mont Aiguille, tout là-bas, en avant-garde de la chaîne du Vercors, et le Conest et le vallon des Mottes.

— Si l'on montait sur le Conest, tu vois, cette espèce de colline, on verrait un panorama à trois cent soixante degrés sur les Alpes dauphinoises, le Trièves, le Vercors. De là-haut, on domine la Matheysine, les lacs Mort, de Laffrey, de Petichet et de Pierre-Châtel, pris par la glace l'hiver, la profonde échancrure des gorges du Drac. Par beau temps, ta vue porte au-delà, au nord, sur la Chartreuse et les Bauges en Savoie, au sud, jusqu'aux cimes du Valgaudemar. Il paraît qu'on y est à mi-chemin entre le pôle Nord et l'Equateur. Là-bas, à l'est, ce sont le Tabor, le Coiro. Avec quelques années de moins, je t'y emmenais, vois-tu.

Ils se laissèrent emplir de la sereine beauté des lieux, jusqu'à ce qu'un petit vent frais vînt leur picoter le cou.

— Nous ramasserons des pissenlits un peu plus bas. La Marthe se gardera les racines et elle nous fera ta salade préférée avec des œufs durs et du hareng fumé. Maintenant, on va aller faire un petit tour dans La Motte, pour saluer un ancien compagnon. A son âge, qui est presque le mien, c'est certainement le plus vieux mineur du coin. Silicosé à cent pour cent, les médecins le disent miraculé.

Ils arrêtèrent la 203 sur la place de l'église.

— A cette heure, on a toutes nos chances de trouver l'Auguste chez la Berthe, fit le pépé en entraînant Jean sur une passerelle en fer qui partait de la place pour conduire à une maison massive. Il faut dire qu'il a conservé d'ici... des bons souvenirs, enfin, je t'en parlerai plus tard, ajouta le vieil homme dont Jean connaissait le sourire malicieux. Ah, la Berthe... C'était du temps de nos mineurs. Maintenant c'est fini, tout ça.

Sur le seuil de la porte, ils se heurtèrent presque à un bonhomme voûté qui s'apprêtait à sortir et s'exclama :

— Oh ! Pas Dieu possible ! Le Toine ! Si ça fait pas une paie, tiens !

L'homme portait une chemise à grosses rayures

vertes sous une veste matelassée noire, des chaussures cloutées, et serrait entre ses mains une canne ouvragée. Une moustache jaunâtre, aussi fournie que celle du pépé, mangeait un petit visage maigrichon au teint d'ivoire assorti à l'écharpe de laine qui lui enserrait le cou.

— On venait te faire nos amitiés, avec le petit, fit le pépé, fier de lui présenter Jean.

— Ah, ça ! Un petit, si grand déjà ! fit l'autre à travers sa bouche édentée, avec un brin de nostalgie dans sa voix cassée.

— Un sacré bon petit, ça oui. On revient de la Pierre percée et j'ai voulu voir où en étaient les travaux de démolition de la mine.

— De foutus travaux, tiens, depuis bientôt douze ans. Maintenant, y a plus rien. Tout rasé. Fini. Une désolation. Tu reconnais plus le pontet. Allons-y voir un peu.

Ils longèrent la rue d'Aveillans, si animée par les cafés au temps de la pleine activité de la mine, pour déboucher sur une place qu'Auguste s'empressa de balayer d'une main nerveuse.

— J'en ai passé, des heures de ma vie, ici, à toute heure du jour et de la nuit, avec mes équipiers successifs. Voilà ce qu'est devenu le pontet, mon Toine. Tu vois, petit, dit-il à Jean en l'amenant contre lui, tu vois ces quatre portes dans la pierre du mur, c'étaient nos entrées, quatre galeries qui partaient en tous sens sous la colline. On livrait un rude combat contre la nature pour récupérer ce trésor noir. Là où nous sommes, il y avait les bassins où l'on rinçait nos bottes.

— Ils sortaient propres des galeries, nos mineurs,

avant que l'on installe les douches, précisa le pépé en hochant la tête.

— J'en ai vu, des mômes de ton âge, se glisser dans des endroits impossibles pour ramasser des centaines de kilos de toit effondré, et d'autres pousser des charges impensables, travailler jusqu'à des douze ou treize heures d'affilée. J'en ai vu aussi, des chevaux, buter et s'écorcher dans le noir, à tirer leurs chargements. Ah, l'amélioration des conditions de travail ne s'est pas faite en un jour ! J'ai connu l'époque de l'extraction du charbon à grands coups de pic, sans électricité, sans ventilateur, sans wagonnets...

— Avec les risques de dégagement de gaz.

— On emmenait des canaris, que l'on mettait à ras de terre pour déceler le manque d'oxygène.

— Parce que ici ça n'est pas le grisou que l'on craint, comme dans les mines du Nord, c'est le gaz carbonique, expliqua le pépé pour Jean. Comme il est plus léger que l'oxygène, on le traque au sol.

— Grâce aux canaris, puis aux lampes témoins, aux rats aussi qui habitent les lieux. On a dû en boucher, des galeries, à cause de la combusion spontanée. Et il y a eu des explosions, on a compté et pleuré nos morts, en Matheysine, de rudement bons compagnons, plus que des frères. Ah, en voilà une profession qui inspire le respect, petit ! Malgré les dures conditions, y a nul métier au monde qui m'aurait rendu plus fier que celui-ci, un des plus difficiles de notre civilisation. Je le tenais de mon père, qui lui-même le tenait du sien ; c'est un savoir qui se transmet par le compagnonnage. Mineur, c'est un métier prestigieux, complet, petit, que l'on apprenait les uns avec les autres, soudés, à un degré tel que personne d'une autre corporation ne pourra jamais comprendre... Personne ne peut comprendre et s'intégrer, sans faire partie de la « famille ».

— Auguste, raconte-lui donc, au petit, cette histoire des chevaux qui savent compter.

— Ah ! Les chevaux ! Y en a qui veulent pas croire, s'amusa Auguste en grattant son crâne chauve. C'est vrai qu'on avait des chevaux malins. Habituellement, on leur faisait tirer, en moyenne, une douzaine de berlines, emplies chacune de cinq à sept cents kilos de charbon. Ces bougres d'animaux, s'ils entendaient le nombre d'entrechocs nécessaires quand on amarrait les wagons, voulaient bien faire leur travail. Mais s'ils en entendaient un de plus – ou même en moins –, ils s'obstinaient et refusaient de s'ébranler. Alors on les bluffait, on s'arrangeait pour amortir les chocs des tampons. Les bêtes entendaient ce qu'elles voulaient entendre et démarraient, tirant en fin de compte treize ou quatorze berlines. Ou moins, c'était selon. Ce que c'est que le conditionnement, quand même...

Auguste se retourna vers son ami Toine.

— Moi, je ne me suis jamais fait à l'exode de 1956. J'aimais bien l'animation de nos quartiers et nos retrouvailles au Cercle, même si j'ai arrêté le travail avant la guerre. Ça me fait mal au ventre que les nouvelles générations oublient ce prestigieux métier.

— Que veux-tu, fit le pépé, le monde change, il faut prendre le bon et s'accommoder du mauvais. Tu verras que le plateau matheysin fermera aussi ses mines, un jour, je leur donne à peine vingt ans... Mais rien n'empêchera les hommes de conserver la mémoire des ancêtres, il suffit de voir comme les musées ont du succès.

Le temps fila ainsi, pour les deux complices qui ne se quittaient guère.

Pourtant, en s'écoulant d'une manière inexorable, les jours ne faisaient que les rapprocher d'une échéance appréhendée, même si Jean l'avait pleinement exclue de son esprit.

12

Jean prit l'annonce de l'arrivée de son père comme un communiqué sur un programme spatial de la Nasa, avant que l'idée ne fît son chemin. Cet événement paraissait tellement invraisemblable – voir enfin cet homme qu'il avait relégué aux oubliettes – qu'il en fut tout chamboulé.

Des tas d'idées contradictoires vinrent se bousculer en lui alors que rien ne pouvait l'aider à raisonner. Aucune fausse étincelle de joie, de surprise ou même de soulagement ne réussissait à dissimuler le navrement des autres autour de lui.

Quelques jours passèrent durant lesquels tout le monde évita le sujet, comme pour le rendre anodin, ou plutôt – et ce fut ainsi que Jean l'interpréta – comme si personne n'osait aviver une discussion redoutée par tous.

Yolande somma pourtant sa fille de réfléchir aux conséquences et aux responsabilités qui dorénavant lui incomberaient, à elle, au sein de la maison.

Le pépé parla plus haut et plus fort que d'habitude, exagérant même sur son côté comique.

Jean perdit son esprit taquin et presque son appétit.

Marthe, avec un frisson dans le dos, se heurtait à un avenir où tout restait flou, en suspens.

La veille du jour de l'arrivée de Claude Loubet, Jean passa une nuit agitée. Tout le monde, du reste, eut du mal à trouver le sommeil, Josette sans doute autant que son fils. La jeune femme n'avait jamais parlé du père de Jean, éclipsant une histoire compliquée, inavouable dans le détail. Les autres avaient souvent pensé que sa froideur pour son fils était le résultat d'un pénible rappel concernant une période suspecte, et ils s'interrogeaient sur la reconstitution de son couple.

Si bien que personne ne savait à qui et à quoi s'attendre, ce samedi 13 avril, lorsque la 4 CV héritée de son père ramena Josette à la ferme avec son mari. Au bruit de la voiture, tout le monde s'était levé mais n'avait osé sortir, rajoutant ainsi sans le vouloir du solennel à la scène.

Josette fut la première à rentrer et d'un air provocant regarda tout ce monde figé dans la méfiance.

Le plus pâle de tous était Jean, encadré d'une Marthe nerveuse et d'un pépé dont les immenses épaules s'étaient redressées avec un brin d'arrogance. Yolande affichait son air habituel, qui parvenait à cacher une grande curiosité.

Jean n'était plus dans les dispositions d'esprit de ses sept ans. A cette époque-là, il avait suffi au pépé de poser une main affectueuse sur son épaule pour s'attacher un gosse assoiffé d'amour. Aujourd'hui, le même geste venant de son père n'aurait pas été suffisant. Jean, le sachant, le redoutait. A onze ans et demi, il avait la quasi-certitude de ne pas savoir partager ce qu'il éprouvait déjà pour quelqu'un d'autre.

Il regarda donc le nouveau venu comme un véritable étranger. Et l'eût-il tout de même espéré, le geste ne vint pas.

L'attitude de Claude, qui le regardait maintenant depuis l'autre côté de la table, avait tout de celle de l'homme à qui rien ne fait peur ou que rien n'intéresse vraiment. La stature haute, élancée, se mariait avec la figure bien faite, régulière, un tantinet trop fine, pourtant prématurément vieillie. Le cheveu noir déjà grisonnant et presque ras, une cicatrice blanche en travers du sourcil gauche, l'œil blasé et le sourire froid, Claude Loubet portait beau ses trente-cinq ans, accentués d'une maigreur et d'une pâleur sans doute liées à sa longue maladie. Un vêtement de ville, blanc, semblait un peu démodé mais était porté avec classe.

Les mains dans les poches, il ne souriait pas à Jean, se contentant de le dévisager.

Et puis il regarda les autres avec un petit signe de la tête en terme de salut.

Yolande comprit sa fille ; l'allure de cet homme avait pu la séduire.

Le pépé, d'emblée, ne l'aima point.

Marthe fut assaillie d'images sombres venant confirmer le peu qu'ils savaient de lui. Elle se sentait comme face à un volcan endormi et en même temps ressentait une espèce de cassure en lui. Pourtant, rien ne l'alarmait spécialement.

Quant à Jean, il n'éprouva que l'envie de se serrer davantage contre l'aïeul, qui posa une large main protectrice sur sa tête.

Claude ne s'intégra pas à la ferme malgré la patience de ses occupants.

Il ne parlait pas, dédaigneux, les pouces coincés à travers les passants de son pantalon de toile beige, réfléchissant en faisant les cent pas dans la cour.

— On dirait un gigolo, disait le pépé à ses filles qui le sommaient à grands gestes de vite se taire. C'est bien un Marseillais, té, les gens d'ici vont vite le remettre à sa place.

Les repas devenaient lourds de gêne et de silences. Claude ne répondait à aucune question directe, ne s'adressait jamais à Jean, mais le regardait en douce d'un drôle d'air. Il attendait Josette des heures entières entre deux promenades en ville, en fumant cigarette sur cigarette, assis au soleil dans la cour, sans effectuer le moindre geste pour personne, et, lorsque celle-ci rentrait, ils s'enfermaient dans leur chambre pour de longues discussions où leurs voix montaient.

Mi-mai, le pépé prit Claude à part.

— Se plaindre du temps, c'est perdre son temps. Les bêtes n'attendent pas le soleil pour se faire traire. Au verger, les greffes n'attendront pas le mois prochain. Les semailles de maïs non plus. Et si l'on veut du miel, il faut ajouter des cadres aux ruches et mettre les hausses. Maintenant, si tout ce travail vous rebute, il y a la solution d'aller en chercher ailleurs !

— Perdez vos grands airs, le vieux ! Les bouseux ne m'ont jamais inspiré. C'est pas vous qui allez me dicter ma conduite ! D'où je viens…

— Je sais très bien d'où vous venez ! Ce n'est pas la peine de me raconter des sornettes, vous ne m'impressionnez pas du tout !

— Je vais avoir du mal à trouver du travail, admit Claude en regardant ses chaussures.

— Chez moi, il y en a, c'est à vous de le comprendre !

La semonce eut l'air de faire son effet. Claude se mit à traîner derrière Marcel Baume, mais celui-ci ne supporta pas longtemps ce boulet « taciturne et hautain », comme il le dit au pépé :

— On n'en tirera rien, il a un poil dans la main, ce gars-là. La ferme n'est pas un endroit pour lui, il me dérange plus qu'autre chose. Je me mêle de ce qui ne me regarde pas, c'est sûr, mais ça ne me paraît pas bon comme situation. Je me rends bien compte que tout le monde en pâtit, surtout le gosse. Et... de vous à moi, je ne le trouve pas net, ce type. Ça jase en ville... Enfin, je veux bien croire que la maladie lui a peut-être tapé sur le ciboulot, mais je n'apprécie pas d'être regardé d'aussi haut.

Le pépé se garda de répondre aux sous-entendus pour ne pas envenimer les choses. Il savait bien que Marcel avait vu les gendarmes la semaine précédente, venus s'entretenir avec Claude. Mais ce qui le contrariait le plus était l'attente de Jean, dont il captait les regards en biais sur ce père inaccessible.

Mais quand Claude se permit d'agresser verbalement Marcel, qui vint se plaindre, fermement décidé à quitter son travail à la ferme si l'autre « m'as-tu-vu » continuait son cirque, le pépé l'accrocha pour un deuxième sermon, qui obtint le résultat inverse du premier.

Claude le prit mal et la discussion tourna en altercation. De propos vifs en répliques désobligeantes, on fut au bord de l'empoignade. Le pépé devina que la personnalité véritable du Marseillais était en train de refaire surface et il se retint pour ne pas tout compromettre. Face à face, l'un et l'autre s'évaluèrent, et le pépé, sur ses gardes, crut un instant que l'autre allait le frapper. Ce béjaune ne devait pas peser plus de soixante-dix kilos. Il faillit saisir le col prétentieux et le faire gigoter du haut de sa poigne autrefois redoutable. Mais un coup d'œil lui fit entrevoir Marthe et Jean qui sortaient de la maison pour les regarder tous deux d'un même air entendu. Tout le monde surveillait tout le monde depuis un certain temps.

Dès le lendemain, Claude disparut des journées entières pour ne revenir qu'à la nuit et chacun redouta ce qui se préparait.

Josette leur annonça bientôt qu'ils avaient trouvé un logement, rue Traversine, à côté des Halles, pas loin de la place des Capucins. Sans y mettre les formes, elle les prévint qu'ils embarquaient Jean.

— Il veut jouer au père, fit-elle d'un ton ironique et fataliste en regardant son fils devenu blanc. Et plus question pour vous de vous mêler de sa vie.

— Vous feriez mieux de laisser le gosse ici, intervint le pépé, déjà en colère.

— Il vaut mieux faire comme il dit. Vous ne le connaissez pas.

— Nous avons eu un aperçu. Un drôle de coco, affirma Yolande. Je ne sais pas où tu l'as pêché, celui-là, mais tu as fait une bonne pêche, ça oui ! Ça nous ferait presque regretter le Jacques. A croire que tu attires ce genre d'individus.

— Pourquoi veut-il notre Jeannot ? Il ne s'en est pas approché une seule fois depuis son arrivée, protesta Marthe de sa voix fluette.

— C'est pourtant un souhait naturel, non ? rétorqua Josette, que les autres eurent envie de gifler.

— Mais il ne…

Marthe ne put poursuivre, refusant d'admettre le rejet du père devant le fils. Elle venait de ressentir comme une légère décharge électrique au niveau du plexus. Les épreuves de Jean… Elle regarda l'enfant avec tristesse avant de regarder le pépé de la même manière.

Elle obtint encore la même réponse d'Adrienne, qu'elle avait interrogée à maintes reprises, ces derniers temps, sur les jours prochains : « A quoi te servirait de tout savoir ? Tu as le don, ma chérie, use de ta clairvoyance pour observer sans craindre les épreuves à venir… »

Marthe se raccrochait à une certitude. Cette situation n'était qu'un contretemps.

Mais les dés semblaient jetés. Une nouvelle vie commençait pour Jean.

Pour le voir, sacrifiant son travail, le pépé allait flâner autour de l'école durant les récréations et à la sortie des classes. Il devint un promeneur assidu des après-midi, se mêlant aux retraités fanatiques des boules sur la place des Capucins. Le cœur gros, Jean et le pépé se faisaient des signes de loin et se côtoyaient le temps de revenir jusqu'à la rue Murette, aux abords de l'appartement. Là, Jean continuait seul, redoutant que son père ne sorte de l'immeuble ou n'apparaisse à l'angle d'une autre rue.

L'ambiance à la ferme était devenue triste. Plusieurs démarches du pépé pour prendre Jean durant les vacances d'été qui arrivaient n'aboutirent qu'à renforcer la position bornée de Claude.

Gérant difficilement ses craintes de laisser le pépé vaquer seul, de ne plus être là pour le protéger d'efforts inconsidérés, Jean, dans sa nouvelle demeure, se morfondait en compagnie de l'homme renfrogné. Claude s'ennuyait autant que lui, attendant de trouver un travail dans la région, mais les gens ne se fiaient pas à ce gars sans références, qui semblait s'être fourvoyé dans la contrée. Il n'était pas de chez eux, ses grands airs n'impressionnaient personne, personne ne voulait avoir affaire à lui.

Jean supportait mal l'alternance des silences et des scènes. Il ne fallait pas être devin pour comprendre que ses parents se détestaient, n'arrivant pas à retrouver leurs affinités d'autrefois, si tant est qu'il y en avait eu. Au deuxième étage d'un vieil immeuble situé dans une rue étroite, petit et mal agencé mais au loyer déjà trop élevé pour l'unique salaire de Josette, l'appartement ne lui laissait pas le choix de s'éloigner de leurs bagarres.

Assis dans le coin de la salle à manger qui lui servait de chambre, il les écoutait se jeter leurs jalousies à la figure. Des griefs qui déclenchaient des souvenirs... Remontaient ainsi à la surface des cris, des engueulades, des pleurs de sa mère... Il avait déjà entendu tout cela. Une sensation d'abandon et d'angoisse lui revint, entre ces deux individus préoccupés seulement d'eux-mêmes. Il se revit, tout enfant, tendre ses petits bras, accrocher le chemisier de sa mère, pleurer pour qu'elle le regarde, le prenne ou même le secoue, histoire de s'intéresser un peu à lui ; mais elle tournait la tête et s'en allait. Il acquit la conviction que cet homme n'était jamais entré dans sa bulle affective, par aucune caresse, aucun soin, aucun murmure.

Jean se sentait prisonnier et malheureux, soumis à une autorité qui le rejetait. Il ressentait une sorte de mépris chez cet homme qui ne l'aimait pas plus que sa mère. Leurs disputes le rendaient spectateur impuissant et encombrant de leurs faiblesses. Ils se retournaient alors contre lui et le fichaient dehors, pour continuer à parler de choses qu'il ne devait pas entendre.

Ce soir-là, Jean en eut assez. Peu lui importèrent la colère à subir ou le châtiment à payer. Lorsque la porte claqua dans son dos avec une recommandation du genre : « T'as intérêt à être là dans une heure, ou gare ! », il dévala les escaliers de bois et déboucha sur la rue avec une seule idée en tête.

Il heurta un homme qui se trouvait à passer devant l'entrée et, sans s'excuser, reprit sa course. Emile Brun ramassa sa casquette tombée à terre et la remit calmement sur sa tête tout en suivant longtemps l'enfant des yeux.

Jean arriva à la ferme au moment de la soupe, faisant sursauter ses trois occupants. Il resta sur le seuil de la porte, emmêlé dans les lanières rouges, le souffle rapide, frémissant comme un animal traqué, prêt à tourner les fers à la moindre remarque désobligeante, mais si heureux de constater qu'ils étaient tous là et allaient bien.

Les exclamations heureuses qui fusèrent lui firent chaud au cœur. Il eut subitement envie de pleurer. Marthe s'était déjà levée pour rajouter une assiette, que Yolande s'apprêtait à remplir, tandis que le pépé coupait une tranche de pain supplémentaire et lui faisait signe de s'installer à sa place habituelle.

Tout d'abord, on lui fit grâce de questions embarrassantes et il retrouva son calme. Mais vint l'instant où il fallut mesurer la gravité des faits.

— D'abord, Jean, dis-nous s'il te bat.

Celui-ci secoua la tête, les yeux baissés.

— Il n'a jamais levé la main sur toi ?

Même négation.

— Bien, c'est le plus important.

Déterminé, le pépé déplia son vaste corps, rajusta sa casquette d'un coup sec, regarda les femmes d'un air résolu et s'adressa au garçon :

— Mon Jean, tu ne vas pas aimer ce que je vais te dire, pas plus que moi d'ailleurs. Mais il y a des circonstances dans la vie où l'on doit faire des choix qui peuvent tout d'abord nous paraître mauvais. Si on se met ton père à dos aujourd'hui, il fera tout pour nous interdire de te voir, et il aura la loi pour lui. Par contre, si on lui montre qu'on suit ses règles, il se détendra peu à peu et tolérera plus de choses. Alors, ce soir, tu vas rentrer raisonnablement chez lui, même t'excuser s'il le faut, et reprendre ta place d'enfant sage. Je crois que je connais ce genre d'homme. Ça va s'arranger, compte sur moi, petit.

Au cours des deux semaines suivantes, Jean revint à trois reprises à la ferme, comme un chien regagne sa niche, le temps de se recharger en caresses.

A la quatrième, le pépé changea d'attitude.

— Je te ramène, mon Jeannot. Il est temps de parler à ton père.

Ce fut Josette qui leur ouvrit, l'œil soudain rond. Elle les fit entrer sans un mot, s'effaçant dans un étroit couloir à la tapisserie en lambeaux, avant de les rejoindre et de se caler le dos contre un mur, les bras croisés. Claude était attablé devant une assiette de pâtes. Il leva à peine les yeux, fit celui que rien n'émouvait. Jean doutait que l'idée du pépé fût si bonne et s'angoissait de plus en plus.

— Je voudrais m'entretenir avec ton époux. Sors avec Jean, s'il te plaît.

— Ho là, ho là, le vieux, en voilà des manières ! Je n'ai pas envie de vous entendre déblatérer sur la profession des paysans et sur mon rôle de père. On n'a rien à se dire. Josette, tu restes là !

— Josette, tu sors ! J'ai des choses importantes à dire à monsieur !

Le ton rauque du pépé avait contenu ce qu'il fallait pour intriguer Claude, qui sourit méchamment.

— Le petit faux cul est allé vous relancer, c'est ça ?

— C'est moi qui viens à vous. Je l'ai simplement rencontré dans la rue.

Un signe de Claude suffit pour que Josette entraîne son fils au-dehors.

Les deux hommes restèrent en un face-à-face musclé, et ce qui fut dit le fut de manière efficace, car le soir même Jean réintégra définitivement la ferme, s'installant dans la chambre verte. La semaine suivante, Claude trouva du travail.

13

Une nouvelle fois, l'influence du pépé réussissait à écarter Jean d'une haine précoce, à lui éviter le premier écueil de l'échec. Les grandes vacances tombaient à pic. La vie reprit son cours après cette parenthèse.

L'équilibre psychique de Jean méritait de l'attention, pourtant le pépé préféra jouer la franchise. Il choisit son moment, après une harassante journée de moisson, quand Marcel et deux autres compagnons venus les aider s'en furent allés après un dernier verre.

— Il faut que je te parle, fils.

Le ton sérieux alarma Jean, qui ne comprit pas pourquoi le pépé le poussait jusqu'au bassin. Sans nuages, le ciel était d'un bleu marine, en surimpression duquel s'étiraient au loin, dans le Trièves, les magnifiques forteresses de l'Obiou et du Grand-Ferrand. L'étoile du berger brillait déjà de tous ses feux et la lune offrait un parfait rond de brume qui s'illuminerait d'ici une heure. Il faisait doux, l'air se prêtait aux confidences. Le pépé trempa ses avant-bras aux poils blancs dans l'eau claire et Jean fut surpris de ne pas être arrosé. Il fit mine de repartir vers la maison.

— Reste là, Jeannot, pas besoin de l'oreille des femmes, ces jacasseuses.

Un sourire en coin démentait toute méchanceté au propos.

— Je t'ai examiné au champ tout à l'heure. Tu as bientôt douze ans, tu as pris des forces, tu commences à grandir. Je te prédis une belle taille, ma foi, c'est souvent comme ça avec les crevettes. La Marthe, elle dit même que tu seras beau. Oh, oh, rigola le pépé, tu joueras les jolis cœurs !

Attentif aux changements de ton, inquiet, Jean n'avait pas envie de rire. Il ne ressentait pas la fausse joie du grand-père, il attendait autre chose. Qui vint en cinq mots dits gravement.

— Ton père sort de prison, mon Jeannot. Voilà pourquoi tu ne le voyais jamais. Il a écopé de neuf ans de taule.

Le silence appartenait à Jean. Le pépé attendit.

— Qu'est-ce qu'il a fait ? demanda enfin Jean.

Sa question ne contenait qu'une curiosité d'enfant.

— Je n'en sais rien. D'après ta mère, un braquage de banque qui aurait mal tourné, elle n'a pas voulu nous en dire plus. Il vaudrait mieux que ces choses-là restent secrètes, mais j'ai peur que des bruits ne circulent déjà dans La Mure. Alors, je voulais te dire, quoi que tu puisses entendre – et tu risques d'entendre quelques méchancetés –, sois sûr que tu n'y es pour rien, pour absolument rien. On ne choisit pas sa famille, c'est ce que les imbéciles qui s'en prendront à toi finiront par comprendre. Voilà, tu sais maintenant. Mais ne va pas pour autant juger définitivement ton père.

Un nouveau silence se fit, un peu long au gré du pépé, qui aurait pensé que Jean questionnerait davantage.

— Neuf années de prison, ça peut vous casser un homme, en tout cas le changer. Ton père n'est certainement pas tout à fait lui-même. Ta mère non plus d'ailleurs, ça a dû être difficile pour elle.

— Il changera jamais.

— Si c'est le cas, tu es assez grand maintenant pour faire avec, n'est-ce pas ? Mais avec un peu de patience, qui sait, les rapports entre lui et nous peuvent s'améliorer... Tu es déçu, n'est-ce pas ?

— Je m'en fiche, répondit Jean, plutôt boudeur.

— Il vaut mieux être déçu qu'espérer dans le vague, petit, c'est mon sentiment, conclut le pépé.

Pourtant il retint encore Jean, qui s'étonna sans rien dire, le surprenant pour la troisième fois à regarder en direction de la cour. Enfin, le vieil homme bougea. Eric Froment venait d'entrer dans la maison, à l'insu de Jean.

— Allez, viens, on doit nous attendre.

Formant à eux trois une haie devant la table, Eric, Marthe et Yolande, épaule contre épaule, arboraient un air empreint de mystère en le dévisageant. Jean se tourna vers le pépé et saisit la même lumière joyeuse dans l'œil plissé. Incapable de les imaginer tous de mèche, il leva les épaules en signe d'incompréhension.

Alors ils s'écartèrent, lentement, très lentement, pour faire durer le suspense. Et Jean perdit le souffle. La bouche ouverte, les yeux ronds, il douta. Il les regarda encore, l'un après l'autre, hésitant à croire en la promesse étalée sur leur mine réjouie.

Minuscule, éperdu, tremblotant, lové au fond d'un panier d'osier posé sur la table, un chiot couleur caramel l'examinait de ses grands yeux mouillés.

Les autres s'écartèrent en douce, déjà oubliés de Jean, qui n'osait espérer ce merveilleux cadeau. Car c'en était un, il suffisait de regarder l'énorme nœud rouge accroché à l'anse du panier.

— C'est pour moi ? chuchota-t-il.

Le oui massif le bouleversa. Il s'approcha de la petite chose dont la queue se mit à frétiller. Il l'aida à sortir du panier, la retint sur la table pour mieux la voir. Le chiot lui lécha les mains, puis les mordilla, se tortilla en tous sens en gémissant d'aise.

— C'est une fille, elle est à toi, elle a deux mois.

— C'est un chiot de ma Nelly, elle en a eu trois, ajouta Eric.

— C'est qui, le père ?

— Ah, ça... Je me doute un peu que c'est le grand noir des Gontard, mais va savoir...

— Elle te plaît ? demanda le pépé.

— Oh oui !

— Elle t'a déjà adopté.

Les regards se rencontraient au-dessus de sa tête, mais il était tout à ce bout de chair chaude, vivante, odorante. Il avait enfoui sa figure dans le poil court et soyeux, murmurant à voix basse, comme un secret, le nom qu'il venait de trouver. Il ne comprenait pas pourquoi il avait envie de pleurer. Il resta ainsi, le nez collé au pelage fauve qui sentait bon, et le chiot se laissa faire, soudain dompté ou déjà communiant avec les pensées les plus intimes de son jeune maître.

Tiki devint l'ombre de Jean. Ils se baladèrent ainsi, jumeaux de cœur, l'un écoutant l'autre en se laissant caresser inlassablement, l'autre puisant dans cet attachement aveugle un merveilleux bien-être. On les voyait tous trois, le pépé en tête, déambuler à travers la cour, à travers champs, à travers bois.

Si l'idée de Josette et de Claude effleurait parfois ses pensées, Jean n'en parlait jamais, gardant une plaie à vif au fin fond de son esprit.

Sa seule famille était ici, et quelque chose le poussait à profiter pleinement de son existence, comme si… Et là, perplexe, il n'aurait su expliquer ce désir de vivre totalement ses dernières semaines de vacances, même s'il n'arrivait plus à replonger dans cette espèce d'insouciance qui l'avait caractérisé un temps. Quelque chose lui échappait pour élucider un sentiment trouble ; il redoutait que cet instant de grâce ne fût sur le point de cesser à cause d'événements sur lesquels il n'aurait pas d'emprise. C'était bien cela qui le rendait maintenant méfiant sur le bonheur.

Il se sentait à nouveau différent.

Alors il prenait Tiki dans ses bras et l'emportait dans son repaire où le pépé, après lui avoir laissé le temps de confier ses états d'âme à l'oreille de l'animal, venait le rejoindre ou l'appeler pour une promenade.

Leurs conversations n'avaient plus cette légèreté et cette nonchalance.

— Tu te sens prêt à affronter le lycée ?

Le silence de Jean fut une réponse, mais le pépé l'ignora.

Ils s'étaient arrêtés dans un petit vallon cerné de chênes, d'érables et de noisetiers, et s'étaient assis sur une butte de terre. Une brise légère et douce leur apportait des senteurs épicées et tièdes, faisant tanguer la cime verte des arbres sur fond de ciel myosotis. Le soleil déclinant les contraignait à cligner les yeux, le pépé abaissa son béret sur le devant du front.

— Il faut t'accrocher à l'école. Je sais que tu seras un bon élève.

Tiki découvrait la nature, les feuillages, sursautait au moindre bruit, sentait tous azimuts, venait se frotter à leurs jambes et repartait en gambadant pour s'arrêter pile devant une pierre suspecte, qu'elle flairait avant de passer à une autre découverte. Le manège pataud de la jeune chienne avait quelque chose de rassurant, de reposant, tout comme le spectacle de la forêt tout autour, qu'un voile ternissait déjà de manière subtile en ce début septembre. Mais il fallait être d'ici, avoir vécu ici, il fallait connaître tous les changements des saisons pour en capter les frémissements. Le pépé était chez lui dans ces bois, il ne connaissait qu'eux d'ailleurs et n'en avait aucun regret.

— Tu vois, je ne changerais pas ma place contre celle d'un directeur de n'importe quelle boîte, dans n'importe quel pays au monde. Ici, c'est le bonheur absolu.

— Parce qu'on y est tranquille ?

— Parce que c'est chez moi, parce que je connais tous les coins et recoins de cette région, ses cultures, ses friches, ses cours d'eau, ses sentiers et ses roches. Et aussi parce qu'il n'y a personne, pas une âme, seulement la musique de la nature.

— Marthe, elle dirait la musique du bon Dieu.

— Ah oui. Elle dirait sans doute ça. Tu vois, parfois j'aimerais croire à ce qu'elle raconte. J'aimerais savoir que nous nous retrouverons tous là-haut quelque part, pour un grand gueuleton, mais... tu ne crois pas que c'est une foutue guignolade ?

— Je sais pas.

— Ça, çà fait partie des convictions intimes. Il y en a qui se rassurent comme ils peuvent.

— Marthe, elle dit que les morts sont des invisibles, pas des absents.

— Dis-moi un peu ce que ça change ?

— Elle dit que mémé Adrienne les voyait.

— Et qui d'autre qu'elle, mon Jean ? Qui d'autre ? Si c'était vrai, tu ne crois pas que ça se saurait, qu'on les verrait aussi ? Maintenant, tu es assez grand pour avoir compris que la Marthe, elle a la tête un peu fêlée. Mais si ça lui fait du bien, on ne va pas lui enlever ses fantômes, hein ? Elle ne dérange personne. Mais toi, ne l'écoute pas.

— Tu as peur de mourir ?

Jean mâchouillait un brin d'herbe sèche et son regard survolait l'horizon vert. Le pépé examina le fin profil, retenant un geste fou qui aurait pressé l'enfant tout contre sa vaste poitrine.

— J'ai surtout peur de laisser du monde derrière moi. J'ai peur de te laisser, mon Jeannot, parce que c'est toujours dur pour ceux qui restent. Le cœur m'a manqué au départ de ma femme et, dernièrement, à celui de ma vieille mère, mais c'est comme ça, il faut se faire une raison. Et toi, il faudra t'y préparer aussi. Personne n'est éternel. Ma vieille carcasse commence à s'épuiser.

Sur leur droite, un ramier caracoula, faisant faire un bond à Tiki. Les deux amis se mirent à rire, libérés de leurs sombres pensées.

— Mais ne t'inquiète pas, je ne suis pas encore bon pour la pervenche ! s'exclama le pépé. Ni pour le sapin ! On reparlera de tout cela dans dix bonnes années !

Envahi d'une joie sauvage, Jean se releva prestement et le tira à deux bras.

A ce moment, une tornade fit tourbillonner les feuillages d'un bosquet. Ils sursautèrent tandis qu'un groupe compact de ramiers s'envolait déjà vers l'est. Emile Brun apparut, sortant des taillis, recouvert de brindilles accrochées à son gilet de laine. Presque surpris de les trouver là, il les salua discrètement et s'éloigna de la même manière.

— Celui-là, souffla le pépé, il est toujours en vadrouille à droite et à gauche, comme s'il n'avait que ça à faire. Il va bientôt connaître la région mieux que moi.

Ils reprirent le chemin du retour, à travers un sentier pierreux tapissé de feuilles, les narines envahies d'une forte odeur d'humus. Au hasard de leur avancée, Jean se rapprocha du vieillard, qui le retint en posant une main sur son épaule, ponctuant ainsi leur discussion.

— Ne compte que sur toi, mon Jean, et n'écoute pas tous les discours, suis ton chemin comme tu le sens, en te comportant le mieux possible vis-à-vis de toi et des autres. On n'a pas meilleur guide que sa conscience ; celle-là, tu peux l'écouter, encore qu'il faille savoir l'entendre et se dépêtrer de notre sale orgueil. Il faudrait toujours faire en sorte de n'avoir que des regrets, parce que les remords, vois-tu, c'est trop lourd à supporter.

Un peu plus tard ce jour-là, avant de commencer à traire les bêtes, le pépé entraîna Jean dans la grange, passant comme cela leur était devenu habituel par l'arrière des bâtiments. A cet instant se profila, sur le chemin vicinal perpendiculaire à la propriété et venant tourner devant la bâtisse d'à côté, Emile Brun, les bras derrière le dos, qui semblait revenir de sa promenade.

— Tu vois, c'est bien ce que je te disais, remarqua le pépé à voix basse en rigolant. Il revient souvent par ce côté-ci, j'ai l'impression qu'il en a après mon rucher.

Arrivé sur le plancher dont plus de la moitié était envahi de foin, il s'approcha du trou au travers duquel pointait le haut de l'échelle qui partait du hangar, et agrippa les montants afin de les tirer jusqu'à lui. D'un long geste régulier et sûr, comme s'il se fût agi d'une simple planchette, il ramena le lourd objet jusqu'à eux, le fit pivoter et le plaqua contre la poutre maîtresse qui les surplombait, à laquelle d'ailleurs étaient accrochées la corde d'entraînement et la balançoire de Jean. Une dernière poutre, encore deux mètres au-dessus, permettait un autre espace que jamais Jean n'avait exploré.

— Je vais te montrer quelque chose, murmura le pépé bien qu'ils eussent été seuls. Personne n'est au courant.

Non sans une certaine appréhension, Jean le vit attraper les montants de bois presque perpendiculaires et s'élever lentement jusqu'au dernier rondin, prudemment franchir la poutre en s'accrochant à pleines mains aux chevrons, poser les pieds sur un autre support de bois qui n'était que du provisoire, fait de quelques planches mal agencées.

— Tu rêves ? Suis-moi.

Jean le rejoignit sur la minuscule surface aménagée sous la charpente dont on voyait le dessous des tuiles. Sa grande taille courbée en deux, le pépé s'avança en crabe tout au bout du mur, où les dégâts du temps commençaient à se faire connaître un peu plus bas. Vint le moment où il dut s'agenouiller. Jean en fit autant à ses côtés, face à des pierres ajustées que les grosses mains se mirent à déplacer. L'homme soufflait fort. Il faisait chaud dans cette atmosphère de poussière. De la sueur coulait du front du pépé, qui l'essuya d'un large revers du poignet avant de remonter les bretelles qui avaient glissé de ses épaules. Encore une pierre écartée...

— Voilà mon trésor, mon Jean, fit le pépé d'un ton plein de mystère en ramenant à lui une ancienne boîte en fer de la taille d'une boîte à sucre. C'est le tien, à présent. Oh ! ce n'est pas l'affaire du siècle, mais... Je ne m'étais pas approché de cette cache depuis bien longtemps et j'ai pensé qu'il fallait que maintenant tu saches.

Il avait ouvert la boîte, et Jean regardait de tous ses yeux les taches d'or délivrées de leur nuit profonde. Blottis dans un coton jaunâtre et rêche, une vingtaine de louis et de napoléons retrouvaient la lumière et brillaient étrangement, leur transmettant une émotion intraduisible.

— Regarde, ça c'est un double napoléon, chuchota le vieil homme en le tendant au garçon, et cette pièce, frappée à l'effigie du roi de France, un louis datant de 1689, tu te rends compte ? Elles viennent de mon arrière-grand-père, qui lui-même les tenait de son père et ainsi de suite. C'était aussi notre secret.

— Ça vaut beaucoup d'argent ?

— Elles n'ont pas de prix, fils. Pour moi, elles n'ont pas de prix.

14

Puis la rentrée scolaire eut lieu, un jour de septembre étrangement doux pour la saison. Un léger vent du sud poussait quelques nuages vaporeux au-dessus de la ville paisible.

Tout le monde avait été prêt en même temps pour ce jour particulier et attendait maintenant, debout, que le « petit » s'en aille à l'école des grands. Un reste d'effluve d'eau de Cologne flottait dans la maisonnée, au milieu d'une sorte de solennité un peu embarrassante pour Jean, qui éprouvait quelque crainte.

Il arborait un pantalon et une blouse neufs, une coupe de cheveux « nickel », selon l'expression du pépé, un cartable ciré, aussi brillant que ses chaussures. Il avait compté et recompté le nombre de cahiers et de crayons qu'il lui faudrait ce premier jour, rangé ses affaires sur le bureau en prévision des devoirs du soir. Il regarda une dernière fois son univers et s'arma de courage.

Il fallut emporter à pleins bras la chienne, qui n'arrêtait pas de hurler en voyant son maître disparaître à travers le portail.

Le pépé fut du voyage, ce premier jour, décidé à ne plus accompagner Jean les jours suivants malgré son envie, pour lui laisser une autonomie.

Le lycée se situait presque à côté de l'école des Capucins, mais les classes de sixième et cinquième s'alignaient dans l'avenue des Plantations, un peu plus loin en contrebas de La Mure, après le théâtre.

Jean eut l'heureuse surprise d'apercevoir Gilles au milieu d'une centaine d'enfants. Son ancien ami n'avait pas plus grandi que lui et avait conservé son farouche désir de solitude, restant en retrait de tous. Il continuait à porter les vêtements de ses frères, mal ajustés et usés aux endroits stratégiques. Tous deux s'observèrent, un peu gênés, l'un avec un air encore plus déterminé, les mèches blondes lui tombant dans les yeux, dévisageant les traits de l'autre, qui avait gardé son hâle naturel et ses courts cheveux noirs et raides. Inconsciemment, Jean abaissa son regard sur les poignets de son ami. Gilles, d'un air triomphant, tira sa manche et présenta un avant-bras strié de cicatrices. Jean éprouva le même malaise qu'autrefois.

N'étant pas dans la même classe, ils se retrouvèrent aux récréations, renouant peu à peu avec leur vieille complicité, mais, comme Gilles arrivait et repartait en car avec ses frères Charles et François, leur entente ne dépassa pas le cadre scolaire. Du bout des lèvres, Gilles donna quelques informations sur sa vie. Le père abusait moins de son ceinturon car il rencontrait de la résistance ; ses coups commençaient à lui être rendus par Charles. La grotte avait toujours les mêmes fonctions. Comme Gilles continuait à écarteler les petites bêtes et à blanchir leurs squelettes, Jean s'abstint de lui parler de sa jeune chienne.

Et cette différence que Jean avait crainte se révéla bientôt juste.

Un matin de la deuxième semaine, Gilles et lui étaient tous deux assis en bordure de cour quand surgit devant eux un groupe de trois enfants.

— Eh ! Toi ! C'est vrai que ton père est un ex-taulard ?

Jean haussa les épaules sans répondre.

— Allez, avoue ! C'est vrai ?

— Qu'est-ce que ça peut vous foutre ? répondit Gilles à sa place, déjà dressé comme un coq.

— Toi, le fils d'alcoolo, tu écrases. C'est à l'autre qu'on cause.

L'un des trois adversaires dépassait les autres d'une bonne tête et avait un air de faux jeton. Les lèvres étirées dans un rictus de fripouille, il tenait les autres par les épaules afin de cacher la scène au reste de la cour.

On ne sut comment la bagarre éclata, mais elle fut vive et rapide. Jean, la tête en feu, se retrouva, les fesses au sol, le nez ensanglanté, la lèvre fendue, tandis que les trois détalaient devant un Gilles furibond qui agitait encore sa main armée d'un canif.

Gilles replongea son couteau au fond de sa poche, tirant fierté d'avoir aidé son ami. Jean déclara à son professeur de français avoir trébuché. Les trois provocateurs ne se vantèrent de rien.

En rentrant à la ferme, trois paires d'yeux effarés scrutèrent le visage tuméfié. Devant l'explication de Jean, identique à celle donnée à son professeur, Yolande s'exclama, le pépé retint ses mots. Mais

Marthe reçut la fulgurante évidence que les années de douceur arrivaient à leur terme.

Et tandis qu'elle s'attendait au pire, traînant après elle un malaise intolérable, tandis que Yolande, pilier de la maisonnée par son attitude toujours entière et fataliste, semblait se jouer de tout tracas, le pépé étudiait Jean à la dérobée, prêt à lui enseigner quelque upercut assassin s'il revenait une seconde fois de l'école avec la moindre petite égratignure.

Mais, au collège, le milieu des enfants fonctionna comme celui des adultes. L'épisode n'eut pas de suite fâcheuse. On évita de se frotter aux deux petits marginaux dont les frères de l'un avaient su se montrer explicites à l'encontre des merdeux dénoncés par Gilles. Ces deux-là n'étaient que graines peu recommandables. Normal avec de tels pères ! Et de tels frères ! Quelle engeance ! Alors, à la fois enviés, ignorés et craints, Gilles et Jean furent laissés à leur sort, c'est-à-dire bienheureux entre gens du même bord.

Cela aurait pu continuer ainsi.

Jean suivait ses cours comme un enfant sage, partageait avec Gilles des conversations, heureusement rares et sans suites, dans lesquelles la qualité d'ancien détenu de son père revenait souvent malgré sa gêne – il hésitait à comprendre pourquoi Gilles se montrait aussi admiratif envers lui d'avoir un tel père –, retrouvait Tiki et ses chaleureux coups de langue, les femmes qui le chouchoutaient à la maison, et un arrière-grand-père qui semblait immortel.

Mais…

Lorsque le saladier en verre échappa des mains de Marthe pour se fracasser sur le carrelage, au beau milieu de la cuisine, Yolande sut, en une fraction de seconde, que sa sœur avait vu l'horreur !

Un coup de poing dans l'estomac n'aurait pas fait plus mal à Marthe, qui venait de perdre le souffle. La vision du père mort lui vrillait la tête. Affolée, elle chercha Jean du regard.

Depuis le bureau, l'enfant, qui avait fait un bond de dix centimètres sur sa chaise, ponctuant un mot d'un beau pâté d'encre, tentait de recouvrer son calme en la fixant de ses grands yeux terrifiés. Tiki s'était réfugiée en couinant derrière le poêle, le chat roux s'était enfui dans le hall en miaulant, faisant dégringoler la pile de bûches sur laquelle il somnolait. Le silence qui succéda fut pire. Marthe restait prostrée, immobile au milieu d'une multitude de bris de verre. Yolande attendit, le corps figé. Jean, tous ses sens alertés, sut lui aussi que le malheur venait de s'abattre sur la maison.

Il fut le premier à bondir sur ses pieds, rejetant sa chaise qui bascula sur le carrelage, sortant par là même de leur effroi les deux femmes tétanisées. Le cri de Marthe, auquel se joignit celui de Yolande, ne l'arrêta point. Le « Reste là ! » le propulsa au contraire dans le crépuscule.

Plus forte que l'instinct, une certitude surgie de nulle part le poussa irrémédiablement vers le hangar, alors qu'il y avait tant d'endroits où aurait pu se trouver le vieil homme. D'emblée, il ne vit point l'échelle. Un doute affreux l'amena au bord de la nausée. Le silence était total. Il ressortit en courant, aperçut les femmes qui s'élançaient à leur tour au-dehors. Il se rua, ses chaussures ripant sur les graviers, la main au sol pour se rattraper de justesse, contourna le bassin, coupa à travers le jardin sans se soucier des plants qu'il massacrait, arriva le souffle court devant l'autre échelle, l'escalada en deux bonds, se retrouva sur le plancher de la grange et, là, eut un choc terrible. Il l'avait pressenti. Il l'avait deviné. A l'instant même où Marthe avait lâché le plat. Comment au juste ? Peu importait, il avait su.

Comme il savait maintenant, en se penchant sur la masse étendue à ses pieds, que son ami avait succombé à son imprudence.

Un vertige le prit. Lui amollit les jambes. Le fit tomber à genoux devant cet homme tant aimé, tant respecté, tant écouté. Un vide l'aspirait, il voulait à son tour mourir, car il le savait mort. En balbutiant des mots incohérents, il lui entoura délicatement la tête de ses doigts tremblants et fous, puis posa ses petites mains sur les joues et la douce moustache, sur le front nu, sur le torse, les épaules, par petites touches successives, comme autant de gestes d'amour. Ses sanglots se firent si violents que tout son corps en fut secoué. Il s'empara d'une grande main immobile, l'embrassa. A travers ses hoquets et ses larmes, il entrevit, couchée plus loin, l'échelle maudite que le vieil homme avait sans doute voulu positionner comme l'autre jour. Il ne répondit pas aux appels anxieux des deux femmes, en dessous ; il ne voulait répondre à personne, il voulait garder ce grand corps pour lui seul, le caresser encore, l'étreindre avant qu'il ne disparaisse tout à fait. Tant qu'il le sentait chaud sous sa main, il n'était pas tout à fait mort. Quand les autres arriveraient jusqu'à lui, il serait trop tard, il ne lui appartiendrait plus, on l'emporterait là-bas, où avaient déjà disparu pépé

Jules et mémé Adrienne. Là-bas ! Ou il disparaîtrait lui aussi à jamais. La douleur arriva, terrible, insupportable, en même temps que la révolte. Un cri lui échappa, un hurlement plutôt, un cri de bête à l'agonie.

Pris d'une fièvre soudaine, il s'effondra sur le corps.

Le piège

1

Jean s'agitait sous l'édredon tandis que Marthe, en priant de toute son âme, essuyait doucement son visage luisant de sueur. Le docteur avait prescrit un tas de remèdes, que la brave femme avait flairés en faisant la grimace avant de les écarter.

Une commotion cérébrale dispensait l'enfant de souffrir depuis quatre jours, et Marthe craignait le retour à une dure réalité. Elle ne quittait pas son chevet.

Jean avait traversé des espaces tourmentés aux brumes acérées, s'était débattu contre des gamins vengeurs armés de longs couteaux, avait lutté, à demi noyé, sur des océans en pleine tempête, avait escaladé, peur aux trousses, collines et montagnes en un voyage chaotique semé d'embûches et de squelettes d'animaux rancuniers, avait combattu une armée de bagnards aux habits rayés. Il avait hurlé dans ses cauchemars qui le conduisaient tous à un immense corps sans vie qu'il se refusait à regarder. Il avait frôlé la folie, s'était interdit d'écouter la voix douce et connue qui lui murmurait des mots tendres. Cette tendresse, il l'avait intuitivement senti, ne pouvait que le ramener à ce qu'il fuyait de toutes ses forces. Il avait perçu, à travers son inconscience, ces cloches abhorrées qui sonnaient le malheur, il avait à nouveau fui la réalité qui voulait écarter les brumes de l'oubli. Il avait avec entêtement replongé dans le noir absolu. De temps à autre, il lui semblait émerger des ténèbres, sa tête s'allégeait et il croyait entendre des voix reconnaissables : Eric ; sa femme ; Marcel ; Germaine Millet ; la mère Paulette, celle qui n'avait plus de dents et parlait en zozotant... Alors il en espérait une autre, avec une douleur soudaine au creux de la poitrine... Et il basculait encore, à la recherche de ce temps qu'il sentait hélas perdu, aidait le pépé à payer un coup au facteur qui venait d'apporter une bonne nouvelle, ou bien l'écoutait critiquer en rigolant Marthe qui proposait à Yolande de mélanger du vinaigre, de l'eau et du sucre pour remplacer le vin blanc dans les sauces...

Il se débattit ainsi contre ce poids qui l'étouffait, qui le laissait gémissant au creux du grand lit.

— Le Jules, l'aïeule si petite et si fragile, le père si présent et si fort... C'est fou comme chacun tenait sa place. Je craindrai désormais chaque automne, chuchotait une voix amère. Une mort, chaque année depuis trois ans, c'est révoltant.

Un frémissement parcourut les paupières de Jean. Les mots étaient entrés dans sa tête sans qu'il en comprît le sens. Un mouvement sur sa droite. A nouveau ce tapotement léger tout autour de son front et de ses joues, une compresse humide sur ses lèvres sèches. Il n'avait pas la force d'ouvrir les yeux.

— Chut. Il pourrait nous entendre, fit Marthe à voix basse.

Mais non, le calme était revenu sur le triste visage. Le silence se prolongea, rythmé d'un cliquetis léger.

L'attachement des deux sœurs pour Jean se définissait là, dans cette chambre tempérée par un appareil au gaz, dans cette pénombre juste suffisante à leurs travaux d'aiguille, dans cette attente inquiète.

Yolande avait maigri depuis la mort de Jules. Les départs d'Adrienne et du père l'avaient secouée aussi. Elle avait perdu cet air un peu revêche qui donnait l'impression qu'elle voulait tout régenter. Maintenant, une tristesse imprégnait ses traits d'une nouvelle douceur, accentuant sa ressemblance avec sa sœur, qui se détectait déjà par la couleur et la consistance de leurs chignons, serrés dans de longues épingles noires, et par leurs robes bâties à partir des mêmes patrons.

— Je me demande bien ce qu'il faisait avec ce louis d'or serré dans la main, le père, dit-elle comme si elle pensait tout haut. Je me demande s'il n'y aurait pas derrière tout ça un de ses petits secrets avec Jean. Qu'en penses-tu ?

— La même chose que toi. Un jour, on en parlera au petit, mais je suis presque sûre qu'il ne nous répondra rien.

Le silence revint mais ne dura guère.

— Arrête de prier, tu m'énerves ! Regarde où ça nous mène !

— Ne parle pas comme ça, plaida Marthe.

— Ah oui ? Alors explique-moi un peu ce que ton bon Dieu a décidé pour nous ? De nous pourrir la vie ? Jusqu'à quand ? Que la mémé Adrienne ait trépassé, il n'y a presque rien à en dire. Mais mon Jules ? Et le père, quel besoin avait-il de grimper sur cette fichue échelle ? On ne peut pas exclure le malaise, mais avec la santé qu'il avait il aurait dû tenir encore des années. Où était donc sa protection divine ? Son ange gardien ? Son guide ? Rien que des fadaises, comme il disait.

Marthe regarda Jean, dont le souffle était redevenu profond et régulier. L'irritation de Yolande n'était pas feinte. Elle devait même avoir contenu toutes ses questions pendant longtemps.

— Si l'intervention divine avait le pouvoir d'éviter tous les accidents ou les mauvaises choses, ce serait trop beau et trop facile, tu ne crois pas ? commença Marthe avec douceur. Ce n'est pas comme cela que ça se passe.

— Tiens donc ! Et ta voyance dans tout ça ? persifla Yolande. Il t'aurait suffi de voir l'accident juste avant, et…

— … et quelque chose d'autre serait arrivé le lendemain ou le surlendemain. La mort en elle-même n'a pas d'importance, peu importe la façon dont on meurt.

— Tu voulais pourtant éviter celle du Jules, rétorqua Yolande.

— Je sais maintenant qu'il faut laisser chaque âme suivre sa voie, sa mission.

— Sa mission ! On aura tout vu !

La voix de Yolande dénotait l'ironie, la surprise et l'incompréhension, mais Marthe y décelait aussi un besoin de savoir.

— Tu es trop engoncée dans des choses apprises, des jugements, des a priori, tenta cette dernière. Tu voudrais connaître la vérité telle que tu crois la comprendre. Trop de gens ont une vision étriquée de

Dieu, avec des images si simplistes qu'ils envoient tout promener un jour, en même temps que le père Noël et la petite souris.

— Ça fait belle lurette que j'ai évacué tout ça.

— Qui donc pourrait concevoir des notions telles que l'infini et l'éternité ? Il faut aller à Dieu par amour, or les Eglises et les religions, en essayant d'imaginer ces puissants mystères, n'ont réussi qu'à nous laisser succomber à la peur d'un Dieu juge, d'un Dieu vengeur. Dieu, pour toi, c'est quoi ?

— Euh…

— Tu prends Dieu pour une statue, alors que c'est un principe, une source d'amour, de paix, d'harmonie. Le Christ n'est pas un homme, c'est un état de conscience, une perception qui nous remplit. La plupart des gens le recherchent à l'extérieur tandis qu'il est à l'intérieur de nous. Le divin communique avec toi sans cesse mais tu ne l'entends pas.

— Effectivement, je suis plutôt sourde de ce côté-là, ironisa Yolande dont le tricotage s'était accéléré.

— Parce que tu ne veux pas entendre. Dieu communique par le sentiment, l'intuition, à travers tes rêves, à travers des signes. Ta voix intérieure est sa propre voix, cette petite conscience qui te dit : « Tourne à droite, passe par là, tu as oublié ceci, pardonne à celui-là, ne réponds rien, pense à un tel. » Ne me dis pas que tu n'as jamais été surprise de trouver des réponses à tes questions muettes, de retrouver quelque chose que tu croyais avoir perdu ou bien…

— En fin de compte, la coupa Yolande avec un

sourire condescendant, la vie pour toi est une succession de petits miracles.

— Et pour toi, une succession de coïncidences, d'heureux ou malheureux hasards. Or, dans le monde de Dieu, tous nos élans, nos faiblesses, nos erreurs, nos rencontres, nos amours ont un sens. N'as-tu jamais eu le sentiment que ta vie était guidée par une force inconnue, qu'il se passait autre chose dans les coulisses de ton quotidien ? Tout a un sens.

Le ton passionné de sa sœur gênait Yolande. Elle chercha la faille.

— Nos douleurs aussi, sans doute ?

— Nos douleurs aussi.

— C'est un comble ! Quelle hypocrisie ! Le père meurt et on devrait rire, être heureux, ne ressentir aucune peine, ne verser aucune larme ?

— Pleurer les morts les alourdit alors qu'ils ne souhaitent que monter très vite vers le plan lumineux. La douleur est le résultat d'une pensée fausse ; quitter cette terre est une chance, il n'y a pas de mort, il y a continuité de la vie, mais une vie éclatante de lumière, de bonheur et d'amour. Adrienne dit que nous ne pouvons imaginer, avec nos pauvres mots, le merveilleux de cette autre vie, « l'éblouissement dans le bonheur ».

— Ah oui, Adrienne... Tu détournes la question. Pourquoi la souffrance ? Celle de Jean aujourd'hui, celle de tous les malheureux sur terre, celle de tous ces enfants affamés ou tués ?

— Ce n'est pas Dieu qui apporte la souffrance. Toute vie naît par choix, les âmes mènent toute leur vie à leur propre guise, selon leur libre arbitre, ce qu'elles vivent dépend d'elles. Les âmes se sont incarnées avec la parfaite acceptation de leur sacrifice, en choisissant la trame de leur vie : les gens, les endroits, les événements.

— Ah ! ah ! ricana Yolande, « incarné », Jean a « choisi » de naître entre une mère insensible et immature et un père repris de justice ? Il serait orphelin, ça ne serait pas pire. On choisit une vie de misère, une vie de handicapé, comme on choisit une vie de princesse ? Tu me ferais presque rire si je n'avais autant de chagrin.

— Si ta vision était plus claire, tu verrais qu'il n'y a ni miracle, ni souffrance, ni mystère, ni imperfection, ni mort, en dehors de ce qui est forgé par les hommes. Tu n'es tout simplement pas prête à entendre une telle vérité, dit Marthe en lui souriant gentiment.

— D'après les notions qui me restent, il me semble que tu dépasses l'enseignement de notre Eglise.

A présent, Marthe hésitait devant l'insistance joueuse de sa sœur.

— Allez, continue, tu en as trop dit. Peut-être vas-tu me convaincre. Tu disais que chaque être suit une voie qu'il s'est fixée ? Sa mission, c'est bien ça ? On est entouré de masochistes alors, regarde la misère étalée dans les journaux.

Marthe regrettait d'avoir outrepassé la perception de Yolande. Mais elle en avait à la fois trop et pas assez dit. A demi sûre de prêcher pour rien, elle poursuivit cependant, lâchant une graine qui, peut-être...

— Il n'y a aucune vicitme dans l'univers. Chaque âme crée, à chaque instant, les circonstances de sa vie en fonction de son but à atteindre.

— Je parie que le but à atteindre est de cumuler les

points pour se présenter, l'âme légère, devant le grand maître.

— Disons plutôt que c'est le retour dans l'infini amour divin, une remontée vers le centre du cœur de Dieu. L'univers est plein de ces vibrations que sont les âmes en évolution, en cycle de réincarnation, pour retrouver ce qu'elles ont un jour perdu.

— Perdu ? ironisa Yolande. Les malheureuses ont perdu leur idéal ? Ah oui, la pomme ! Adam et la pomme ! Le péché originel et tutti quanti !

— Ce que tu appelles la chute d'Adam était en réalité son éveil. On a fait d'Eve la méchante, on nous a fait croire que nous naissons dans le péché, mais tous deux, en prenant part à la connaissance du bien et du mal, ont fourni la possibilité de faire un choix.

— Ah oui, le fameux libre arbitre !

— Un jour, certaines des âmes nichées au centre du cœur de Dieu ont voulu par orgueil quitter cette unité parfaite et s'en sont éloignées. Comme il n'existe pas d'amour sans liberté, Dieu leur a laissé leur liberté de choix. Ces âmes se sont perdues dans l'égoïsme, la vanité, la cupidité, qui les ont de plus en plus écartées de la lumière divine. Et plus elles s'alourdissaient en s'éloignant dans leurs tourments matériels, plus elles désespéraient, jusqu'au moment où elles ont eu si soif de Dieu qu'elles ont alors tenté de le rejoindre. Alors, de réincarnation en réincarnation, elles cherchent à retrouver le diapason de l'amour divin.

— Non. Non, désolée, ça ne passe pas, protesta Yolande, je vais en rester à mes propres convictions et te laisser à tes chimères.

Le pied de sa chaise gémit sur le linoléum. Elle

s'immobilisa, les yeux braqués sur Jean, qui venait de bouger. Les deux femmes se penchèrent, suspendues aux lèvres de l'enfant qui délirait.

— Il a soif. Oui, mon Jean, tiens, bois, bois doucement. C'est amer, oui, mais tu dois boire, tu dois te forcer un peu.

Elles étaient deux à lui soulever la tête, deux à l'encourager, deux à le cajoler. Elles étaient encore deux à l'aimer.

S'échappant de la paupière close, une larme glissa le long de la tempe du garçon et alla se perdre dans l'oreiller de plume, bouleversant les deux cœurs penchés qui chuchotèrent à l'unisson :

— Pleure, mon Jean, pleure, il faut pleurer.

Mais Jean n'y parvenait point.

Le lendemain fut la plus dure journée que l'enfant se rappela avoir jamais vécue.

Il émergea de son brouillard et ne put y replonger malgré toute sa volonté. Alors, la douleur lui sauta dessus, s'accrocha à lui, tenace, pour ne plus le lâcher. Elle le déchirait, lui ôtait l'envie de vivre. Elle l'envahissait par vagues, plus il résistait, plus il souffrait. Sa lutte l'épuisait. Survivre devenait un enfer.

Et puis un museau frais, une langue chaude vinrent apporter un peu de baume sur son cœur brisé. Salvatrice, la petite boule caramel que les femmes venaient d'encourager à sauter sur le lit déclencha le flot de larmes trop longtemps contenu. Les bras enroulés autour de son trésor, Jean sanglota à n'en plus finir une bonne partie de l'après-midi.

— Les larmes, c'est ce qui guérit le mieux, dit doucement Marthe à Yolande, qui acquiesça.

Les jours suivants, Jean prit toute la mesure de l'insupportable absence. Une langueur s'empara de lui, qui le laissait inerte, assis des heures durant à la place du pépé. Les yeux dans le vague, il n'entendait rien, ne demandait rien, n'avait de goût à rien. Tiki attendait à ses pieds avec de petits gémissements plaintifs qu'il voulût bien s'intéresser à elle.

— Le pouvoir de tes tisanes et décoctions a des limites, reprocha Yolande à sa sœur.

— C'est de parler qu'il a besoin. Je crois qu'il est temps de l'emmener au cimetière.

— Pour quoi faire ?

— Pour ce gosse, son pépé a disparu, il lui faut un repère.

— Mais tu dis toujours qu'il n'y a rien là-bas !

— Il faut qu'il réagisse, il faut qu'il en parle. Fais-moi confiance.

Patricia, la femme d'Eric Froment, les amena en voiture au cimetière, un après-midi de grisaille. L'état de faiblesse de Jean et la hanche de Marthe ne leur auraient pas permis un aller et retour aussi loin, de l'autre côté de La Mure, sur la route de Nantes.

Une pâleur s'étendait sur le visage amaigri de Jean. De grands cernes élargissaient son regard. Il avait d'abord refusé tout net de venir sur la tombe. Quelque chose le terrorisait d'entrer dans ce « parc à morts », comme il appelait les cimetières.

Il était à présent assis sur un banc à quelques mètres du caveau familial. Marthe et Yolande l'encadraient de part et d'autre. Ses jambes pendaient dans le vide en se balançant doucement tandis qu'une pensée lui emplissait l'esprit : il n'avait jamais eu la curiosité du nom de pépé et découvrait qu'il s'appelait Antoine. Toine lui avait toujours convenu. La douleur revint, lancinante, enveloppante comme de longs tentacules. Il essaya de la repousser. Il ne voulait plus pleurer, en tout cas devant personne. Son petit visage se durcit. En quelques jours, ses traits avaient perdu leur air enfantin.

Qu'est-ce qu'on attendait ? Il désirait s'en aller. Il ne pouvait concevoir la dernière demeure du pépé là, sous la terre si froide et bientôt gelée. Qu'est-ce qu'on attendait ? Son abattement le retenait de s'élancer en dehors de ces allées trop bien entretenues, trop silencieuses, trop vides. Il regarda les quelques ombres penchées çà et là à travers les passages empierrés, pour entretenir un carré de terre ou de marbre. Tout le déprimait, particulièrement l'abondance de fleurs fraîches sur la tombe de l'inconnu Antoine Perrier. Vraiment, envisager le pépé coincé dans sa boîte comme les bêtes de Gilles le révoltait. Il en refusait l'idée même.

— Tu as raison, mon Jean, la mort n'est pas un grand trou noir dans lequel on disparaît à jamais.

— Mais il n'a rien dit, s'offusqua Yolande en regardant sa sœur sévèrement.

— C'est ce que tu penses, n'est-ce pas, Jean ? Tu penses qu'il n'y a rien ici, que ce caveau est illusoire, que le pépé est ailleurs. Et tu as raison.

— Marthe, ça suffit ! s'exclama Yolande en se levant.

— Eloigne-toi si tu n'as pas le courage d'écouter, fit Marthe avec assurance. C'est Jean qui décidera si oui ou non je dois poursuivre. Tu es d'accord, Jean ?

Jean, déstabilisé, encore ébranlé, à mille lieues d'imaginer une bagarre entre les deux sœurs, prit lâchement le parti du silence.

Partagée entre le désir de s'écarter pour ne pas entendre et celui de rester pour préserver Jean, Yolande se mit en retrait du banc. Mal à l'aise, elle regardait à droite et à gauche pour maîtriser les risques d'écoute.

— Tu l'as appris au catéchisme, Jean, la mort ne sépare pas ceux qui s'aiment, reprit Marthe d'une voix persuasive. Les enterrements n'ont aucune importance, ce qui reste ici n'est que le corps, le vêtement qui a servi de véhicule à l'âme. L'âme du pépé est partie, mon Jean, elle est allée retrouver mémé Adrienne, pépé Jules, et tant d'autres partis avant lui. Tu souffres parce que tu ne connais pas son immense bonheur d'avoir fini son temps sur terre.

— Le pépé disait que tout ça c'étaient des conneries, des bondieuseries, s'enhardit Jean, qui n'aimait pas la définition que faisait Marthe du corps terrestre.

— Il faisait partie de ces gens qui ne veulent croire à rien qui les dépasse.

— C'est pas vrai !

— Certaines personnes ont peur de l'inexpliqué, elles doutent. C'est tellement dur d'avoir la foi, car avoir la foi c'est croire de confiance, sans l'ombre d'une preuve.

— Marthe, arrête, il y a des gens qui approchent, s'alarma Yolande. Arrête !

— Pourquoi avoir honte ?

— Je n'ai pas honte, je... je préfère quand même que vous parliez d'autre chose.

— Tu as honte.

— D'accord, j'ai honte. On va me prendre pour aussi dingue que ma sœur, et j'ai honte, s'énerva Yolande. Il fait trop froid pour Jean, on rentre.

— Eloigne-toi. On a dit que c'était Jean qui décidait.

Yolande se rapprocha de la tombe, suffisamment pour retenir quiconque passerait par là, suffisamment pour écouter les divagations de sa sœur. On ne parlait pas de ces choses-là ouvertement. Surtout pas à voix haute. C'était terriblement gênant. Si celle-ci osait parler au petit de ses délires sur la réincarnation, les missions, tout ce galimatias, elle l'assommait.

— Et pourtant, il n'est pas nécessaire d'avoir la foi, reprenait Marthe, pour voir des preuves de l'existence de Dieu. Moi j'en vois partout, dans le mouvement des arbres, dans les étoiles qui scintillent la nuit, dans le vol d'un papillon, dans la rosée du matin, dans les fleurs et leurs parfums, dans le regard de ta petite chienne. Rappelle-toi comme le pépé aimait la nature, ses forêts, ses arbres, ses montagnes ; rappelle-toi comme il aimait ses bêtes. Souviens-toi comme il te vantait son bonheur tranquille dans son environnement tranquille. Tu vois, sans le savoir, il aimait Dieu à sa façon, il le voyait dans l'harmonie des choses, s'emplissait de lui à chaque lever ou chaque coucher du soleil...

Furieux de cet imparfait qui désignerait désormais l'absent, Jean ne bougeait pas, la bouche serrée.

— Tout, autour de nous, témoigne d'une inimaginable intelligence. Tu t'émerveillais devant le mystère du flocon de neige, tu nous disais son extraordinaire géométrie. Si un flocon de neige est aussi beau, d'une structure aussi parfaite, ne crois-tu pas que l'on puisse dire de même à propos de tout ce qui fait l'univers ? L'homme, cette merveilleuse machine, ne vivrait que le temps d'un passage éphémère sur terre ? Quel gâchis, n'est-ce pas ?

— Il disait qu'il y avait rien après, rien ! Tu as des preuves pour dire le contraire ?

— Non...

Yolande amorça un début de retour, prête à interrompre sa sœur.

— ... mais il n'en existe pas non plus pour confirmer ce que tu dis.

Le silence s'installa. Marthe sentait Jean sur le point de bondir et massacrer toutes les stèles, saccager les plantes, jeter les pots, se venger de tout ce qu'il ne comprenait pas, sur des riens trompeurs. Il regarda le ciel débordant de lourds nuages gris, souhaita un déluge de neige qui ensevelirait tout ce parc à morts. Il ne reviendrait jamais là, jamais. Marthe attendit qu'il se calmât pour abattre ses dernières cartes.

— Mieux qu'ici, tu le retrouveras dans des endroits que vous avez connus, parcourus, il sera auprès de toi dans des moments inattendus. Et si tu ressens sa présence, alors ne la crains pas...

— Marthe ! l'avertit Yolande d'un ton et d'un regard terribles.

— Il nous parlait toujours de la conscience. « Avoir bonne conscience donne du bonheur », nous disait-il, à Yolande et à moi, c'était une de ses formules. Il a dû te la servir aussi, n'est-ce pas ? Alors il entendait la voix de Dieu, car Dieu communique avec les hommes de cette manière. Il est la part de nous qui décide ton meilleur sentiment. Tu vois, le pépé, dans sa façon de voir les choses et de vivre, était plus proche du divin qu'il ne voulait l'admettre.

— Tu dis n'importe quoi. Tu sais rien et tu dis n'importe quoi.

— Eh bien, même si c'était le cas, n'est-ce pas un bon principe de vie qu'il t'enseignait ?

Yolande fut rassurée. Et de supposer que l'entretien se finissait, et de voir le couple qui arrivait bifurquer dans une autre allée. Allons, Marthe avait mis beaucoup de retenue dans ses propos, n'avait pas outrepassé une bonne limite.

— Et tes fantômes, c'est des conneries aussi ! s'emporta soudain Jean en sautant du banc pour braver sa grand-tante, ses deux poings crispés, aux jointures blanchies.

— Mes fantômes ?

— Oui, tes fantômes ! Tes esprits ! Tu es folle ! Folle ! Il n'y a que les fous qui parlent aux fantômes !

Et parce que tout l'attirait dans les bras de Marthe, Jean se jeta dans ceux de Yolande.

Celle-ci resta bien empruntée avec cet enfant tout contre elle, elle qui n'avait pas souvent pratiqué l'art de la douceur d'un geste. A nouveau terriblement gênée, elle cherchait des yeux qui avait pu entendre l'éclat du petit.

Ses bras se refermèrent sur Jean, tandis que Marthe baissait la tête, lançant un appel désespéré à son amie de l'au-delà. « Comment va-t-il ? Je culpabilise tant de n'avoir su le retenir. » La réponse lui vint, comme d'habitude empreinte de douceur : « Ne t'obsède pas, répondit Adrienne. Tu ne préviens que ce que l'on veut bien te laisser prévenir. Le père te dirait que des écailles lui tombent des yeux, il est empli d'amour et ne doute plus. »

A ce moment, le ciel commença à lâcher une première bordée de flocons de neige. Des milliards de pellicules blanches descendirent des nues engorgées, légères et gracieuses, papillonnant, virevoltant en un ballet silencieux. En l'espace de quelques heures, les flocons grossiraient, se multiplieraient, pour tout ensevelir de leur annuel manteau blanc. Blanc virginal, blanc victorieux qui clôturait le cycle avant que la terre ne renaisse.

2

Lorsque Jean souhaita s'approprier la chambre du pépé, Yolande fut un peu contrariée, Marthe craignit qu'il ne soit trop tôt pour l'enfant encore sous le choc. Mais il insista d'un air farouche et obtint leur accord.

Surveillé avec appréhension par les deux femmes, depuis le bas à l'écoute de ses pas sur le plancher, il passa les deux jours suivants dans la chambre, à ouvrir et refermer l'armoire pour imprégner ses narines de l'odeur du géant, enfouir son nez dans les deux vestes de velours aux coudes luisants. Il étala sur la commode tous les objets taillés dans du bois, toutes les menues choses qu'ils avaient trouvées ensemble, tous leurs petits trésors, pierres, feuilles séchées, au milieu desquels trônaient l'Opinel au manche rouge et la pipe qu'il portait à sa bouche, aspirant très fort l'odeur du tabac froid. Il posa en évidence le béret noir, s'en écarta, revint lui donner un pli.

Il extirpa d'un tiroir, pour l'enfouir dans sa poche, la montre en or au bracelet de vieux cuir. Quand Yolande s'aperçut de la disparition du bijou, elle commença un sermon, aussitôt stoppé par Marthe :

— Garde-la, mon Jean, il aurait aimé te la donner lui-même. On te fera faire un bracelet à ton poignet.

Mais Jean préféra garder l'objet dans sa poche.

Puis il reprit la route de l'école. Il mit du temps à rattraper son retard, car le cœur n'y était plus, à croire qu'il avait travaillé jusque-là uniquement pour le vieil homme maintenant disparu.

Le lien fort qu'ils avaient tissé l'un et l'autre l'avait empli d'admiration pour l'adulte qui s'était imposé comme le partenaire privilégié, comme la référence absolue. Jean allait-il laisser à quelqu'un d'autre le soin de combler un peu cette immense perte ? Seul le temps pouvait lui apporter un désir nouveau, une sorte de réveil, par rapport à l'incroyable solitude qu'il ressentait. Il était comme un oiseau blessé.

A chaque instant de la journée, en cours ou ailleurs, même lorsqu'il était interrogé au tableau par un professeur, Jean palpait d'un doigt tendre et caressant la montre et le couteau de ses dix ans blottis dans sa poche, avec en tête mille pensées qui l'empêchaient de s'investir totalement dans tout le reste. Face à lui, les professeurs faisaient preuve d'une gentillesse mesurée, toléraient pour l'heure son manque de travail et d'entrain.

Même la présence de Gilles ne suffisait pas à lui assurer le moindre intérêt aux récréations. Il se désintéressait de tout.

Il rentrait du collège plus courbé que jamais sous le poids de son cartable, d'une allure lente accordée à son tourment de retrouver la ferme vide. Il ôtait délibérément écharpe et bonnet pour tomber malade, sortant en récréation sans se vêtir, souhaitant une pneumonie à défaut de la mort. Il était toujours le dernier écolier à se profiler dans le boulevard enneigé Paul-Decard, où il rencontra à plusieurs reprises l'homme à la casquette qui le saluait poliment, en vain. Jean ne répondait à aucun salut, aucune gentillesse, aucun regard, fermé à tout mouvement de l'extérieur.

Mais un jour, Emile Brun l'aborda.

— Dis-moi, petit, j'ai appris la mort de ton grand-père. Tu dois avoir beaucoup de peine, pas vrai ? C'était quelqu'un de bien.

Jean avait-il seulement entendu l'homme lui parler ?

— Je sais ce que c'est que de pleurer un être cher, j'ai perdu un petit garçon de ton âge. Tu lui ressembles tellement.

Alors Jean avait senti quelque chose céder tout au tréfonds de lui, mais n'avait pas voulu le montrer à cet individu à la voix douce. Il l'avait juste effleuré du regard et avait continué sa route.

Malgré la volonté de Marthe et Yolande de l'intéresser à autre chose, il restait muré dans ses souvenirs et ne se trouvait bien que dans sa chambre, au milieu d'une odeur si chère. Seule Tiki le sortait de ses inquiétants silences et l'obligeait un peu à s'aventurer hors de la ferme. Mais toujours lui revenait l'image du pépé si grand, si libre, quand il traversait la cour à grandes enjambées posées. Il regardait alors tristement Junki, le chien fidèle, qui ne quittait plus guère l'écurie et traînait après lui un abattement permanent.

Enfermé dans cet état d'esprit, Jean survola un événement qui intervint dans la vie de Gilles. Fernand

Rénier perdit la vie un soir de janvier, après une lourde chute dans l'escalier de sa cave.

— Il avait certainement bu, comme de coutume, expliqua Marcel Baume aux deux sœurs. Il a déba-roulé jusqu'au bas des marches, comme un sac. Le docteur a dit qu'il était mort sur le coup.

— C'est une délivrance pour sa famille, se hasarda Yolande.

— On peut dire ça, bien sûr, mais il laisse une veuve et trois orphelins.

— Dont deux semblent mal tourner.

— L'aîné, surtout, qui a l'air d'être un sacré lascar. Le deuxième se laisse influencer par lui ; quant au môme, on ne sait jamais ce qu'il pense, il a une façon de vous regarder pas catholique.

— C'est un enfant, protesta Marthe restée jusque-là silencieuse.

Gilles ne rata qu'une journée d'école, celle de l'enterrement de son père. En se retrouvant avec son ami, il lui dit :

— Moi, j'ai pas de peine pour mon père. Mes frères disent qu'on en est bien débarrassés.

Jean ne répondit rien, brusquement ramené à sa propre peine. Il ne comprenait pas une mort sans douleur. Il repoussa Gilles d'un haussement d'épaules et se mit à l'écart de l'œil dur et froid.

Ce jour-là, à son retour du lycée, Emile Brun l'accosta à nouveau, la main tendue, dans laquelle Jean reconnut des soldats de plomb.

— Ils appartenaient à mon fils. Si tu les voulais, j'en serais heureux.

Jean resta muet et immobile, les yeux fixés sur les belles figurines.

— Je t'assure que cela me ferait plaisir. Si tu savais comme tu me le rappelles, tu as les mêmes yeux, le même visage.

Des larmes brillaient dans le regard de l'homme à la casquette. Une sensibilité à fleur de peau désarma Jean de toute méfiance. Il reconnaissait la souffrance maintenant, celle d'Emile Brun ressemblait à la sienne. Perdre un enfant devait être aussi dur que de perdre son grand-père. Il essaya d'imaginer le pépé devant son corps à lui, raide, allongé dans un cercueil. Il pleurerait aussi, assurément. Quelque chose le bouleversait et en même temps lui faisait du bien. Mais il garda ses mains au fond de ses poches.

— Il passait des heures à jouer avec, il leur racontait des histoires, leur présentait des plans de bataille. Ceux-ci sont les chefs d'une armée. Il me reste toute la garde et les canons. Si tu le voulais, tout serait à toi.

— Pourquoi ?

— Parce que tu lui ressembles, et je sais qu'il serait fier de mon idée. Je supporte mal le fait que ses jouets dorment dans une boîte, comme s'ils étaient morts eux aussi.

Pendant que les habitants de la ferme tentaient de trouver un nouveau rythme, Josette et Claude se débattaient contre d'étranges phénomènes.

Depuis le départ de l'enfant, leurs scènes conjugales avaient diminué de fréquence. En débutant au soutirage à la mine, Claude avait enfin rapporté sa part dans le ménage. Les loyers étaient moins durs à sortir et les reproches de Josette moins justifiés.

Lui-même avait perdu de sa morgue, pris en main par un patron dont le discours, à son arrivée, ne lui avait laissé aucun doute sur ce qui l'attendait à la moindre incartade.

La curiosité et les sous-entendus des autres mineurs n'avaient pas atteint sa cuirasse naturelle, et peu à peu il avait pu s'habituer aux tirs depuis les galeries perpendiculaires qui pénétraient la veine du charbon, au soutirage du charbon éboulé à l'aide de tractopelles, à la poussière noire et collante, à la peur, qui parfois l'assaillait et lui coupait le souffle, de mourir comme une bête au fond d'un trou.

Il s'était donc, par la force des choses, adapté à des horaires et un travail difficiles, prenant sur lui pour rentrer dans un moule qu'il avait toujours rejeté.

Claude Loubet était de ces individus ayant très tôt fait le choix de vivre sur le dos de la société, se servant impunément où il savait trouver ce qu'il cherchait, en faisant des casses minables avec une bande d'acolytes tout aussi peu recommandables que lui. Au fil des années, il était tout naturellement passé à des choses plus sérieuses en matière de banditisme.

Il avait tiré fierté, prestige, arrogance, d'un emploi à contre-courant qui lui permettait d'étaler Rollex, BMW et billets de cinq cents francs devant des flopées de filles impressionnables. Il aimait cette vie en marge, les chassés-croisés, la statégie, la lutte avec les polices marseillaises qui lui apportaient sa dose d'adrénaline quotidienne, au sein d'un milieu de plus en plus louche et surveillé.

Il avait vu Josette, pour la première fois, dans une boîte branchée.

Sa dispute avec l'homme qui l'accompagnait l'avait

amusé. Le couple était jeune, beau, mais visiblement se détestait pour s'envoyer de telles insultes à la figure. Sans arrière-pensée particulière, Claude s'était nonchalamment rapproché pour encore mieux les observer. Il aimait les filles à caractère, celle-ci avait l'air d'en être pourvue. C'était en la regardant régler ses comptes avec son petit ami qu'il était tombé amoureux de la belle.

Mais un homme s'était alors avancé. La séduction naturelle, grand, Armand Galliardi, gérant de la boîte, avait glissé de table en table avec aisance. Claude le connaissait, pour fréquenter son établissement et surtout son fils Philippe. Courtois, ses quarante-cinq ans avantageusement mis en valeur dans un costume-chemise-cravate gris, Galliardi s'était incliné devant Josette et lui avait pris la main avant d'affronter son vis-à-vis.

Claude aurait qualifié la scène qui avait suivi de ringarde, s'il ne s'était agi du père de son ami Philippe, dont tout le monde reconnaissait la classe et le style, même si la rumeur circulait au sujet d'un blanchiment d'argent. Armand Galliardi était un homme qui savait choisir sa garde et ses relations, qui connaissait les limites à ne pas franchir pour rester dans une légalité tolérée, un homme qu'il valait mieux avoir dans son camp.

Galliardi avait congédié le jeune blondinet qui, furieux de découvrir le deuxième amant de sa maîtresse et la rouerie de celle-ci, avait commencé à prendre l'histoire de haut, peu soucieux dans sa colère d'affronter les deux armoires à glace apparues comme par magie à ses côtés. Une épaisse liasse de billets avait mis un terme subit à la jalousie du garçon ; devant la moue ironique de Josette, Jacques, son ex-amoureux, avait raflé la mise et tourné les talons à jamais.

Alors Claude Loubet s'était désintéressé de la scène. Si cette fille était avec Galliardi père, il valait mieux s'en détourner, d'autant plus que l'homme ne le portait pas dans son cœur.

Claude et Philippe entretenaient des relations plus qu'amicales, de frères, depuis belle lurette, mais Galliardi père avait d'autres ambitions pour Galliardi fils que celle de le voir fréquenter un petit voyou de bas calibre comme Claude Loubet. Mais il avait eu beau vertement tancer son fils et le pousser dans des études d'architecte pour lesquelles il semblait doué, celui-ci avait continué à tremper dans des affaires de plus en plus sombres, entièrement soumis à l'influence de Claude.

La belle vie, les filles, le risque ; les deux amis baignaient dans l'euphorie du pouvoir et de l'argent.

Claude avait tout pour être heureux. Il l'avait été plus encore lorsqu'une deuxième rencontre fortuite l'avait mis face à Josette.

Ce qu'il avait alors lu dans le regard de la jeune femme l'avait mis à genoux. A la même seconde, Josette avait succombé au charme de ce bellâtre prétentieux et vantard. Claude avait surpassé la peur d'un caïd pour se noyer dans la profondeur du bleu le plus magnifique qu'il eût jamais admiré.

Sur ces entrefaites, Armand Galliardi avait été dénoncé et mis en prison, son établissement avait été fermé.

Un mariage éclair avait emporté les tourtereaux dans une équipée sauvage. Amoureux fous l'un de l'autre, d'un tempérament identique, marginaux dans l'âme, faisant fi de tout conformisme, Josette et Claude avaient étudié ensemble les possibilités de s'enrichir le plus vite, le plus radicalement possible. Troisième larron d'une équipe soudée, que l'emprisonnement de son père avait libéré d'une lourde tutelle, Philippe était tout le temps avec eux.

L'amour, la griserie, l'impatience, leur goût du luxe étaient devenus synonymes de toujours plus, toujours mieux. Ils travaillaient sur plusieurs fronts, à la limite de toute prudence.

Ils avaient pourtant dû ralentir leurs agissements et se mettre au vert un certain temps, situation d'attente inquiète mal vécue par eux trois. Cachés dans un taudis des quartiers chauds, au milieu d'une population cosmopolite, contraints de se faire oublier avant de revenir au grand jour, leurs regards étaient devenus autres, alourdis d'animosité. Claude ne savait plus très bien s'il avait été porté jusque-là par l'amour qu'il vouait à Josette ou sa faim personnelle de pouvoir et d'argent. Leur idylle s'était vite transformée en un début de cauchemar. Et rapidement, trop rapidement au milieu d'une vie aussi peu réglementée, un enfant leur était né, Jean, que sa mère, d'emblée, avait difficilement supporté.

Quand il avait surpris des regards entre Philippe et Josette, Claude s'était découvert une jalousie monstrueuse et avait décidé de tenter un gros coup, le dernier, l'apothéose de sa carrière de bandit, pour rallumer le feu dans les beaux yeux de sa femme.

Leur redonnant du cœur à l'ouvrage, le projet du braquage d'une banque avait été élargi à deux complices. Mais le coup avait échoué. Trop exposé dans un plan mal préparé, Philippe Galliardi avait été tué. Claude Loubet avait écopé de neuf ans de prison.

Ces neuf années de réflexion forcée lui avait laissé une amertume tenace, une rancœur dirigée contre Josette.

Quant à celle-ci, sa longue attente hors de tout confort, la discrète surveillance de la police, le poids que représentait son enfant et la future sortie de prison d'Armand Galliardi, son ancien amant, avaient eu raison de ses nerfs. En revenant à ses premiers quartiers, celui des gueules noires de Nantizon, elle avait cru mieux se préparer au retour de Claude.

Mais, en se retrouvant, l'un et l'autre avaient su que plus rien ne marcherait. Le monde dans lequel ils s'étaient connus leur était désormais interdit. Ils ne se rejoindraient jamais dans une existence trop banale.

A cause de cela, le retour à la vie normale avait créé en Claude un regain d'arrogance, un besoin de retrouver du prestige pour Josette, pour l'image qu'elle avait dû conserver de lui.

Mais cela n'avait été qu'un sursaut d'orgueil. Son cinéma n'avait duré que le temps de son passage à la ferme. Le pépé l'avait bien compris, qui l'avait laissé récupérer ses esprits avant de le confronter au seul choix possible du moment. Se fondre à la vie d'ici, sans histoire, se faire oublier pour vivre tranquillement, accepter son chantage : un travail contre l'enfant.

Josette et Claude s'étaient combattus pour s'accuser mutuellement de ce qu'était devenue leur vie, un combat de griefs, de mauvaise foi, d'incompréhension, qui représentait la somme de ces neuf années à ressasser leur chute.

Ils avaient sombré dans une grande frustration.

Le retour de Jean à la ferme les avait indéniablement soulagés, car ce gosse était extérieur à eux, à leur morale et à leurs souvenirs. Il appartenait à un passé rejeté par Josette, inconnu de Claude, et créait une tension supplémentaire entre eux.

L'œil condamnatoire parti, ils se redécouvraient sans fard.

Si Josette ne pouvait plus aimer ce Claude-là, qui sombrait dans le stéréotype parfait de l'ouvrier mineur qu'elle avait toujours détesté – ironie du sort qui avait fait de son époux ce qu'elle avait fui et rejeté de toutes ses forces, ce que des sourires moqueurs dans la ville ne se privaient pas de souligner –, Claude tentait de vaincre sa répugnance à la voir perdre dans des salles enfumées et des allusions grasses l'air et l'allure qui l'avaient séduit.

La vision de leur avenir, se calquant sur celle de leur décor nocturne, achevait de les déprimer.

Leur frustration s'accompagna de désillusion.

C'est dans cet état d'esprit qu'ils durent faire face à divers tracas.

Cela avait commencé par une invasion de blattes, courant octobre. Ils s'étaient ruinés en produits de toutes sortes, sans parvenir à localiser le moindre nid ni le moindre passage depuis l'extérieur. Cela avait continué avec une inondation provenant d'une fuite sous leur évier qui occasionna des dégâts et un conflit avec les voisins du dessous. Quelque temps après, une nouvelle invasion de cafards avait mis Josette en rage. Il y en avait eu partout, dans la salle de bains, les armoires, le linge, les placards de la cuisine. Comme la fois précédente, les produits en étaient enfin venus à bout, mais avait-on vu des cafards en hiver ? Courant décembre, ce furent deux horribles rats noirs que Josette retrouva le midi en rentrant, en train de fureter au milieu des détritus renversés de leur poubelle. Les bêtes, énormes et peu farouches, l'avaient regardée d'une telle façon, avec leurs petits yeux cruels, qu'elle était immédiatement ressortie en claquant la porte et en retenant ses cris. Claude les avait tuées, le soir même, à grands coups de balai, tandis que les voisins leur hurlaient des insanités depuis l'étage du dessous.

Il ne se passait pas un seul jour sans que Josette n'appréhende ses retours. La vie devenait impossible entre ces quatre murs où, constamment, ils se retrouvaient à fouiner, soulever les draps, contrôler le moindre boulon, la moindre fissure.

A la méchante surprise du plombier, la soudure sous l'évier céda, relançant une polémique hargneuse avec les mêmes voisins.

Le pire arriva, sous la forme d'une odeur pestilentielle. Rien n'en vint à bout, ni aération, ni bombes désodorisantes, ni des litres d'eau de Cologne. Elle semblait provenir de plusieurs endroits à la fois. Claude déboulonna des grilles, tapota contre les murs, vidangea les radiateurs et finit par accabler les voisins.

3

Après un hiver aussi rude que les précédents, deux jours d'une bise mordante chassèrent la grisaille du ciel, purifièrent l'air, brossèrent les montagnes. Les grives et les bécasses refirent leur apparition dans les bosquets, les alouettes se remirent à chanter. Marcel commença à traiter les arbres du verger.

Un après-midi de mars, Yolande, qui retenait depuis des jours son envie de reprendre la conversation qu'elle avait elle-même écourtée plusieurs mois auparavant, se demandait comment revenir à la charge sans pour autant apporter de l'eau au moulin de Marthe.

Une amie, parente de la voisine de Germaine Millet, lui avait confié que Marthe avait prédit à ladite voisine que sa belle-sœur, stérile depuis des années, mettrait au monde un beau garçon avant la Quasimodo. Si tout le monde en avait bien ri, traitant Marthe de « toujours aussi folle, la pauvre », ce monde-là avait dû s'incliner devant la prédiction. Ne restait plus qu'à attendre l'accouchement, et Yolande était sûre du sexe annoncé.

Mais cette histoire l'avait ramenée aux propos de

Marthe et, depuis, une sorte de curiosité mêlée de compassion, de ressentiment, un besoin d'approfondir la croyance de sa sœur pour la confondre la poussaient à relancer le débat et en même temps l'agaçaient.

Yolande revenait du jardin, Marthe était en train de fixer du gros sel sur les deux extrémités d'un os à moelle pour que celle-ci ne s'échappe pas à la cuisson.

— Que dirais-tu de continuer à m'expliquer l'au-delà et tout le saint-frusquin, ces drôles de choses auxquelles tu crois ? demanda Yolande en s'asseyant, sans pouvoir s'empêcher d'utiliser un ton blessant.

Marthe la regarda de son air doux, sans répondre, peu certaine de vouloir subir de nouveaux sarcasmes. Elle déposa l'os dans une marmite, auprès d'un gîte de bœuf, et recouvrit le tout d'eau froide, avant de régler un feu moyen.

— Allez, parle-moi des âmes.

— Ecoute, ce que tu veux savoir appartient à un autre domaine, ne peut être vu, ni senti, ni touché, et tu n'y es pas ouverte. Tu n'es pas prête.

— Je suis à deux doigts d'être convaincue de ta voyance. Parle-moi du reste. Laisse-moi résumer ta façon de voir les choses : un jour, par orgueil, les âmes ont quitté leur paradis, elles le regrettent, elles veulent le retrouver, pour cela elles reviennent plusieurs fois sur terre, la fameuse réincarnation – ça, c'est une notion dingue ! –, dans le but de retourner dans le cœur divin. J'ai bien retenu ?

— Je ne te sens pas aussi convaincue que cela, s'opposa Marthe en dépliant deux feuilles de journal sur la table.

Silencieuse, elle alla chercher en claudiquant une

cagette pleine de carottes, de navets et de poireaux pour son bouilli. Elle les étala sur la table et commença à les éplucher en présentant un couteau à sa sœur.

— Que doivent faire les âmes ? insista Yolande, comme une enfant têtue.

— Retrouver leur niveau de conscience perdu.

— Mais pour cela, que doivent-elles faire ?

— Toutes leurs missions tendent vers ce but : aimer davantage, pardonner, perdre tout orgueil, tout égocentrisme, afin de devenir meilleur, évoluer, en considérant les événements et expériences du passé. Quand une âme s'élève, c'est toute l'humanité qui s'élève. Et la terre en a besoin, elle souffre, il y a trop de haine...

— Ça pourrait être une belle hisoire.

— C'est plus qu'une belle histoire. Ce chemin du retour est un chemin d'amour et non de punition ou de vengeance, ponctué d'un enfer comme beaucoup le croient encore. Mais que de souffrances, de joies et d'expériences, que de vies vont être nécessaires à la remontée de l'âme dans l'unité divine !

— Et quels seraient les moyens de l'âme pour élever sa conscience ?

— C'est elle qui décide...

— Allons bon ! l'interrompit Yolande, déjà sarcastique. C'est un sacré phénomène, l'âme !

— C'est elle qui décide, aidée de ses guides, de ce qu'elle devra, cette fois-ci, apprendre et comprendre. Car elle doit tout connaître pour pouvoir choisir... L'âme peut revenir avec sa famille, ou une âme sœur, ou des amis, jusqu'au jour où elle atteindra la vibration divine. C'est pourquoi il ne faut jamais critiquer, envier ou plaindre parce qu'une chose n'est ni bonne ni mauvaise en soi. Chacun a sa propre définition de tout, ce que tu penses n'est vérité que pour toi. Ce que vivent les âmes dépend d'elles, tu ne connais pas leur secret, il est inapproprié d'interférer avec leur choix, de le remettre en cause ou de le condamner.

— Pourquoi ?

— Parce que tu ne sais pas à quelle fin la chose est utilisée. Tu ne sais pas ce qu'est le succès, la douleur, l'échec ou la solitude aux yeux de l'âme. Et quand elle remonte, l'âme est heureuse et légère si sa mission est remplie.

— Et si on se suicidait pour gagner plus rapidement des vies ?

La raillerie de Yolande n'eut pas de prise sur Marthe, qui ne pouvait plus reculer.

— La mission parfois peut être trop difficile à assumer, l'âme a présumé de ses forces, elle repart plus tôt que prévu. Mais le but principal est de s'élever.

— Hum... En tout cas, je n'ai jamais entendu quelqu'un se souvenir de quoi que ce soit concernant une ou plusieurs de ses vies antérieures. Explique-moi pourquoi on ne se souvient de rien. Quelle perte de temps !

— Comment supporterait-on le poids de toutes nos vies ? Dieu nous fait le cadeau de l'oubli à chaque naissance... Mais ton âme, qui lutte contre le corps et l'esprit, ton âme sait, elle. Elle cherche le sentiment le plus élevé que tu puisses imaginer. Sois attentive aux événements, à ce que tu appelles coïncidences, à tes rencontres, ils viennent à toi attirés par ton inconscient pour t'aider à te connaître afin de t'élever.

Personne ne vient vers toi par accident, il n'y a pas de hasard. Ecoute ton âme.

— Ben voyons, je ne fais que ça.

— Crois-tu en être à ta première tentative ? Ne m'as-tu jamais dit être déjà passée par là, avoir déjà entendu cela ou l'impression d'avoir vécu ce moment ? Avoir rencontré une personne si sympathique avec laquelle tu te sens des affinités, ou d'autres qu'instinctivement tu n'aimes pas ? Tu les as rencontrées ailleurs, avant. Parfois les mémoires se déchirent, sont traversées par des souvenirs fulgurants venant de notre passé, d'où surgissent ces sensations de déjà vécu, déjà vu.

— Mouais... Tu m'accusais d'être fataliste, il ressort de tout ce charabia que tu l'es plus que moi. On dirait que rien ne te révolte, que tu acceptes tout sans lever un sourcil.

— La fatalité, c'est l'excuse des âmes dépourvues de volonté. Il n'est pas question de s'abandonner à un fatalisme quelconque, ce n'est pas une acceptation bête des événements mais une compréhension plus globale du pourquoi et du comment. C'est un lâcher-prise.

— C'est Adrienne qui t'a enseigné tout cela ?

— Elle m'enseigne encore. Comment puis-je douter, moi qui arrive à pénétrer les mystères des êtres et des choses, comment puis-je douter qu'il y ait une autre réalité, une force mystérieuse et magique ? Et puisque Adrienne me dit que tout est vrai, que tout ce que lui transmettait son guide depuis l'au-delà est magnifiquement vrai et plus encore, intraduisible par des mots humains. Que l'amour est la clé de tout.

— Avoue quand même qu'il faut une certaine dose de naïveté pour croire à un tel scénario.

Yolande avait depuis longtemps reposé son navet. Tout en se tapotant les dents du manche du couteau, elle regardait sa sœur intensément, à la recherche d'une tricherie. D'une folie. D'une explication qui ferait s'envoler tout ce qu'elle venait d'entendre. Mais Marthe affichait une extraordinaire candeur, dans laquelle Yolande retrouvait la bonté qui illuminait le visage d'Adrienne. Elle l'en trouvait belle. Mais c'était plus fort qu'elle, elle ne pouvait cautionner un tel délire.

— Je comprends mieux pourquoi mémé Adrienne a perdu la boussole. L'ennui, c'est qu'elle a trop influencé tes rêves de môme. Si tu me disais que tu la vois, je ne te croirais pas.

— Je l'entends seulement, mais elle est là, auprès de nous. Je la sens. Si tu savais comme c'est bon de la réentendre, avec toute sa tête comme autrefois.

— Et qu'est-ce qu'elle pourrait donc nous dire, tiens ? s'amusa Yolande.

— Elle me dit que le temps n'est pas encore venu pour toi de me croire... Il viendra donc ? ajouta Marthe avec un sourire un peu moqueur.

— Mouais... Et mon Jules ? Qu'est-il devenu ? Tu l'entends aussi ? Et le père ?

— Le père et Jules n'avaient aucune conscience du cosmos divin. Ils ont été accueillis par les êtres de lumière, leurs guides, leurs parents, leurs amis et aussi ceux qu'ils ont connus dans d'autres vies. Le père a retrouvé notre mère. Maintenant, ils ont besoin de nos prières pour monter encore et encore. Adrienne est dans une sphère pleine de belles âmes, comme notre mère. Elles veillent sur eux comme elles veillent sur nous.

— Si tout cela est vrai, j'aurais bien aimé voir leur tête, au Jules et au père !

— Moi aussi.

Elles échangèrent un sourire plus complice qu'il n'en avait l'air.

— Quand je vois notre Jean si malheureux, je me dis que le père aurait bien pu encore poursuivre sa mission de quelques années, conclut Yolande en soupirant.

— Il n'en a pas fini encore avec lui…

Les mots s'étaient échappés de la bouche de Marthe, la surprenant elle-même, lui laissant un air ahuri, dont Yolande profita.

— Ma pauvre Marthe, je crois vraiment que tu perds la tête…

Marthe s'était soudain fermée comme une huître.

— Et mystérieuse avec ça. Tiens donc, c'est difficile de jouer avec ses mensonges, n'est-ce pas ?

— Je te réponds ce qu'Adrienne me souffle, reprit Marthe au bout d'un moment. « Pourquoi tout expliquer et ne pas laisser le sacré être le sacré ? »

— Tu joues dans la facilité, ma chère.

— Elle dit aussi que dans le dessein de Dieu il y a des implications beaucoup plus complexes et extraordinaires que notre compréhension actuelle ne peut en saisir. Elle a elle-même encore tellement à apprendre.

— Elle est encore là ? Bigre ! elle ne te quitte plus ?

Marthe était sous le coup d'une vive émotion car elle n'avait jamais ressenti la présence de l'aïeule aussi fort. Et elle n'était plus très sûre de maîtriser la situation, les mots semblaient lui échapper avant même qu'elle les pense réellement, comme si quelqu'un parlait à travers elle. Pour cacher son trouble, elle accéléra ses gestes.

— Comment expliques-tu que je ne puisse pas, moi aussi, voir ou entendre ? questionna Yolande, moqueuse.

— La clairvoyance n'est rien d'autre que le sixième sens. Tout le monde est clairvoyant... Faisons confiance à Adrienne, le temps semble venir où tu seras convertie.

— Hum... ce n'est pas pour demain.

— Qui sait ? Ah !

— Quoi ?

Marthe s'était levée et se rasseyait, abasourdie. Elle avait laissé tomber au sol son couteau et la carotte à demi raclée, et ne s'en apercevait pas. Livide.

— Attends ! Jules est là, Yolande ! Jules est là ! Il veut te parler !

— Arrête immédiatement ! gronda Yolande en cachant sa peur subite sous une mine sévère.

— Il se repent... Il n'a pas réussi à être un bon père avec Josette... Il va tout faire pour l'aider... Il regrette aussi de s'être mis à boire...

— Arrête tout de suite cette mascarade ! Tu n'inventes rien, ma fille, c'est trop facile pour toi !

Mais, devant la mine transcendée de Marthe, elle restait clouée à son siège, incapable de se lever pour prendre la porte.

— Il avoue que tu avais raison pour le tiercé... C'est bien lui qui jouait, non pas Marius Favre. Il avait peur de ta réaction. Il s'excuse aussi de t'avoir toujours agacée avec ses petites manies de rangement et ses reproches idiots sur ton poids...

Défaite, Yolande contemplait Marthe, qui servait de médium pour la première fois de sa vie et ouvrait, tout comme elle, de grands yeux éberlués.

— Il est si bien dans ce monde harmonieux. Il n'aurait jamais cru qu'une telle extase puisse exister... Combien il regrette d'avoir toujours douté... Josette et Claude vont revenir auprès de nous... bientôt.

Et cela cessa. Aussi brutalement que ça avait commencé.

Elles restèrent face à face. Yolande, ébranlée, hésitant à venir gifler sa sœur. Marthe, à la fois émerveillée et bouleversée, tellement habituée à converser avec Adrienne, loin d'imaginer pouvoir le faire avec quelqu'un d'autre.

En proie à une torture morale, Yolande se mangea longuement la lèvre inférieure, tandis qu'une voix, haute et claire, arrivait dans le cerveau de Marthe :

« Il m'a fallu des années, tout comme à toi, pour comprendre une infime partie de cet immense et extraordinaire dessein divin. Comment veux-tu convaincre en si peu de mots, en si peu de temps ? Il y a tellement plus à expliquer, tellement plus... Tu n'en es qu'à l'alphabet... Laisse chaque âme suivre sa voie, ma chérie. On ne peut aller à l'encontre de la volonté des autres. Leur choix leur convient parfaitement à l'instant même. Observe, ne juge pas, n'interviens que lorsque tu sens le moment venu, pour eux, de chercher à faire un nouveau choix plus élevé... Sois assurée que le processus divin n'est que perfection. Tout a un sens, ne force rien, les choses viennent à leur heure et à leur moment. Tu sauras trouver le sens de chaque événement. »

Yolande regarda longuement Marthe.

Toujours assise, celle-ci ressemblait de plus en plus à Adrienne, tellement fragile dans sa gentille folie. Elle avait cet air qui fait dire aux gens : « Elle est illuminée. » Mais où était la folie de celui qui s'abîme en prières, qui rayonne d'amour ? Où était la véritable folie de Marthe ? Yolande ne pouvait plus douter que sa sœur entretenait des relations avec l'invisible, mais elle manquait de courage et d'ouverture d'esprit pour se tenir à ses côtés et combattre le rationnel des autres. Elle voulait bien admettre les petits coups d'ultra-voyance, puisqu'elle en avait des preuves, mais la peur l'emporta.

Fermement, définitivement, hypocritement, fermée à toute imagination, à toute curiosité, à toute confiance, elle décréta que seule une grande intuition avait pu permettre de deviner les petits travers de Jules. Intuition ou… bavardages. Elle oublia derechef tout le reste, toute cette fable hallucinante jaillie d'un esprit perturbé, et se leva, raide comme un manche à balai.

Quelque chose maintenant la poussait à fuir sa sœur.

4

A quelques jours de là, pour fuir leur enfer, Josette et Claude réintégrèrent la ferme après être venus faire amende honorable.

Aucun des habitants n'y trouva l'occasion de se réjouir. Seule Marthe conserva son air généreux en les accueillant, bien qu'elle connût déjà leur part de responsabilité dans les ennuis à venir.

Jean traîna encore plus que d'habitude ce soir-là pour rentrer, mais il ne put éviter l'instant où il se retrouva devant ses parents, incertain, gauche, à attendre ce qui ne vint pas. Mais il s'en fichait éperdument que ces deux-là ne soient pas revenus pour lui. Il ne les aimait pas !

— Jean, tu garderas la chambre du père, comme c'était convenu, dit Marthe. Tes parents ont repris la chambre verte. Nous ne changeons rien à nos habitudes.

Les derniers mots furent prononcés de telle manière que chacun les assimila comme règles.

Ignorant tout le monde, Jean s'assit à son bureau et sortit ses cahiers pour faire semblant de s'occuper, tandis que Josette disparaissait à l'étage et que Marthe commençait à préparer le repas. Claude resta debout au milieu de la cuisine, indécis, observant Yolande qui enfilait une grosse veste de laine avant de sortir faire la traite. Puis il se tourna vers Jean, hésita, faillit s'en approcher mais finit par sortir à son tour.

Le soir, Jean s'installa à la place du pépé, gardée libre jusque-là en sa mémoire, et d'un regard défia quiconque de l'en déloger.

Le repas fut silencieux. Tout le monde s'examina discrètement. On put s'apercevoir que Josette avait perdu de sa superbe, que l'arrogance de Claude s'était muée en un cynisme acceptable. Le couple semblait abattu.

Yolande étudia sa sœur pour y déceler une pâleur, une inquiétude en réponse peut-être à ses intuitions secrètes, mais celle-ci, depuis ses dernières confidences, conservait un visage aussi lisse qu'un miroir.

Le fait de travailler par poste ramenait souvent Claude à la ferme, au grand dam de Jean. Il fallut s'adapter aux rythmes de la mine : six heures, quatorze heures, vingt-deux heures. Jean jongla avec eux pour rencontrer son père le moins souvent possible, ce qui fit dire à Yolande et Marcel qu'il devenait indépendant et reprenait goût à la vie.

Le soir, il prit ainsi l'habitude d'attendre avec Gilles le car qui emportait les lycéens habitant les environs, avant de prendre lui-même, à pied, le chemin du retour. De temps en temps, il rencontrait Emile Brun, mais l'homme ne l'accostait pas systématiquement, comme pour l'habituer tout doucement à leur petite amitié.

Un jour, Gilles ne monta pas dans le car et accompagna Jean jusqu'à la ferme, décidant de rentrer tout seul à Nantizon.

Tiki, comme d'habitude, attendait son maître et se mit à sauter de joie en le voyant apparaître

— Ce chien est à toi ? s'exclama Gilles d'un drôle d'air.

Jean fit entrer son ami dans la cour et s'agenouilla pour plonger son visage dans le poil tiède. A presque un an, Tiki avait toute la fougue du chiot et la force du chien adulte. Elle sauta sur Gilles en guise de bienvenue et revint faire des fêtes à Jean.

Marthe, en entendant la chienne, était sortie. Elle regarda les deux enfants accroupis auprès de l'animal passer leurs doigts dans le pelage marron. Elle vit Jean sourire et adressa un remerciement au ciel tout en souhaitant découvrir ce jeune garçon que le sien acceptait dans son monde. Elle s'approcha de sa démarche lente et bancale, les yeux fixés sur les mèches blondes. Lorsque son regard croisa les yeux bleus, elle frémit intérieurement de ne ressentir qu'une immense froideur, une absence totale de sentiments et de conscience. Elle allait leur proposer un bol de chocolat, elle ne put que murmurer :

— Comment s'appelle ton ami, Jean ?

— Gilles Rénier, m'dame.

— Vous êtes ensemble au lycée ?

— Ouais.

Et Gilles partit sans cérémonie, franchissant le portail sans un regard en arrière, sans imaginer avoir semé le trouble dans le cœur de Marthe. Sa mère ne dirait rien de son retard, ses frères non plus, chacun étant bien trop occupé à vivre son soulagement depuis le décès du père.

Transportant Tiki à bras-le-corps, Jean reprit possession de la grange, après avoir surmonté sa peur de revoir les lieux, six mois après la catastrophe. Il était resté de longues minutes devant l'endroit fatidique, la main au fond de sa poche, laissant la vague du souvenir le rouler dans sa souffrance, puis il s'était assis sur la banlançoire avec la nostalgie des grands bras noueux qui le poussaient avec tendresse. Il voyait à travers la porte ouverte, côté montoir, les collines et les forêts qu'ils avaient quadrillées en long et en large ; il en devinait les chemins et les sentes sous les couverts, les coins à morilles, et lui revenaient toutes leurs conversations, leurs échanges, leur entente, la douceur de l'insouciance, la richesse de leurs silences. Il savait qu'il avait connu le bonheur.

Il savait aussi que des tâches lui incomberaient désormais, Marcel refusant de compter sur Claude, et il en avait accepté l'idée comme forme de devoir.

— On voit bien que ce Marseillais n'a jamais sali ses belles mains ni sa belle gueule, avait dit Marcel sans se gêner de la présence de Jean. Heureusement qu'ils ne sont plus payés à la tâche, nos gars à la mine, mais aux rendements des quartiers. Il ne sera jamais comme tous les autres. Il a une mentalité d'ailleurs qui laisse parfois douter de ses intentions. Quoi qu'il en soit, je ne le veux pas dans mes pattes ici, je préfère l'aide du petit qui, ma foi, a bien forci ces derniers temps.

Jean partagea son temps entre Gilles, dont les propos éveillaient sa curiosité, Marcel, qui ne cessait de vanter les mérites et de regretter l'absence du Toine, Marthe et Yolande, dont l'intérêt commençait à l'étouffer, sa mère, dont l'indifférence ne l'atteignait plus, son père, qui faisait naître en lui des sentiments contradictoires, et Emile Brun, qui réussissait à l'émouvoir.

Entre le premier et le dernier, Jean se sentait devenir quelqu'un d'autre. N'appartenant pas à son environnement immédiat, ils en devenaient amis personnels et, de là, secrets. Il n'avait envie d'en parler avec personne. Aussi, quand Marthe osa faire une réflexion maladroite sur Gilles, il se cabra aussitôt et lui, si docile, se montra insolent.

— Il a l'air bizarre, ton copain Gilles.

— C'est toi qui es bizarre ! Pas lui ! Il est pas fou, lui !

— Jean !

Mais il était déjà parti en claquant la porte, laissant les deux sœurs éberluées.

Il réalisait qu'il avait fait de la peine à Marthe. Sa question n'avait pas été bien méchante, il trouvait lui aussi Gilles bizarre. Mais il ne pouvait plus accepter le moindre terrain d'entente avec Marthe... Pour cause d'amour... Il aurait voulu que Marthe lui reparle comme elle l'avait fait au cimetière, même s'il était sûr de la rembarrer encore et toujours, parce qu'elle savait lui parler du pépé comme s'il était toujours là. Mais il ne voulait plus aimer, pour ne plus souffrir ; plus il se surprenait à aimer la brave femme, plus il la détestait, elle qui lisait en lui comme dans un livre ouvert.

Et puis Jean fut peu à peu perturbé par l'attitude et les propos équivoques de son père. Claude l'avait jusque-là ignoré, mais à présent faisait parfois cas de lui. Pas suffisamment pour lui redonner de l'intérêt à l'école, pour établir des liens marquants, mais assez pour l'intriguer et lui donner de faux espoirs.

Au dernier incident en date, tout le monde était présent, chacun allait s'installer devant son couvert pour dîner. Claude avait examiné les cahiers et les livres étalés sur le bureau de Jean, en avait feuilleté un et l'avait rejeté d'un geste de seigneur.

— Je n'ai jamais eu besoin de connaître les mathématiques et l'histoire de France pour gagner des thunes.

— On voit où ça t'a mené, ricana Josette devant la mine déjà inquiète de sa mère et de sa tante.

— Et je n'en ai pas besoin non plus pour bouffer des kilos de poussière dans cette saloperie de mine, riposta Claude.

— Ce qui est sûr, c'est que pour servir des pastis et des ballons de rouge, ce n'est pas indispensable non plus, reconnut Josette.

— Donc, tu es d'accord avec moi.

— Je suis d'accord avec toi, s'amusa sa femme en commençant à manger.

— C'est malin de raisonner de la sorte devant le petit, ne put s'empêcher de dire Yolande.

— Avouez que l'histoire de France ne vous aide pas à mieux traire les vaches et mieux arracher les patates, rétorqua Claude avant de se tourner vers Jean en lui lançant un clin d'œil. Toi aussi, tu es de mon avis, n'est-ce pas ?

Jean sentit le malaise des deux sœurs, moquées par les deux autres, mais ne s'en soucia pas. De tout, ce fut le clin d'œil qui le désarma le plus. Il se tint coi pourtant et ne haussa pas les épaules comme il avait l'habitude de le faire pour ne pas répondre.

A partir de là, il fit davantage attention à son père. A tout instant, il l'épia. Dans tous ses gestes : sa façon de monter et descendre de sa bicyclette, de remonter sa besace d'un coup de reins, de se voûter pour allumer sa cigarette contre le vent. Il épia surtout les regards et mesura leur poids. La silhouette lui devint bientôt si familière qu'il pouvait en imiter des manières. L'arrogance envolée, restait un homme encore beau, que les circonstances mataient, mais demeuraient présents un je-m'en-foutisme ainsi qu'une certaine manière de défier son monde. Ses gestes avaient un rien de préciosité quand il ne rentrait pas fatigué de la mine. Il avait dû avoir fière allure et du succès dans les beaux quartiers de Marseille, Jean était prêt à le parier. Il se demandait également quelles avaient bien pu être les activités de son père pour qu'il se soit retrouvé en prison.

Jean négligea totalement les compositions suivantes et attendit les notes avec impatience. Comme il l'escomptait, elles furent lamentables. Il choisit le moment où la famille fut au complet pour présenter son carnet. Yolande en perdit le souffle, Marthe en fut navrée.

— C'est impossible ! s'exclama Yolande de sa grosse voix. Tu n'as jamais eu une telle moyenne !

— Que se passe-t-il, Jeannot ? C'est si difficile ? fit gentiment sa sœur.

— C'est un comble ! Zéro en anglais ! Deux en français !

Jean se tenait droit, immobile devant les deux têtes grises penchées sur le bulletin de notes. Il devina le sourire en coin de Josette et vit Claude se désolidariser du jury en commençant à couper de larges tranches de pain.

— Vous pourriez au moins vous intéresser aux résultats de votre fils, vous deux ! dit Yolande, presque en colère.

— Est-ce que cela va changer le goût de la soupe ? répondit nonchalamment Claude. A mon avis, non, alors pas de panique, mangeons tant qu'elle est chaude, vous discuterez après.

Les deux sœurs se regardèrent, se tournèrent vers Jean qui n'avait pas bronché, revinrent à Josette qui arborait l'air d'être totalement étrangère à l'affaire.

— Ça alors ! Votre gosse a des problèmes et chacun s'en fiche. Ça s'appelle du…

— Ça s'appelle : pas se rendre malade pour si peu. Il n'y a eu qu'un Einstein au monde, et il y a quantité de mômes qui se débrouillent très bien dans la vie sans avoir eu dix-huit en anglais. A quoi va donc lui servir de baragouiner cette langue, vous pouvez me le dire ? Il a deux solutions, ce gosse : ou il finira à la mine comme moi, il paraît que les boulots se transmettent de père en fils ; ou alors, s'il est dégourdi… rien ne l'arrêtera.

Le sarcasme de son gendre commençait à taper sur les nerfs de Yolande.

— Je vois très bien où vous voulez en venir, oh oui ! je vois très bien, le menaça-t-elle. Mais ne vous avisez pas de lui mettre ce genre d'idée en tête.

— Je voulais juste dire que rien n'arrête les gens qui en veulent, surout pas un zéro en anglais. Et puis, il n'a pas l'air idiot, alors un deux en français, c'est plutôt un accident, pas vrai ? Dis-leur, toi, que c'est un accident, pour qu'on mange en paix, j'attaque à vingt-deux heures, moi.

Après les mauvaises notes, il y en eut de bonnes. L'intérêt de Claude se solda par ces mots ironiques :

— Vous voyez, mesdames, pas besoin de vous ronger les sangs. Vous ferez de ce petit mariolle quelqu'un de bien élevé, de bien pensant, de bien gentil et de bien comme il faut. Il n'a pas hérité des mauvais gènes de ses parents.

Marthe ne chercha pas à répondre, déjà spectatrice de l'effondrement de leur petite communauté, mais Yolande releva le puriel, d'un ton farouche :

— De ses parents ? De son père, voulez-vous dire ?

— J'ai bien dit de ses parents. Josette serait-elle encore une sainte-nitouche à vos yeux ?

Le ton traînant et chantant des gens du Sud énerva Yolande.

— Que voulez-vous dire ?

— Ce que j'ai dit.

Imperturbable, Josette continuait à étaler un vernis rouge vermillon sur les ongles de ses mains, assorti à sa robe. Yolande préféra en rester là, mais Claude la provoqua, narquois :

— Qui se ressemble s'assemble, non ? Celui qui a inventé cette foutue maxime ne s'est pas trop foulé.

Et cela continua.

Une forme de connivence légère sembla s'installer entre le père et l'enfant, équivoque, par à-coups, déstabilisant Jean qui croyait, à chacune des interventions de Claude, rentrer dans sa catégorie. Mais rien, jamais, ne venait lui garantir d'appartenir à son camp. Claude marchait seul et n'avait besoin de personne. S'il prenait parti pour Jean, ce n'était pas pour se l'attacher ni pour se mettre les autres à dos, c'était pour exprimer une de ses vérités propres. Jean pouvait bien être ou devenir le pape ou le nouvel homme araignée, ça ne changeait rien à ses affaires. Son égoïsme n'avait d'égal que celui de sa femme.

Et Jean restait sur sa faim.

Ni aimé. Ni détesté. Ni apprécié. Ni rejeté. Il n'était rien ! Rien aux yeux de cet homme qu'il se rappelait avoir rageusement voulu aimer avant sa rencontre avec l'arrière-grand-père.

Il fut attentif à d'autres propos échangés un jeudi après le déjeuner.

— J'ai appris que le frère de ton copain Gilles s'est fait embarquer par les gendarmes, lui dit Yolande. Il aurait volé une mobylette.

— Tu as des copains de ce genre, toi ? s'étonna Claude, qui se préparait à partir.

— Il y a de la racaille partout, affirma Yolande en regardant son gendre bien en face. Et celui-là, il est d'envergure, paraît-il.

— S'il s'est fait gauler pour une mob, c'est qu'il n'est pas aussi futé que ça, répondit Claude d'un ton léger en prenant la porte.

La vaisselle fut expédiée à grand bruit. Yolande, excédée, lançait des regards éloquents à sa sœur. Jean surprit à plusieurs reprises celui de Marthe posé sur lui et faillit rougir à chaque fois. Il conservait en mémoire l'étonnement de son père, et pour la première fois une petite lueur d'intérêt dans ses prunelles sombres.

Marthe attendit le départ de Yolande pour lui parler.

— Jean, j'aimerais que tu ne tiennes pas compte de

tout ce que dit ton père. Il a des façons de prendre les choses… Il suffirait d'un rien pour mal comprendre ses intentions…

— Je comprends rien à ce que tu dis, dit Jean en se raidissant, déjà renfrogné.

— Oh si, tu comprends très bien ce que je veux dire. Je voudrais que les propos de ton père te laissent froid, ils ne sont pas toujours de très bon goût.

Jean, comme un enfant mal élevé, se dressa devant elle et articula de toute sa bouche impudente :

— Je comprends que tu es jalouse !

Et il la planta là, pour rejoindre son repaire, Tiki sous le bras.

Il allait faire de la grange son chez-lui.

5

Jean commença par ôter la grande échelle que Marcel avait réinstallée dans l'ouverture menant au hangar. Il se démena, s'y reprit à plusieurs fois, transpira, en vint finalement à bout, réussissant à la caler contre la poutre centrale. Il ne voulait plus de cet accès-là. Il se réservait celui de l'extérieur.

Sa force s'était accrue, il la sentait emplir ses bras et ses jambes, comme une sorte de rage. Il vaincrait bientôt sa maigreur. Il pouvait espérer grandir d'une tête cette année, c'était ce que lui aurait prédit le pépé s'il avait été là pour ses douze ans. Il repensa à cette fête endeuillée. A la précédente aussi, attristée par la mort d'Adrienne. Il ne fêterait plus jamais rien.

Fort de ces pensées radicales, il réunit le fourrage restant de l'hiver et le poussa contre la porte côté montoir, regroupa dans un angle en les empilant les paniers et objets de toutes sortes entassés au fil des ans. Il se perchait parfois sur deux malles vides, vieilles locataires empoussiérées des lieux, pour coller un œil contre un trou pratiqué dans les planches qui faisaient office de mur, et surveillait les mouvements de la maison.

Il s'amusa un moment avec la chienne et la balançoire, puis attira à lui une caisse en bois. A genoux sur le pancher, il en sortit une piètre armée de soldats de plomb et les positionna en files dégarnies, grondant Tiki qui les faisait tomber avec son museau ou sa queue. Lorsqu'il eut terminé, il replongea la main dans la caisse et ajouta cinq autres figurines aux couleurs flambant neuves, les installa en bout de colonnes comme le voulaient leurs rangs de maréchaux et de colonels. Il s'amusa un peu à la guerre mais sans conviction, l'esprit tourné vers Gilles qui devait trôner dans sa caverne.

A cet instant, un long sifflet mélodieux s'éleva dans l'air. Surpris, Jean releva la tête. A l'écoute. Ce ne pouvait être Marcel, qui s'était rendu en ville et qu'il attendait pour démarrer un feu dans le jardin. Ça ne venait pas de la ferme mais des champs. Il s'approcha du montoir et vit la silhouette d'Emile Brun progresser sur le chemin. L'homme le salua de la main, Jean lui répondit et ne sut pas vraiment s'il fallait l'attendre ou s'en détourner. Mais l'homme continuait à se rapprocher, de sa démarche lente et régulière. Il tenait à bout de bras un sac de plastique qu'il éleva devant lui.

— Oh ! Jean ! Je pensais bien te voir, je t'ai apporté le reste.

Tout en parlant, il s'était avancé jusqu'à la haie d'oléacées mais s'arrêta bien qu'il eût pu la franchir, maigre qu'elle était restée depuis l'hiver.

Jean s'engagea sur l'échelle, ordonna à Tiki, restée en haut et qui geignait, de se taire et atterrit aussitôt à quelques mètres de l'homme. Ils se regardèrent avec une sorte de timidité réciproque. Emile Brun tendit alors le sac et l'encouragea à le prendre.

— Ça me fait vraiment trop de peine de les garder. Ils seront mieux avec les autres. Je t'avais dit que je te les donnerais, insista-t-il devant le mutisme de Jean. Prends-les. Tu crains des remarques de chez toi ? Je peux aller leur dire… A la bonne heure, on a bien le droit d'avoir des petits secrets, dans la vie.

Jean appréciait le naturel et la gentillesse de l'homme.

— Il s'appelait comment, votre fils ?

— Christophe.

— Il est mort comment ?

— Il est tombé d'un mur en voulant récupérer un ballon.

— Ah !

— Il avait perdu sa mère l'année précédente. Tout seul maintenant, je suis venu ici histoire de recommencer ma vie, mais ça me paraît bien difficile. Allez, petit, je suis content que tu refasses vivre ses jouets.

— C'est vrai que je lui ressemble ? fit vivement Jean, se surprenant à vouloir que l'homme s'attarde un peu.

— Tu as les mêmes yeux et le même sourire, j'aimais quand il souriait. Maintenant, j'aime rêver de lui, je choisis mes rêves. Lorsqu'on peut les sélectionner, il ne faut pas s'en priver. Mais la nuit, c'est difficile de choisir, il vient du bon et du mauvais, ajouta Emile Brun en se détournant.

Jean aurait juré qu'il partait pour cacher sa tristesse. Cet homme touchait sa sensibilité, favorisant en lui un sentiment inexplicable. Il l'observa tandis qu'il s'éloignait, le dos plus rond que d'habitude, avant de songer à regarder dans le sac.

Son armée devint impériale. Il fut même tenté de jeter sa propre collection tant elle paraissait terne face à l'autre, mais elle avait si bien accompagné sa solitude d'enfant qu'un remords le prit. Lui donnant un sursis, il la rangea au fond de la boîte. Il ne fut plus question de démolir la plate-forme constituée. Quand Marcel arriva, Jean était décidé à laisser le champ de bataille en l'état.

— Nom de Dieu ! Jean, qu'est-ce que tu fous ? Pourquoi tu as enlevé cette échelle ? cria une voix énervée depuis le hangar.

— Elle sert à rien !

— Bien sûr qu'elle sert ! Bon sang ! Je ne vais pas m'amuser à faire le tour chaque fois que j'aurai besoin de monter !

— C'est toujours pour prendre du foin que tu montes, et tu le passes par l'autre côté !

— Jean !

— Non !

— Pardon ?

— Non !

— On peut savoir ce qui te prend ? J'ai eu une sale journée et le sang commence à me chauffer, ne me mets pas en colère !

— Elle te sert à rien, cette échelle ! Combien de fois tu montes ici pour autre chose que le foin ?... Tu vois !

— Allez, descends de ton perchoir, j'ai besoin de toi.

Le ton de Marcel avait décliné de deux octaves. C'était rassurant. Tiki sous le bras, Jean descendit prudemment la courte échelle et fit le tour en courant pour arriver à pied d'œuvre. Yolande était à l'autre bout du jardin, en train de semer des haricots et des pois.

— Tu veux te garder ce coin pour toi, hein ? C'est ça ? lui dit Marcel.

— C'est ça.

— OK, ça va, il est à toi. Tu deviens bourrique, ajouta-t-il en lui ébouriffant les cheveux.

Jean aida Marcel à brûler le résultat de sa taille au verger, l'écouta se plaindre de ne pas être certain de pouvoir tout faire seul cette année, du verger aux ruches en passant par les fenaisons.

— Avec ça, tu rajoutes les bricoles, comme aller cueillir les simples pour ta tante. Elle compte sur toi, tu es devenu savant sur ces choses-là. Tiens, regarde les premières hirondelles de l'année, des précoces, celles-là, mais va ! c'est pas les années précoces qui sont les meilleures.

— Tu répètes toujours tout ce qu'il disait, s'emporta soudain Jean, l'œil noir.

— Mais dis donc, toi... Reviens ici ! Jean ! Coquin de sort, mais qu'est-ce qui lui prend ?

Yolande s'était redressée et se tenait les reins à deux mains, des questions muettes au bord des lèvres. Ahuri, Marcel jeta sa fourche au sol, tâta les poches de sa salopette à la recherche d'une cigarette, qu'il alluma en oubliant celle qui pendouillait au coin de sa bouche.

Sourd aux aboiements de sa chienne retenue derrière le portail, Jean disparut de la rue et bifurqua en direction du château. Rien n'aurait pu l'arrêter. Il mit peu de temps à rallier Nantizon en passant derrière la gare, continua sa course jusqu'au fond de la cité, évita les gens, les regards, longea les haies, surveilla ses arrières et pénétra dans la verdure. Le cœur battant, il arriva à proximité de la grotte. Il s'arrêta pour reprendre son souffle, vérifia une nouvelle fois par-dessus son épaule et émit trois légers coups de sifflet. Il y eut un frémissement dans le feuillage, une branche s'écarta, dévoilant la tête blonde stupéfaite de Gilles, instantanément remplacée par une autre, furibonde.

— Qu'est-ce que tu fiches là, sale merdeux ?

L'agressivité de Charles fit reculer Jean.

— Laisse-le, intervint Gilles.

François apparut à son tour pour examiner l'intrus.

— C'est le petit con qui lui a donné l'adresse, fit-il en désignant Gilles.

— Je vous avais dit qu'il connaissait l'endroit. Je vous signale que vous me l'aviez donnée, cette cache, c'est pas parce que maintenant ça vous arrange de revenir que…

— Ta gueule, morpion !

— Ta gueule toi-même !

Jean hésitait, regrettant d'avoir suivi son impulsion. Ces deux Rénier l'avaient toujours impressionné avec leurs airs supérieurs, mais plus encore Charles, dont il sentait la violence à fleur de peau. Les deux garçons faisaient un rempart de leurs corps.

— C'est top secret, ici ! Miné ! Chasse gardée ! gronda l'aîné des trois frères d'une voix basse et menaçante. Si quelqu'un t'a suivi, tu es mort ! Pigé ?

L'air buté, élancé et déjà carré d'épaules, Charles avait un visage large et plein, au milieu duquel brillait un regard marine intense qui ne cillait jamais. Ses seize ans en faisaient déjà un homme, et son poing avait l'air solide. La haine éprouvée pour son père l'avait rendu plus méchant qu'un bouledogue.

— Pigé.

— On peut savoir ce qui t'amène ?

— Je voulais voir Gilles.

— Le coin, il est plus à Gilles, on l'a réquisitionné et tu en sais trop. Merde ! Gilles ! Tu en as amené, d'autres crétins, ici ?

— Arrêtez de jouer les chefs, intervint Gilles, dressé sur ses ergots. Je lui fais confiance, il a jamais rien dit à personne sur la grotte.

— Et puis il y a aucune raison qu'il cafte, si c'est vrai que son père était taulard, intervint François, moqueur.

A quinze ans, François était la réplique de son frère aîné, mais avec une mollesse dans les traits qui accusait sa faiblesse. Une admiration sans bornes pour Charles pouvait le rendre méchant.

— Ça, c'est ce que les gens disent, riposta Charles, et ce merdeux est capable d'en profiter pour nous bluffer. Alors ? C'est vrai ?

— Affirmatif, lâcha Jean, tout soudainement gonflé d'importance face à la mine réjouie de Gilles.

Mais les autres étaient méfiants.

— Qu'est-ce qu'il a fait ?

— Braqué une banque. Ça a mal tourné.

Le silence le poussa à broder.

— C'est le seul qui a fait de la taule, il a jamais dénoncé les autres.

— Les autres sont partis avec le fric ?

— Ouais, un paquet de fric.

— Qu'est-ce qu'il va faire, alors ?

— Pour l'instant, il se tient à carreau, les flics le surveillent.

— Il a pourtant pas l'air, comme ça... fit Charles, soupçonneux. Il paraît qu'à la mine il a les foies, il est toujours en train de regarder sa lampe au cas où la flamme s'éteindrait. Je l'imagine mal se servir d'un flingue.

— Pour écoper de neuf ans de prison, il faut plus que le vol d'une mob, non ? s'enhardit Jean, un peu vexé par les allusions de Charles. Les flics, ils t'ont rien fait, à toi.

— Peut-être. N'empêche que je crois bien que tu nous racontes des craques.

— N'empêche qu'il a dit qu'il fallait pas être bien malin pour se faire choper pour un vol de mob, asséna Jean avec une désinvolture calculée. Il pourrait te donner des tuyaux, si ça se trouve.

— Il a dit ça ? ricana Charles. Il a dit ça... T'es un zigoto, toi...

Jean n'en revenait pas de sa témérité ; une euphorie le prenait de se mesurer à un caïd en herbe. Il eut pourtant un réflexe de peur lorsque celui-ci s'approcha de lui, mais déjà une poigne le tirait par le col de son gilet.

— Viens donc voir, monsieur le rusé, lui souffla méchamment Charles en le bousculant. Vous, allez surveiller si tout est OK ! Si ce crétin nous a attiré des emmerdes, je jure que je le tue.

Lorsque Jean eut pénétré dans la cache, il n'en crut pas ses yeux. Les propos de Gilles n'avaient jamais dépeint cette réalité. Des lampes à pétrole illuminaient l'endroit comme une cathédrale, jetant une lumière jaune et mystérieuse sur les reliefs accidentés de la roche. Des bougies étaient toujours encastrées dans les niches pierreuses. Un poster de Che Guevara étudiait tout visiteur. Deux pans latéraux en velours rouge cachaient les soubassements perdus, rognant sur la surface totale mais donnant à la cache une allure de caverne de pirate. Une bâche était venue renforcer le rideau naturel de ronces et colmater toute fissure. Les cartons au sol avaient été remplacés par un linoléum beige, brillant comme s'il avait été ciré de la veille. Surprenant, un parasol vert surplombait un matériel de camping neuf qui occupait tout un coin : table, chaises pliantes en toile, meuble à vaisselle, réchaud, bouteille de gaz. Dans le coin opposé, une bâche de chantier cachait un tas volumineux.

— Installe-toi et admire, monsieur le rusé, le provoqua Charles en le poussant pour le faire tomber sur un siège.

D'un geste théâtral, il retira d'un coup sec la bâche en plastique, dévoilant aux yeux ébahis de Jean tout un arsenal d'objets, de l'autoradio à la bicyclette, du tourne-disque à l'étendage, de la galerie de voiture à la paire de chaussures de ski, de la panoplie de pêche à celle de chasse. Une collection de couteaux, une télévision, un meuble à chaussures, une grosse lampe au socle d'émail, une horloge en faïence, des réveils, une sacoche en cuir, un moulin à café, des tas de trésors disparates s'empilaient sur d'autres, que Jean ne pouvait distinguer. Ceux d'encombrement réduit occupaient des caisses à limonade, comme autrefois alignées contre le cimetière de Gilles.

Gilles et François étaient revenus et examinaient les réactions de leur invité surprise sous l'œil goguenard de Charles.

— Et la mob, c'est pas moi, si tu veux tout savoir. C'est ce couillon qui a voulu m'épater, fit Charles durement en se tournant vers un François penaud. Il s'est ramassé, sans réfléchir. J'ai préféré me faire gauler à sa place. Je t'avoue quand même que ça a été facile de faire pleurer les flics en leur parlant de mes rêves de gosse frustré. Mais s'ils voyaient tout ça, ils rigoleraient moins, tu ne crois pas ? fit-il plein d'importance, tourné à nouveau vers Jean, le regard fixe.

— Ça vient d'où, tout ça ? Vous allez en faire quoi ? interrogea Jean.

— Ça te regarde pas. Moins tu en sais, mieux ça vaut pour toi.

Tout en répondant, Charles s'était penché sur une caisse et en avait sorti deux canettes. Il en lança une à François, avisa l'air mécontent de Gilles, se resservit et lui en lança une aussi avant d'en tendre une autre à Jean.

— Tu as intérêt à oublier ce que tu viens de voir, et je ne veux plus te surprendre dans les parages, du moins jusqu'à ce que j'aie trouvé une autre planque. Celle-là, personne n'est prêt à la dégoter si aucun de vous ne fait le con.

Jean s'emplissait les yeux de cet adolescent qui voulait passer pour un dur. Il se prenait à envier une telle assurance, la façon dont il tirait sur sa cigarette et rejetait la fumée d'un air expert, la façon dont il roulait l'épaule sous son blouson en jean. Il avala une bière pour la première fois de sa vie.

En partant, il échangea ses premières poignées de main d'homme. Un pacte d'alliance.

Le retour à la ferme se fit sur un nuage. Il avait

l'impression d'avoir déjà seize ans. Il cajola Tiki un long moment pour se faire pardonner sa fugue. Et puis il évita les regards des femmes et leurs questions soupçonneuses, haussa les épaules et se retrancha derrière un mutisme étudié, faisant croire qu'il apprenait ses leçons.

Seul dans son lit, il eut de la peine à trouver le sommeil ce soir-là. Il repensa à Emile Brun et décida aussi de choisir ses rêves.

Il s'endormit comme un ange, la main dans celle du pépé lors d'une de leurs promenades printanières… Et se réveilla avec la merveilleuse impression de l'avoir eu à ses côtés.

6

On prit l'habitude de voir Marthe le long des sentiers ou aux abords des bois, un panier au bras, sa canne dans l'autre main. Elle était en quête d'herbes avec sa petite faucille, silhouette fragile qui parlait toute seule et branlait du chef. Cela faisait dire aux méchants qu'elle finirait comme la vieille Adrienne, la cervelle en lambeaux. Mais cela n'empêchait pas ses fidèles d'avoir recours à ses dons, à la fois médicinaux et paranormaux. Mieux même, sa clientèle augmentait et il lui arrivait de la rencontrer au hasard de ses cueillettes. Elle percevait de plus en plus les énergies des êtres et la beauté du monde. Les arbres, les plantes, sous son regard bienveillant, semblaient magnifiés et lui retournaient un étonnant bien-être. Mais à qui donc aurait-elle pu décrire le champ d'énergie qu'elle voyait planer sur chaque chose comme autour de chaque être ?

Elle n'avait pas renouvelé l'expérience du contact avec une autre entité que Jules, restant pourtant attentive. Adrienne, souvent à ses côtés, calmait ses craintes et continuait à lui enseigner une partie du grand dessein divin, à mieux comprendre le chemin de l'âme. Celui qui intéressait Marthe était bien évidemment celui de Jean, et elle souffrait à l'idée de n'être que spectatrice de son évolution personnelle, si celle-ci devait s'effectuer dans la souffrance comme elle le percevait si fort.

Quant à Yolande, sa décision irrévocable d'ignorer les pratiques de sa sœur la faisait fuir de la maison à chaque visite de cet ordre.

Parfois Jean accompagnait Marthe, mais il ne le faisait pas de gaieté de cœur, et souvent invoquait de faux prétextes pour se défiler. Elle n'insistait pas, tenant compte de ses humeurs changeantes. Tout le monde, en dehors de ses parents peu concernés par lui, attendait que de l'eau coule sous les ponts et ramène à Jean sa gentillesse d'autrefois.

Encore eût-il fallu que rien d'extérieur ne vînt profiter de cette faiblesse. Et c'était bien de cela que naissaient les lourdes craintes de Marthe.

Elle essayait de l'intéresser à de nouvelles plantes, de lui laisser l'initiative de la récolte, de lui inculquer quelques secrets, mais il devenait hermétique à tout ce qu'il aimait auparavant.

Elle voyait mieux que quiconque les changements s'opérer dans sa tête et dans son cœur. Elle le sentait constamment sur la défensive et partagé entre deux attitudes : la bonne et la mauvaise.

Quelque chose la frappait depuis quelques semaines : sa démarche, devenue à la fois plus fluide et chaloupée, une façon de se déplacer qui lui en avait vaguement rappelé une autre qu'elle avait identifiée. Elle fut à peine surprise de sa découverte ; même Yolande en convint. Jean imitait son père.

L'histoire du sirop de sureau allait déclencher une

série de contrariétés qui bouleverseraient ce qui restait d'ordre à la ferme.

La veille d'un jeudi de juin, Marthe avait fait dissoudre de l'acide citrique dans de l'eau bouillante puis refroidie, y avait plongé de belles grappes de fleurs de sureau séchées et avait laissé macérer au frais durant vingt-quatre heures, en remuant de temps en temps avec une cuillère en bois. Installée sur une table à l'ombre dans la cour, elle filtrait le tout dans une passoire très fine quand une visite s'annonça. Elle aurait pu poursuivre sa tâche, mais, voyant Jean désœuvré vers le bassin, elle lui demanda de venir verser du sucre en poudre dans le jus récupéré et de brasser jusqu'à dissolution complète. Ce qui lui permettrait de discuter avec la voisine, qu'elle entraîna dans la maison.

Qu'est-ce qui poussa Jean à faire l'imbécile ? D'un coup, il rafla les deux kilos de sucre et partit les jeter dans la nourriture des cochons. Cela fait, il revint et entreprit de plonger dans la bassine un pain de sel trouvé dans l'écurie. Puis il mit en bouteilles et ferma. La mine angélique, il se laissa féliciter par Marthe et la voisine de sa bonne volonté.

Le lendemain, Yolande et Marcel eurent l'idée de goûter le sirop.

Lorsque Jean arriva, il eut à peine le temps de déposer son cartable sur son bureau que Yolande fonça sur lui et le talocha d'un ferme aller et retour.

— Ta blague n'était pas des plus fines, mon gaillard ! Je ne supporte pas le gaspillage ! Si tu recommences, je te jure que tu auras affaire à autre chose qu'à des gifles !

Jean se tint une joue, abasourdi. Marthe avait pâli.

Marcel se tenait immobile à ses côtés. La chienne les regardait tour à tour, inquiète.

— Tu es en train de devenir un sale môme ! reprit Yolande avec colère. Avant, tes blagues pouvaient nous faire rire, mais pas des conneries pareilles, et encore moins des cachotteries de ce genre !

En même temps elle montrait la table sur laquelle Jean reconnut sa boîte à jouets. Il jeta à Marcel un regard haineux.

— Ecoute, tenta de se justifier l'homme mal à l'aise, les fenaisons arrivent, il me fallait bien aller faire du ménage là-haut.

Il n'avait pas annoncé la chose de la même manière aux deux femmes. En leur faisant part de sa découverte, il avait dit : « Comme il est de plus en plus bizarre, je suis allé voir ce qu'il trafique là-haut pendant des heures. Et voilà ce que j'ai trouvé. »

Jean n'était pas dupe.

— Ces soldats ne sont pas à toi ! affirma Yolande en lui en brandissant une poignée sous le nez. On peut savoir d'où ils viennent ? s'énerva-t-elle, prête à lui asséner une nouvelle paire de claques.

A cet instant, le couinement d'un frein les surprit. Claude, en train de caler son vélo contre le mur, arrivait au beau milieu de la scène. D'un coup d'œil, il saisit l'ambiance. Sans le vouloir, il se trouva aux côtés de Jean face à ses trois accusateurs.

— Oh oh ! il y a un règlement de comptes ? C'est l'heure de la fessée ?

Il aurait mis la main sur son épaule, et Jean aurait fondu de reconnaissance. Mais il ne fit montre que de sa circonspection habituelle.

— Votre fils joue avec des jouets de riches ! dit froidement Yolande. On attend des explications.

— Tu en as une ? demanda Claude à Jean, le sourcil réservé.

— On me les a donnés, fit celui-ci de mauvaise grâce.

— Qui ? ordonna Yolande. Qui ?

Jean resta figé, les lèvres serrées, ses yeux durs passant de l'un à l'autre de ses détracteurs. Le silence se prolongea. Alors Claude s'empara d'une figurine et la porta à sa bouche.

— Ça n'est même pas de l'or, dit-il, railleur, en la rendant à Yolande. Il n'y a pas de quoi en faire un drame.

Et il s'apprêta à les planter là, les laissant à une discussion qui ne l'intéressait point.

— Pas de quoi en faire un drame ? répéta Yolande, furieuse. Vous avez un culot, vous alors ! fit-elle en jetant les soldats dans la boîte.

Elle faillit en dire plus mais se retint à cause de Marcel.

— Et pourquoi ne pas lui faire confiance ? demanda Claude d'un ton posé en se retournant lentement. Il n'a jamais été soupçonné de quoi que ce soit, ce gentil petit garçon, me semble-t-il ? Vous l'avez trop bien élevé pour ça. Je vous trouve bien suspicieux tous les trois, pourquoi n'aurait-il pas mérité un tel cadeau ? Mais devant vos airs de chiens de garde, je comprends qu'il la boucle.

— Ce petit malin vient aussi de gaspiller deux kilos de sucre et toute une préparation de sirop ! lança Yolande, les deux poings sur les hanches.

— Ah oui ? demanda Claude, sans se sentir concerné.

— Il a balancé le sucre on ne sait où et il l'a remplacé par du sel. Il faut le faire ! Deux kilos, quand même !

— Ça m'a l'air franchement débile, en effet.

Personne ne sut ce qui était débile, le sucre, le sel, l'histoire, le gaspillage. Claude parlait pour parler, un peu méprisant.

— Et on peut savoir où est passé le sucre ? reprit Yolande, le front sévère.

— Les cochons l'ont bouffé ! jeta Jean. Les cochons, les cochons !

Et il éclata de rire devant leur mine. Celle de Yolande avait viré au rouge, Marcel était plus ahuri que jamais, Claude avait l'air de trouver son rejeton vraiment trop tarte, mais Jean vit une lueur briller au fond de ses yeux.

Son rire redoubla, hystérique. Libérateur. Inquiétant.

Puis il récupéra son bien, se faufilant entre eux comme une anguille, fit demi-tour et partit en courant.

Dans l'après-midi, Marthe voulut s'entretenir avec lui, le contraindre à la franchise et au respect, le ramener à de meilleurs sentiments. Elle savait où le trouver et prit le chemin derrière le jardin pour arriver au bas de l'échelle côté montoir. Elle faillit l'appeler, mais se ravisa en entendant des voix. C'étaient des voix enfantines. Elle revint lentement en arrière, pour surveiller l'instant où Gilles partirait, car il ne faisait aucun doute pour elle que le compagnon de Jean était le jeune garçon au regard froid. Sa mauvaise hanche souffrit à cause de son attente inconfortable, mais arriva l'instant de la séparation. En retrait du mur, elle vit l'enfant blond sauter au bas de l'échelle, faire un signe à Jean resté dans la grange et franchir la haie avant de partir en courant sur le chemin qui longeait les murs voisins.

Elle restait là, à hésiter sur la façon d'aborder Jean du mieux possible, quand elle aperçut au bout du champ fraîchement semé de maïs la silhouette reconnaissable d'Emile Brun. Elle n'avait plus rencontré l'homme, l'avait seulement aperçu de loin, au hasard de ses promenades. Elle allait s'en désintéresser et venir à Jean lorsqu'un pressentiment la poussa à rester à l'abri du mur. Emile Brun s'approchait lentement et venait face à eux. A une trentaine de mètres, il siffla un air clair et chantant, puis leva bientôt la main en guise de salut, le regard levé en direction de la grange. Il s'arrêta devant la haie, juste en face de l'échelle. Marthe entendit sa voix posée venir jusqu'à elle grâce à un léger vent du sud :

— Ça va aujourd'hui, Jean ?

A laquelle Jean répondit poliment :

— Oui, et vous ?

Un nouveau salut et l'homme repartait déjà, laissant Marthe ébranlée.

Elle n'hésita plus, s'approcha aussi vite que sa hanche le lui permettait.

— Jean ? appela-t-elle en montant sur le premier barreau.

Celui-ci apparut au-dessus d'elle.

— Je voudrais parler un peu avec toi.

— Pas envie, marmonna-t-il.

Il savait qu'elle ne se risquerait pas plus haut sur l'échelle.

— Je viens de voir passer monsieur Brun. Tu le connais ?

— Ouais... Pourquoi ?

— Je crains toujours les inconnus. On ne sait jamais à qui l'on a affaire...

— Il est gentil. C'est pas un inconnu, il parlait avec le pépé.

— Sans doute, sans doute. Tu le vois souvent ?

— J'ai plus le droit de parler avec quelqu'un, maintenant ? s'énerva Jean. Dès que je parle à quelqu'un, ça te dérange, ça vous dérange tous ! Tout le monde préférerait que je sois tout seul et malheureux !

« Oh, mon Jean, tu me fais si peur, pensa Marthe avec tristesse. Le mal vient à toi. Je le sens se resserrer autour de toi et je ne pourrai rien faire si tu ne m'autorises pas à t'aider. »

— Je sais que tu es maheureux, mon chéri, mais tu ne choisis pas la meilleure... (elle faillit dire « compagnie »)... solution.

— Pfft, siffla-t-il.

— Bien souvent, la méchanceté sert à cacher une souffrance.

— Tu dis des bêtises.

— Et toi, je sens que tu vas en faire.

— Merci pour la confiance.

— C'est toi qui ne me fais pas confiance, Jean. Je voudrais t'aider.

— A quoi faire ?

— Te retrouver. Je voudrais te parler.

— Eh bien, ça y est ! On a parlé. C'est bon, jeta-t-il en disparaissant de sa vue.

— Tu es content de toi ? fit-elle plus fort, sachant qu'il l'entendait. Où sont passées ta conscience et ta gentillesse, qui rendaient si fier le pépé ? Il te voit, d'où il est, il te voit et...

Une envolée de paille et de poussière lui tomba dessus. De surprise, elle faillit se lâcher et tomber à la renverse.

— Ça t'apprendra à te mêler de mes affaires ! lui lança Jean méchamment.

Les yeux piquants, larmoyants, Marthe essayait de débarrasser son chignon de toute impureté. Il la regarda se secouer dans tous les sens, passer les doigts dans le col de sa robe, se frotter les paupières. Et repartir vaincue.

Alors il revint à ses préoccupations, jetant sa culpabilité aux orties. Il regarda le carton que Gilles venait de lui apporter, après qu'ils l'eurent laissé une semaine enfoui dans un fourré, à deux pas de leurs classes.

Gilles et Jean y avaient mis le temps, mais ils avaient enfin trouvé l'objet qui allait épater Charles.

Depuis des jours, ils s'étaient creusé la tête pour trouver la chose qui les ferait entrer dans la cour des grands ; c'était le rêve de Gilles, et maintenant celui de Jean, dont l'idée d'épater son père faisait doucement son chemin dans sa tête. Mais il lui fallait tout d'abord s'aguerrir, car sa cible était coriace.

Le hasard les avait servis. Alors qu'ils passaient à proximité d'un camion de livraison garé dans la cour de l'école, et sans que les deux garçons se concertent autrement que du regard, Gilles, profitant de l'inattention du livreur revenu dans sa cabine après avoir ouvert les portes arrière du véhicule, pendant que

Jean faisait le guet, avait saisi le premier carton en évidence et l'avait, dans la même seconde, balancé par-dessus le grillage de la cour. Le livreur avait à peine remarqué ces deux derniers potaches en train de rattraper les autres et d'entrer dans les classes.

Impatients de découvrir le contenu du paquet, les deux larrons avaient pourtant eu la prudence de ne pas le récupérer trop rapidement. Gilles s'en était chargé de nuit, l'avait sorti de son champ de broussailles et l'avait rapproché de la ferme.

Tous deux avaient découvert leur pêche commune et s'en étaient trouvés tout émoustillés. Un globe terrestre, c'était peu banal. Charles n'avait pas – Gilles était formel – de mappemonde parmi son étrange arsenal.

Agenouillé sur le plancher, Jean sortit une nouvelle fois le globe de son emballage, ne se lassant pas de passer les doigts sur la périphérie des pays, souligner leur contour, rêver d'évasion, de conquête. Lentement, il faisait tourner la boule sur son socle et imaginait le soleil en orbite au-dessus de sa tête, se souvenant maintenant avec un pincement au cœur que le pépé voulait effectuer cet achat pour l'aider à voyager par le rêve. Lui vint alors l'idée de conserver le larcin... Il enfila sa main dans la poche de son pantalon pour tâter la montre si chère, comme il le faisait chaque fois que sa pensée s'emplissait du vieil homme. Tant pis pour Gilles, tant pis pour la reconnaissance de Charles. L'image du pépé grandissait en lui, elle le remuait, le...

— Qu'est-ce que tu nous manigances encore !

Il fit un bond terrible. Se redressa comme un serpent, prêt à mordre.

Yolande apparaissait devant lui, le corps à moitié engagé dans la grange, et fixait d'un œil dur l'objet de son admiration. A cette seconde, il aurait pu la faire basculer du haut de l'échelle.

Enervé, rouge et tremblant, les poings serrés, Jean la regarda franchir le dernier obstacle avant de l'avoir sur le dos. Il en avait marre d'être surveillé, il en avait plus qu'assez des deux sœurs.

— Tu vas descendre immédiatement faire des excuses à Marthe ! Et si je te reprends à oser te comporter de vilaine manière avec elle, tu auras affaire à moi ! Maintenant, trouve-moi une explication pour ce machin ! Lui aussi, il a atterri ici par l'opération du Saint-Esprit ? Tu nous prends vraiment pour des imbéciles !

— Donné aussi.

— Ben voyons. Un nom ?

— Monsieur Brun.

— Parfait. Je t'attends pour les excuses.

Et Yolande repartit comme elle était venue, sans bruit, espionne de la maisonnée au même titre que tous les autres. Jean s'en rongea deux ongles jusqu'au sang avant de réagir.

Et tandis qu'il partait, encombré du carton, sur la route de Nantizon à la recherche de Gilles, Marthe et Yolande dépêchaient un Marcel gêné auprès de monsieur Brun.

La surprise dissimulée derrière sa courtoisie naturelle, Emile Brun reçut son visiteur sur le pas de sa porte. N'ayant pas l'art du discours et fort embarrassé par sa mission, Marcel dut se racler la gorge et s'y reprendre à deux fois avant que son hôte ne saisisse le sens de sa démarche.

— Je lui ai bien fait ce cadeau. La collection appartenait à mon jeune fils décédé.

— Ah… fit Marcel qui se sentit aussi ridicule qu'un singe sans poil.

— Ce petit me paraît un bon petit, il me rappelle le mien… Je me suis laissé emporter par un vague à l'âme.

— Le globe aussi, alors, bien sûr… hésita Marcel en se grattant le sommet du crâne.

— Oui… bien sûr. Vous l'avez vu ?

— Euh… moi non, c'est sa grand-mère. Elle n'en revenait pas de tels cadeaux. Vous comprenez, ce petit, depuis la mort de son arrière-grand-père, il est un peu déboussolé, on n'arrive plus à ce que l'on veut avec lui. On ne voudrait pas qu'il fasse des bêtises.

— C'est normal, mais ne vous inquiétez pas, il n'a pas menti. Vous pouvez rassurer sa famille.

Lorsque Jean revint, Marthe et Yolande l'attendaient en compagnie de Marcel, attablé devant un verre de rouge.

— On voudrait te parler, commença Yolande qui contenait difficilement sa voix.

Jean les regarda tour à tour, de mauvaise grâce. Il remarqua les yeux rougis de Marthe et éprouva de la honte, mais se garda de rien manisfester.

— Je croyais t'avoir dit que l'on t'attendait pour des excuses. Ça fait deux heures que l'on patiente.

— Pardon, fit-il en examinant ses chaussures.

— C'est par là qu'il faut regarder pour te rendre compte dans quel état tu lui as mis les yeux.

— J'ai pas fait exprès. Pardon.

Il se refusait à regarder Marthe.

— A notre demande, Marcel est allé chez monsieur Brun, reprit Yolande.

Malgré le tressaillement de son cœur, Jean sut conserver son calme dans le silence qui suivit.

— Il reconnaît t'avoir donné toutes ces choses. On t'a soupçonné pour rien, ça t'apprendra à nous tenir au courant. Mais ça n'enlève rien à la raclée que je t'ai promise si tu ne changes pas de comportement avec nous tous.

Jean se permit un lourd silence, les yeux chargés de satisfaction et d'audace maintenant relevés sur son juge.

— Ne fais pas ton malin, l'avertit Yolande.

— Décidément, je peux plus rien faire dans cette maison, la nargua-t-il.

— Si ! L'enfant sage, comme avant, et tout ira bien !

A table ce soir-là, Claude eut l'air de celui qui se rappelle brutalement quelque chose d'important et se tourna vers Jean.

— Alors ? Tu as pu leur apporter une réponse satisfaisante ?

Josette regarda bizarrement son époux, Jean garda le nez dans son assiette sans répondre, ravi de laisser Yolande se désavouer.

— Alors ?

— Alors c'est vrai, fit celle-ci en soufflant, c'était le cadeau d'un type qui distribue les jouets de son fils décédé. Voilà, tout le monde est content et la prochaine fois, ce petit malin évitera les cachotteries, insista-t-elle d'un ton lourd de rancune.

— Je vous avais dit que vous en faisiez un gars sans

reproches, mesdames, conclut Claude en jetant un regard en coulisse à Jean.

Jean, qui l'examinait à cet instant précis, intercepta et contrôla ce regard.

A partir de là, il fut presque certain que son père jouait avec lui, de la carte du mépris à celle de la provocation.

7

Les deux années suivantes se passèrent sur le même schéma, entre accalmies et conflits.

La tranquillité d'autrefois n'avait plus cours à la ferme, les deux sœurs se prenaient à regretter les doux moments avec le père et Adrienne, avec un Jean ignoré des démons.

Eric Froment tentait parfois des interventions, apportant à l'enfant une image sécurisante et paternelle, dont les effets glissaient sur une carapace d'indolence et de sournoiserie. Celles de Marcel Baume ne comptaient pas plus, Jean ne craignait pas ses remarques acerbes, ni ses promesses de coups de pied bien ajustés.

Enfin, le garçon avait entamé sa croissance, poussant tout en fil, mais celle-ci s'accompagnait d'une gaucherie nouvelle, tandis qu'une émotivité venait intensifier ses humeurs. Son visage changeait, perdait ses traits ingrats et anticipait le portrait de l'homme futur. Jean serait doté d'une beauté méditerranéenne, n'empruntant rien à sa mère. Ses yeux avaient conservé leur bel éclat sombre sous un sourcil dru et régulier.

Les deux sœurs, quant à elles, se ressemblaient de plus en plus. Yolande, dont les épaules avaient tendance à se voûter, avait adopté le noir de Marthe, la longueur de ses jupes aussi. Leurs visages reflétaient le même souci.

La patience de Yolande était mise à dure épreuve lorsque Jean lui tenait tête. Celle de Marthe était d'une autre qualité et pouvait supporter plus vaillamment l'impertinence du gosse effronté. Elle ne se laissait pas abuser par ce qu'il laissait paraître, par le masque qu'il portait. Elle écoutait les messages qu'il lançait à travers ses actions incohérentes. Même si Jean développait l'art du camouflage psychologique, elle sentait parfois sa confusion, sa solitude et, davantage encore à travers cette nonchalance affectée, sa crainte de dévoiler toute faiblesse. Et toujours elle se comportait avec lui comme une amie, essayant de lui apporter constamment la preuve d'un amour inconditionnel. Elle ne pouvait faire mieux.

Elle touchait sa vérité.

Jean se sentait jugé, soupesé, testé, moqué par son père. Tous ces sentiments venaient de la forme de mépris sarcastique et de la dérision avec lesquels Claude s'adressait à lui quand il en avait l'occasion. Celles-ci étant toutefois rares, Jean cherchait à les créer ; il suffisait pour cela de rendre son père témoin d'un conflit avec Yolande ou Marthe, ou même Marcel. Et lorsque c'était le cas, il y avait toujours, venant de Claude, des sous-entendus qui renforçaient les sentiments de Jean.

Claude jouait avec lui à un jeu ambigu.

Mais où en était-il lui-même ?

Si l'école n'était pas son souci majeur, elle devenait

un problème. Les professeurs décrétaient que Jean étaient doué mais fainéant et rebelle, et lui prédisaient un avenir de vaurien.

Sa relation avec Gilles grandissait sur un pré-chemin délictueux.

Avoir apporté le globe à Charles, plus d'un an auparavant, n'avait en rien raccourci le délai de leur acceptation dans le clan du voyou.

— Pour la mère, il faut que l'un de nous reste sage, expliquait celui-ci à son jeune frère pressé de grandir, prononçant les mots comme s'il devait faire rentrer des notions scolaires dans la tête d'un enfant pas très futé.

Charles interdisait même catégoriquement à Gilles de considérer son droit d'entrée dans la grotte comme un ticket d'adhésion, et lui promettait la pire des corrections s'il se laissait aller à quelque méfait. Soumis à ce chantage paradoxal, Gilles rongeait son frein mais avait fait accepter Jean dans la maison, où ils se retrouvaient souvent ensembe, quand Jeanne Rénier se rendait à ses travaux de ménage. Là, les deux amis écoutaient, tout ouïe, les récits de François, qui ne ratait pas une occasion de vanter les mérites de son idole. Et quand Charles revenait de ses virées avec quelques types peu recommandables issus de la grande ville, il se taisait, lui demandant de leur conter ses dernière frasques.

Sans pratique, les deux enfants baignaient dans les méfaits de leurs aînés.

Et en dehors de cette ambiance perverse, une autre relation grandissait, tout doucement, à la vitesse de ces amitiés inavouées mais sûres et tenaces. Il arrivait à Jean et Emile Brun de se rencontrer en ville. Jean était même allé chez son ami, deux ou trois fois, et avait admiré des maquettes de bateaux faites par le fils disparu. Silencieux, l'homme l'avait laissé s'emplir les yeux des objets délicats et des livres de collection, puis l'avait raccompagné jusqu'au trottoir. Il y avait dans le regard d'Emile Brun une étrange lueur que Jean définissait comme une peine indéracinable. Il retrouvait auprès de lui une douceur d'homme qui lui manquait, il se sentait compris et accepté pour ce qu'il était.

Lorsqu'il lui avait fait part de la visite de Marcel Baume, Emile avait rajouté très vite :

— Ne t'inquiète pas, ça ne m'a rien coûté d'englober la mappemonde avec les soldats. Comme je te le disais, on a bien le droit d'avoir des petits secrets. Qui n'en a pas ? Qui n'a pas un jour arrangé un peu ses affaires ?

Jean n'avait pas demandé de quelles affaires il parlait, mais le message était passé, il avait éprouvé de la reconnaissance et conservé le plaisir de leurs rencontres, au hasard des jours. Un signe, un coup de sifflet leur étaient souvent suffisants.

Cet après-midi-là, Emile Brun, sur l'insistance de Jean, était venu visiter la plate-forme de son jeune ami. Ils se tenaient l'un et l'autre assis sur le plancher, les jambes dans le vide, face aux champs. Le regard de Jean s'attarda sur la main posée à côté de la sienne. Elle était fine, soignée, elle n'avait pas dû connaître beaucoup de tâches manuelles. Ressentant toujours, à son contact, le même sentiment confus qui ne manquait pas de l'intriguer, Jean prit conscience qu'il ne connaissait rien de cet homme, à part sa peine échappée avec pudeur. Il se mit à lui parler un peu des gens de la ferme, devant son air attentif.

— Mon père s'en fiche, de mes notes.

— Ton père ne s'intéresse pas à ce que tu fais ?

— Non.

— Il doit y avoir une raison... Il y a toujours une raison à tout... Tu lui ressembles, à ton père. Physiquement. Moralement je ne sais pas, mais en général on ressemble à ses parents, c'est une histoire de gènes. Quand ils s'entendent bien, un père et un fils pensent et réfléchissent de même. Et puis avec le temps, le fils devient adulte à son tour et a envie de surpasser le père. C'est souvent comme ça, c'est normal. Il y a de la fierté dans les deux sens. Toujours.

— Alors si un père est voleur, le fils le deviendra aussi ? dit Jean sans la moindre émotion.

— Ton père... ?

— Il a fait neuf ans de prison. Un braquage de banque.

— Ah... Il t'en a parlé ?

— On se parle jamais.

— Et quand tu fais des bêtises, il réagit comment ? Il est content ? Ennuyé ?

— Plutôt content, mais je crois bien qu'il s'en fout.

— Parce que ce n'est pas important. Je veux dire, ça ne rentre pas dans ce qu'il trouve important, lui. Si ton père a fait de la prison aussi longtemps, ce n'est pas pour rien. Neuf ans, c'est une lourde peine. Il doit avoir une idée du mot « important » assez forte. Bon, bien sûr, tu ne peux pas le tester en faisant le plus gros casse de la ville ou en fauchant la voiture du maire... Mais je suis surpris de son manque d'intérêt pour toi. D'autant qu'il a été privé de ta présence pendant si longtemps... Oui, un sacré test, reprit-il, pour t'assurer s'il est de ton côté ou non. Mais c'est une chose que tu ne feras pas.

— Pourquoi ?

— Parce que finalement tu n'es pas comme lui et il le sent bien. C'est pour ça que tu ne l'intéresses pas. Ne t'inquiète pas, ça arrive aussi que les fils ne soient pas comme les pères. Peut-être que tu ressembles davantage à ta mère.

— Ça m'étonnerait.

— Elle est comment ? Tiens, voilà ton jeune ami, ajouta Emile Brun face au silence de Jean.

Gilles arriva bientôt au bas de l'échelle, un peu transpirant de sa course. Jean lui avait demandé de venir l'aider à récolter le miel.

— Jean ? fit à ce moment une voix fluette venant du hangar.

Agacé, Jean haussa les épaules tandis qu'Emile Brun se relevait en chuchotant.

— C'est ta grand-mère ?

— Non, c'est la folle.

— La folle ?

— Ma tante. Elle parle aux morts, à leurs fantômes, elle lit dans les pensées. Elle est complètement frappée.

Emile Brun s'en alla, un doigt en travers d'un sourire. En passant auprès de Gilles, il lui effleura la tête en guise de salut.

Ce que Marthe capta, quelques minutes plus tard, dans le regard de Jean la laissa blême et pensive au milieu de la cour.

— On dirait que tu as vu le diable, lui jeta Yolande

qui passait par là, les bras chargés d'herbe pour les lapins.

Elle regarda les deux garçons qui se dirigeaient vers les ruches où les attendait Marcel et rajouta, au bord du rire :

— Ne t'inquiète pas, c'est son libre arbitre. Il choisit de te rendre chèvre.

L'après-midi était chaud, les abeilles avaient été enfumées et les rescapées voletaient, lourdes et déroutées, tout autour de Marcel, encapuchonné dans son habit de cosmonaute. Gilles s'intéressait à la vie du rucher.

A l'ombre d'un immense platane, Jean, morose, restait en retrait de l'éloquence professorale de Marcel. En habitué, il entreposait les cadres dans l'extracteur, une sorte de grosse lessiveuse en fer, après avoir tranché leurs bouchons de cire à l'aide d'un désoperculateur. Ensuite, il tournait la manivelle de l'appareil. Sans véritablement écouter les autres, il se concentrait sur le liquide ambré, sirupeux et lisse, qui coulait des alvéoles comme de l'or en fusion.

— La reine pond sans interruption de mars à octobre, pendant cinq ans, disait Marcel, sa ridicule cigarette sèche tressautant au bord de sa bouche. La majeure partie de la population d'une ruche est composée d'ouvrières, des abeilles femelles inaptes à la production. Les abeilles mâles sont des faux bourdons, leur corps est plus gros mais ils ne piquent pas, ils ne servent à rien et sont chassés de la ruche en automne.

— Qu'est-ce qu'ils deviennent ?

— Ils meurent très vite.

— Et les autres ?

— C'est sur elles que repose tout le fonctionnement de la ruche. La reine pond, et les abeilles se soumettent à des règles communautaires. Durant les dix premiers jours de leur existence, elles nettoient l'intérieur de la ruche, nourrissent les larves.

— Avec quoi ?

— Une sorte de bouillie faite de pollen et d'une substance sécrétée par la glande salivaire. En même temps, elles commencent à sortir aux abords de la ruche pour apprendre à s'orienter. Et puis, entre dix et vingt jours, la glande salivaire régresse et des glandes cirières apparaissent sous leur ventre, qui produisent des écailles de cire.

— Qui vont servir à quoi ?

— Malaxées par leurs mandibules, elles deviennent des boulettes qui vont servir à la construction des rayons.

— Ça ? fit Gilles, penché sur les cadres.

Cela prit Jean d'un coup.

Inexplicablement soulevé par une vague de nostalgie, l'enfant ne put se défaire d'un étrange malaise, concrétisé par un picotement léger sur le dessus des mains. Le vieil homme aimait sa récolte annuelle, il aimait ses abeilles comme il aimait son verger, il n'aurait manqué pour rien au monde ces rendez-vous avec le miel. Cela suffisait-il à expliquer à Jean l'impression de sa présence immatérielle ?

— Oui. Ces rayons sont faits d'une double rangée d'alvéoles. Certaines sont destinées aux œufs, d'autres au stockage du miel. Des abeilles vont se charger des œufs, d'autres du stockage, d'autres encore vont s'occuper du pollen ramené par leurs copines, une équipe se débarrasse des abeilles mortes, une autre monte la garde devant la ruche.

— Pour faire quoi ?

— Pour chasser les intrus.

Des paroles de Marthe revinrent à la mémoire de Jean tandis que sa pensée du pépé se faisait plus persistante, insistante... Il avait mal parfois de ces souvenirs qui lui tombaient dessus au détour d'une conversation ou d'un geste, ou même à l'improviste et sans raison particulière... Le cœur battant, il se surprit à attendre.

— Donc, dès son vingtième jour et jusqu'à sa mort, c'est-à-dire cinq semaines plus tard si elle est née au printemps ou en été, l'abeille se consacre à la récolte du pollen et du nectar des fleurs.

— Et les autres ? Celles qui sont pas nées au printemps ou en été ?

La tête baissée sur son travail, Jean pouvait donner le change. Il profita de la conversation des deux autres pour s'habituer à cette sensation à la fois diffuse et incertaine, trompeuse et douloureuse. Qui l'accablait de regrets, un quart d'heure à peine après avoir imaginé un complot pour se faire accepter de son père, lorsqu'il repensait aux virées en tracteur, au travail aux champs, à la tournée des bêtes, à la soupe allongée de vin, à l'odeur de la paille, à la blondeur du blé... Le bonheur aux côtés du géant... Et cela se précisa. Une acuité nouvelle aiguisait sa perception...

Il releva la tête, presque certain de la présence amie.

— Celles-là, elles passeront l'hiver. Tiens, regarde, voici une ouvrière, regarde ses pattes. C'est ici qu'elle va amasser le pollen, cette poudre jaune que l'on trouve sur les étamines des fleurs et qui lui donne sa dose de protéines. Avec ses pattes, elle le rassemble en pelotes qui viennent se mettre sur ses pattes arrière. Dans la ruche, elle le dépose dans des alvéoles spéciales. Passons à l'ouvrière du nectar, ce liquide sucré qui sert à la fabrication du miel. Pour le recueillir, l'abeille allonge sa langue au fond de la corolle, aspire le suc puis l'envoie sans son jabot que quelques dizaines de fleurs suffisent à remplir. De retour à la ruche, elle dégurgite sa marchandise et la distribue aux ouvrières chargées de la transformer en miel.

— Qui la transforment comment ?

Cela se spécifia davantage, comme une ombre qui flottait devant lui, au milieu des gestes et des mots de Marcel. Jean suspendit son souffle, regarda les deux autres qui ne s'apercevaient de rien, revint sur l'image irréelle, cligna des yeux.

« Bonjour, ma crevette. »

Jean sursauta. Eperdu. Effaré. On ne l'avait plus appelé comme cela depuis… Et la voix, mon Dieu, sa voix… qui venait de résonner en lui à travers ses propres pensées… Bouleversé, Jean devait être plus blanc que le blanc de son tee-shirt. Il regarda les autres, s'attendant à les voir lever le nez, étonnés. Ils n'avaient pas pu ne pas entendre. Mais Marcel poursuivait sa leçon, tout à fait naturel. Machinalement, sa main partit dans la poche de son short à la recherche de l'objet fétiche, où elle resta à tâter dans le vide. Son cœur fut littéralement broyé avant de cesser de battre, pour redémarrer dans un douloureux sursaut. Il avait perdu la montre ! Il avait perdu la montre ! Hagard, il ne vit plus rien d'autre que des taches d'ombre et de soleil qui se mouvaient à travers la légère ondulation des ramures. Il balaya le sol dans un cercle d'abord restreint, puis élargi, tandis que les deux autres continuaient leur bavardage.

— Leurs bouches sécrètent des enzymes, il y a une réaction chimique qui se poursuit dans les alvéoles. Voici comment naît le meil. Il est ainsi rangé, en réserve pour l'hiver, les alvéoles sont fermées par une mince couche de cire.

— C'est ce qu'on débouche aujourd'hui.

— Exactement. Viens voir couler le beau miel. Que cherches-tu, Jean ?

— La montre, souffla le gosse d'une voix brisée.

Tous trois fouillèrent le sol et les environs.

Les recherches s'avérant inutiles, Jean partit en courant dans sa chambre. Là encore, après avoir tout retourné, il ne trouva rien et fut désespéré. Enervé, sa chienne sur les talons croyant à un jeu, il se mit à arpenter la cour, visiter les annexes, contrôler la grange, le hangar, sans répondre aux questions des femmes, intriguées par son manège.

— Il a perdu la montre du Toine, l'animal, leur expliqua Marcel quand elles vinrent se faire expliquer une telle agitation.

Ils remarquèrent alors Gilles, agenouillé à l'écart, armé de son canif, en train de charcuter, c'était le mot, quelques abeilles avec la précision d'un chirurgien.

— On ne tue jamais une abeille, nom de nom ! s'emporta Marcel.

— Je voulais voir leurs glandes cirières et leurs sacs de pollen.

— Attention, tu vas te faire... Trop tard ! Il ne

fallait pas bouger, fit Marcel, qui avança les doigts vers l'avant-bras du garçon.

— J'ai fait exprès, répondit Gilles en l'empêchant de toucher à l'abeille qui s'arrachait l'abdomen.

— Mais... tu es fou.

— Je voulais son dard.

— Tu n'as pas mal ?

— Non, fit l'enfant qui récupérait l'arme à venin. Elle va mourir ?

— Oui. Et toi, tu n'as pas mal, ben ça...

Jean revint à ce moment. Son air renfrogné retint les remarques, même celles de Yolande, qui n'en pensait pas moins.

Le lendemain matin, Jean émergea d'un sommeil plus qu'agité. La veille au soir, il avait encore chamboulé la chambre, cherchant à se souvenir d'un élément, d'un geste qui le mettraient sur la piste de l'objet. Et puis, allongé dans le noir, il avait plus de cent fois repassé au ralenti le film de son hallucination. Comment pouvait-il nommer autrement sa perte de raison ?

Il ouvrit les yeux et regarda le mur blanc, sentant la déception et le remords revenir à la charge. Il tourna son visage vers la fenêtre, dont il ne fermait jamais les volets en été. Le temps serait identique à celui du jour précédent.

Ce fut en s'habillant qu'il la vit.

Etalée sur le fauteuil. Bien en vue sur le velours vert bronze. Magnifique de dorure et de cuir, le vieil objet semblait lui confier le bonheur de son retour.

Soudain allégé d'un énorme poids, le cœur de Jean

s'envola vers Marthe et Yolande, avec la spontanéité d'autrefois. Rapidement, il finit de se vêtir et descendit l'escalier d'un pas aérien, le sourire aux lèvres, presque oublieux de ses envies de meurtre, de déplaire, de ses promesses de mener la vie dure à ceux d'ici.

Où avait-il bien pu la perdre ?

Marthe ne put empêcher son œil de s'arrondir face à la mine réjouie de Jean, dans laquelle la gentillesse semblait retrouver sa place. Elle examina l'enfant qui la dévisageait aussi, qui ouvrait la bouche et la remerciait pour... Pour quoi ? La montre ? Son air trahit son innocence. Jean se raidit.

— C'est peut-être... se hasarda-t-il.

— Elle me l'aurait dit, répondit lentement Marthe. Ainsi, tu as retrouvé la montre... Elle était sur le fauteuil ce matin, alors qu'elle n'y était pas hier ?

Quelque chose s'éternisait entre eux, qui continuaient à se dévisager sans oser aller plus loin. Quelque chose de fragile, qui ferait fuir Jean si Marthe émettait un seul mot qui serait de trop. Jean n'attendait-il pas une maladresse de sa part pour se donner à nouveau bonne conscience dans un éclat de colère ? Mais elle ne dit rien, se servant de ce silence même. Celui-ci dura encore une bonne minute, qu'ils passèrent, l'un debout face à l'autre, à cacher une émotion. A sentir les liens forts que les circonstances, même pénibles, n'avaient pu dénouer. A recevoir de l'autre un subtil pouvoir.

Marthe sentit enfin la résistance de l'enfant tomber.

— Es-tu prêt à m'écouter ? demanda-t-elle avec

douceur. Je ne te demande pas de me croire, seulement de m'écouter.

Parce qu'il lui était arrivé une chose inconcevable la veille dans l'après-midi, parce que la voix avait résonné à ses oreilles, même s'il en doutait maintenant, et surtout parce qu'elle allait lui parler du pépé, Jean voulut bien écouter Marthe.

— Tous ceux qui n'ont pas connu ce genre d'expérience ne peuvent l'admettre, et pourtant... A l'instant même où tu doutes, où tu souffres d'une absence, un objet, tel que la montre que tu cherchais, peut soudain apparaître sans raison. Or, les « choses » n'arrivent pas par hasard, elles ne se contentent pas de surgir au bon moment. Le pépé a peut-être quelque chose à te faire savoir. Tu pourrais même sentir l'odeur de son tabac, entendre un de ses airs favoris, ce seraient autant de signes pour te convaincre qu'il n'est jamais loin de toi, jamais plus loin qu'une pensée. Il te suffit de penser à lui pour sentir sa présence réconfortante si tu es vraiment ouvert. Pour cela, tu dois rester attentif et sans peur à chaque pressentiment, à chaque intuition que tu reçois, rester à l'affût des signes et les recevoir, ne pas les écarter comme une création de ton imagination. C'est ce que trop de gens font, ils remettent en question ce qu'ils voient, ce qu'ils pensent ou sentent, alors que l'intuition ne réside pas dans l'esprit mais dans l'âme.

Marthe arrêta ses explications car elle redoutait une volte-face de Jean. Elle lui en avait assez dit et était même surprise qu'il fût resté à l'écouter sans perdre patience. Son regard le sondait, il ne cherchait pas à le fuir, elle le sentait même bouleversé. De longues secondes passèrent encore, durant lesquelles leurs pensées s'entrecroisèrent, se lièrent, s'unirent. Jean recevait de Marthe un tel bien-être, une telle énergie, qu'il s'en voulut de l'avoir tant attristée ces dernières années. Le masque tombait...

Hélas, Yolande arriva sur ces entrefaites, rompant le charme de la réconciliation. Il leva la montre devant ses yeux, avant qu'elle ne parle.

— Eh bien ! Tu l'as trouvée ? Où était-elle ? s'exclama-t-elle, sincère.

— Derrière l'armoire.

8

Un sursis sembla emplir la maison jusqu'à la fin de la semaine, durant lequel Jean, sous l'œil narquois de son père, parut de meilleure composition. Cela arrangea les autres de penser que la crise était sur le point de passer.

Mais ses mauvais sentiments allaient à nouveau l'emporter vers son désir d'autonomie pour se confronter à Claude.

Gilles avait ses entrées à la ferme et paraissait s'y plaire. Cela contribuait à rassurer Marthe, qui tenait ainsi les deux garçons à l'œil. Ce qui n'empêcha pas l'enfant blond de trucider deux poussins et de les enfiler dans la poche de son blouson. S'apercevant de son manège, Jean lui écarta le bras d'un geste sec et découvrit les deux bestioles encore chaudes, au tendre cou amolli, aux yeux vitreux. Son regard déçu et plein de colère rencontra celui de Gilles, empreint d'une espèce d'inhumanité, pour ne pas dire de sauvagerie.

— Tu n'as pas le droit de faire ça !

— C'est pour ma collection. Il y en a plein d'autres, ici, répondit Gilles en haussant les épaules.

L'emportement de son ami ne le touchait pas plus que son geste, et ses yeux restaient durs.

— Ils ne sont pas à toi ! Ils ne t'ont rien fait ! reprit Jean en caressant les doux duvets jaunes. Je t'interdis de recommencer !

— D'accord. Je peux quand même les prendre ?

Il savait que Jean ne pouvait apporter sans explication les cadavres des deux poussins aux femmes, ni envisager de les jeter dans les fourrés en pâture aux chats errants.

Il était temps de limiter les venues de Gilles à la ferme.

L'épisode de la montre, après avoir créé un doute et ravivé sa tristesse, entra vite dans l'oubli. Jean surpassa son émotion sous le platane, se reprochant une faiblesse de fille. Quant à la réapparition miraculeuse de l'objet, il en faisait maintenant l'impasse, terriblement tenté d'accuser Marthe de l'avoir manipulé. Comment imaginer, sans sombrer dans l'absurde, la plus infime possibilité – possibilité inouïe – d'accorder un tel pouvoir aux morts ? L'esprit de Jean ne pouvait accéder à une telle vision, vérité insensée de Marthe, qui signait une fois de plus sa folie.

A vrai dire, il y avait bien plus important à gérer, maintenant qu'il avait goûté à la fraternité du clan Rénier.

L'adolescent qu'il était, qui cherchait son identité depuis le décès du pépé, qui ne savait capter le regard de son père, qui éprouvait un besoin de transgression pour se valoriser autrement, cherchait un relais ailleurs. Il se sécurisait auprès de ses nouveaux amis, faute de savoir qui il était.

D'autant plus que Charles avait passé et obtenu son permis de conduire, et acheté une Simca 1000 Rallye II d'occasion, élargissant ainsi sa vie de mauvais garçon. Les histoires racontées étaient plus imaginaires et féroces, elles se passaient trop loin pour ne pas mériter un peu de mystère pour impressionner Gilles et Jean.

La réputation de l'aîné des Rénier n'était plus à faire dans la ville. Pourtant, les gendarmes ne prenaient toujours pas de véritable décision le concernant.

Ils l'ennuyèrent dans les rues de La Mure au volant de son véhicule reconnaissable, histoire de lui rappeler qu'ils l'avaient à l'œil. Goguenard, Charles, tout en leur présentant des papiers en règle, leur soufflait au visage la fumée de ses cigarettes, sous l'œil brillant de François.

— Méfie-toi, le caïd, nos collègues grenoblois sont plus méchants que nous, l'avertissaient les hommes en uniforme. Tu pourrais avoir de drôles de surprises. Et toi, le frangin, tu ferais mieux de prendre quelqu'un d'autre pour modèle.

Passant maintenant la plupart de son temps à Grenoble, Charles n'avait pas délaissé son chez-soi murois pour autant, conscient de ses responsabilités d'aîné dans la fratrie. Lorsqu'il revenait, il emmenait les gosses faire un tour jusqu'à Vizille, en empruntant la route de Laffrey, bien connue pour sa dangereuse côte.

Le plaisir de Jean et Gilles s'équilibrait en fonction de ses retours.

Sitôt qu'il était en route pour Nantizon, Jean espérait que Charles serait dans le coin. Les mois passèrent ainsi, durant lesquels il leurra les habitants de la ferme, pour laquelle il conservait un minimum d'implication, ce qui faisait tolérer par la force des choses une indépendance accrue. Il en oublia aussi la sollicitude de monsieur Brun, qu'il lui arrivait de croiser ou d'apercevoir sur sa route.

Cet après-midi-là, la neige recouvrait tout d'une couche de dix à douze centimètres et adhérait au bitume. Jean arriva, les chaussures trempées, craignant que leur balade ne soit compromise, mais la voiture verte aux jantes élargies semblait l'attendre, garée devant le haut escalier de la demeure.

Les trois frères n'étaient pas seuls. Tout de suite, Jean sentit une ambiance nouvelle. L'inconnu lui fut présenté, un certain Alex, un garçon entre vingt-cinq et vingt-huit ans, grand et sec, aux oreilles décollées, aux incisives ébréchées, habillé mondain, écharpe en tweed et mocassins de crocodile. Son visage avait un peu de la fouine et son regard, trop mobile, passait de l'un à l'autre sans s'arrêter. Jean accepta une cigarette avec une assurance inhabituelle et se mit à rejeter la fumée comme son père, plein d'affectation.

— François et moi allons ramener Alex à Grenoble. Pas de balade pour vous, les mômes.

— Ah non ! râla Gilles.

— Pas aujourd'hui, trancha Charles.

— Bah, s'ils veulent venir, les loupiots… dit Alex, un sourire en coin et faisant un clin d'œil à Charles.

Jean ne calcula même pas l'heure à laquelle cela le ferait rentrer à la ferme. Charles aurait froncé ses épais sourcils devant toute forme d'hésitation et lui aurait montré la porte comme à un gamin subordonné.

Alex tint à conduire, Charles lui passa les clés et s'installa à ses côtés. Les trois autres s'engouffrèrent à l'arrière malgré les arceaux de sécurité, Jean au milieu des deux frères.

Et le cirque commença. Par un demi-tour glissant en bout de cour, un dérapage au frein à main qui ravit les passagers, avant que leur cœur ne soit chahuté. Alex était un pro de la conduite et se régalait en semant la panique dans l'habitacle sur une route dont l'enneigement corsait l'affaire, rendant toute erreur fatale. Aucun pourtant n'aurait avoué sa frousse et Jean priait pour ne pas vomir. Dans la descente de Laffrey, la neige avait disparu. Les dérapages devinrent moins risqués, mais les dépassements furent accompagnés de furieux coups de klaxon. Le moteur rugissant sous la poussée des vitesses donnait à l'arrière un constant sentiment d'insécurité. François savait qu'il était testé et devait donner le change. Jean ne pouvait faillir si Gilles parvenait à tenir le coup, et ce dernier était sans nul doute le seul que rien n'affolait dans le tumulte des chevaux emballés. La vitesse augmenta à partir de Vizille, où la route maintenant sèche permit de prendre les virages tout en travers dans un continuel crissement de gomme, jusqu'à Grenoble, en passant par Brié et Angonne.

— Je vais pouvoir changer les quatre pneus, tu y vas fort, ironisa Charles.

— Avec ce que tu vas palper, je vois pas où est le problème, rétorqua l'autre, concentré.

L'avenue d'Eybens, celle de Jean-Perrot furent franchies elles aussi en un temps record et Alex, d'un pile de virtuose, stoppa la Rallye II devant le Clos d'or.

— Je vous abandonne, fit-il en ôtant sa ceinture de sécurité. Bravo, les frangins, vous êtes des mecs, reconnut-il en se retournant.

Charles et lui échangèrent quelques mots à l'extérieur, puis Alex partit à grandes enjambées dans une rue transversale, à travers un froid piquant.

— Il a l'air d'un dur, cet Alex, fit François en s'intallant aux côtés de Charles.

— C'est un dur. C'est le bras droit de Nany, un chef de bande du quartier de l'Abbaye.

— Qu'est-ce qu'il fait ?

— Banques, transport de fonds, drogue. Il nous quitte parce qu'il a une livraison à faire.

— Il a dit que tu allais palper gros, de quoi il parlait ?

Charles regarda les jeunes dans son rétroviseur et vit leurs yeux rivés sur les siens. Il sourit, se pencha, ouvrit un coffre sous le tableau de bord et invita François à sortir ce qui ressemblait à un paquet de chiffons sales. Ce dernier démaillota les linges et se retourna, la mine aussi émerveillée que s'il avait gagné à la loterie.

— Regardez, les merdeux, fit-il.

Les gosses en restèrent la bouche ouverte et le souffle coupé. François tenait un revolver à pleines mains.

— C'est un 7,65, fit Charles. Allez, range-le.

— Il est chargé ?

— Il est chargé. Range-le.

François obtempéra, manipulant l'objet comme s'il avait été taillé dans du diamant brut.

Jean regarda Gilles, sûr qu'il réfléchissait déjà à un

nouveau moyen de faire passer de vie à trépas ses ennemis du règne animal.

— J'ai un rendez-vous, je vous emmène au Carré.

Vaste bar qui ne payait pas de mine dans un quartier reculé limitrophe de Grenoble, le Carré était bondé, enfumé, résonnant d'une musique forte, de rires et de voix hurlantes. Le comptoir était assailli par des hommes un peu chauds qui se cherchaient querelle. Des joueurs de tarot ou de belote monopolisaient les tables. Une salle en retrait semblait être le domaine réservé des jeunes, qui buvaient des bières ou d'autres alcools tout en jouant au flipper et au billard.

Charles laissa ses complices et s'esquiva par un escalier pour aller à l'étage, où des chambres servaient pour des rendez-vous clandestins.

François joua des coudes pour accéder à un coin relativement disponible de la salle de jeu à l'air vicié. Instinctivement, Gilles et Jean avaient remonté les épaules, adoptant l'allure des garnements. Tout le monde dévisagea mais n'intimida en rien ces nouveaux arrivants qui s'installaient en habitués des lieux, le front levé, le regard plissé et dur, la lèvre dédaigneuse. François commanda trois bières à la serveuse, une blonde longiligne que Gilles regarda sans vergogne depuis les seins jusqu'aux fesses. Des filles, de treize à vingt ans, fumaient autant que les garçons, buvaient leur bière, se laissaient peloter et embrasser à pleine bouche. Le maquillage de certaines avait quelque chose d'irréel, d'autres regardaient les mâles d'un œil de maquignon, quelques-unes fixaient les trois nouveaux et tiraient des conclusions qu'elles se confiaient en riant, cachées derrière leurs mains. François s'amusait à voir les deux qu'il continuait à appeler « petits » se rincer l'œil de chaque scène, prendre la mesure d'un monde nouveau, se surprendre à être intéressés par les filles, à vouloir même leur plaire au risque de découvrir leur gaucherie face à leur aisance, et redouter leurs rires canailles.

Enfin, Charles revint, accompagné d'une fille aux longs cheveux noirs nattés dans le dos.

— Voici Isabelle.

Isabelle connaissait François, qu'elle embrassa sur les joues avant de se pencher sur Jean et Gilles. Un parfum suave envahit leurs narines, et les lèvres rouges leur parurent douces. Elle avait des yeux bruns étirés, des sourcils effilés, un menton court et pointu. Son sourire était aguicheur et un peu vulgaire, Gilles était hypnotisé par la bouche aux dents écartées. Jean ne pouvait éviter de plonger son regard dans le décolleté vertigineux.

— Hé ! Tu vas les faire fondre à les regarder de cette façon ! rigola Charles.

— Leurs hormones commencent à les travailler, se moqua François en donnant à Gilles une tape affectueuse derrière la tête, je l'ai surpris à se masturber l'autre soir.

Isabelle sourit, compréhensive, et redressa la poitrine, consciente de son charme. Charles, détendu, commanda une autre tournée avant de l'asseoir sur ses genoux d'un geste viril.

— Tu n'as pas des petites sœurs pour mes frangins ? plaisanta-t-il à travers les notes d'une musique de plus en plus forte.

Amusée, Isabelle fit un signe à trois péronnelles qui

n'arrêtaient pas de les reluquer depuis leur coin. Elles se déplièrent, comédiennes nonchalantes, et vinrent à leur table la bouche encombrée de Malabar, la cuisse découverte, les mollets gainés de longues bottes. La plus jeune posa ses fesses tout contre celles de Jean, une fille de quinze ans tout au plus, aux cils englués de mascara noir. La voisine de Gilles, une blonde lascive, devait avoir dans les vingt ans et le salua d'un baiser sur la bouche. Gilles ne broncha pas. Jean tenta de cacher sa gêne lorsqu'une main s'égara sur sa cuisse. Le naturel semblait être le mot d'ordre. Il se détendit, se retint de se tortiller quand la main remonta très lentement, légère, experte. Il rougit jusqu'aux oreilles lorsqu'il se mit à bander sous la caresse sensuelle. La respiration courte, il fut déçu que cela s'arrêtât, lut de l'ironie dans les yeux de la fille, cacha sa timidité et sa faiblesse, joua le blasé, habilla son sourire d'une ironie identique, soutint le regard de Charles ; dur travail de composition pour une première sortie, mais qui lui laissa un merveilleux sentiment de puissance.

Le retour se fit dans l'euphorie. La nuit avait déjà dévalé les monts, confondant tout dans une triste grisaille. Ils reprirent la neige à mi-hauteur de Laffrey.

— Comment vous la trouvez, Isabelle ? demanda Charles.

Chacun la trouva formidable, bien entendu.

— Elle est mieux que ça. Elle est... Elle a un cul... Enfin, vous me comprenez, elle aime ça... On fait l'amour comme des bêtes, je l'ai dans la peau, cette fille. J'envisage de m'installer avec elle. Il va falloir revendre une partie de notre stock, j'ai besoin de fric. Ce putain de temps contrarie mes projets, car pas question d'aller dans notre cache avec toute cette neige.

— Mais ce coup qui doit te rapporter ? intervint François.

— C'est prévu pur bientôt.

— Tu ne veux pas nous en dire plus ?

— C'est toujours mieux de ne rien savoir quand les flics viennent vous questionner, fit Charles d'un ton paternel. Mais je vous raconterai tout. Promis.

Aucun d'entre eux ne s'attendait à voir les gendarmes à la sortie de Pierre-Châtel. Ils furent arrêtés parce que ceux-ci reconnurent la voiture du crack Rénier et décidèrent une fois de plus de l'irriter.

— Nom de Dieu ! pesta François à la vue des uniformes.

— Du calme, surtout du calme ! leur asséna Charles. Sinon, c'est la prison pour tous !

Bravade ou ironie, inconscience ou bêtise ? Chacun se tint coi, le cœur battant, à la merci de la débrouillardise de leur chef.

Celui-ci abaissa sa vitre et sourit au capitaine Durand comme à une vieille connaissance.

— Vous devez vous les geler, mon capitaine. Il fait un froid de gueux et voilà qu'il se remet à neiger.

— Tes papiers, s'il te plaît.

— Vous me les avez demandés la semaine dernière et la semaine d'avant. Ils vont s'abîmer, à force, vous êtes sévère.

— Arrête de discuter.

Sans s'occuper des documents, le capitaine braquait sa lampe torche sur les trois garçons à l'intérieur, s'attardant sur Jean et l'examinant sous toutes les coutures.

— Vous frappez pas, c'est un ami, lui dit Charles en rigolant. Je ne fais pas dans le rapt d'enfant.

Le capitaine fit le tour du véhicule, s'arrêta près de François, frappa à sa vitre afin qu'il la descende et se pencha pour regarder à l'intérieur d'un œil soupçonneux.

— Qu'est-ce que vous transportez ?

— Rien de rien.

L'œil du gendarme se figea sur le coffre de bord, fit un geste, mais Charles l'arrêta, guilleret :

— Vous n'avez pas le droit, capitaine ! Propriété privée. Mais, rassurez-vous, je le fais pour vous.

Et ce disant, Charles se pencha devant son frère, ouvrit l'abattant.

— Voyez : des torchons, des bricoles.

— Tu peux ouvrir ton coffre ?

— Vous tenez vraiment à me retarder.

— Ne fais pas le mariole.

— OK, OK, je l'ouvre.

Quelques minutes après, Charles revint s'installer au volant en se soufflant sur les mains, se permit un au revoir dégoulinant d'obséquiosité et démarra, pour éclater de rire quelques dizaines de mètres plus loin.

— Vous avez vu comme on les berne, ces cons ? Ils se croient toujours plus malins que les autres.

— Tu es complètement malade, gémit François, le front moite. Et s'ils t'avaient demandé de déballer ces chiffons ? J'en tremble encore.

— Ils ne l'ont pas fait, non ? Ils n'ont pas le droit d'entrer un seul pouce à l'intérieur de la voiture, sauf s'ils ont un mandat ou s'ils font partie des douanes. Je me suis rencardé, tu penses bien. Et tout est histoire de psychologie. C'est comme au poker, ce qui compte c'est de savoir jouer avec les mauvaises cartes en essayant de deviner le jeu des autres à travers leurs tics, et de se maîtriser, de ne jamais se laisser submerger par l'émotion. Sinon, tu es cuit. Gilles saurait faire cela parfaitement, n'est-ce pas, mon petit blondinet ? fit-il à son frère par l'intermédiaire du rétroviseur. Vous voyez, les gars, je prends mon pied, je deviens un accro de l'adrénaline, vous ne connaissez pas cette joie de la peur dépassée. La trouille au ventre donne du piment à ma vie, et je les baise tous, ces enfoirés qui font les lois comme ça les arrange.

— N'empêche que tu m'as fichu la trouille, répéta François, cassant l'euphorie de son frère.

— Si tu n'es pas capable de dépasser celle-là, tu ne pourras jamais entrer dans la bande, décréta Charles, cinglant.

— Moi, ça me dirait bien d'y entrer, fit Gilles.

— Toi, tu es taré, lui répondit Charles en se mettant à rire.

— Mais tu viens de dire…

— Toi, tu es trop, dans l'autre sens. Tu n'as jamais peur de rien et tu prendrais des risques inconsidérés. Oui, c'est ça, tu es le roi de l'embrouille côté émotion, mais tu es taré.

Tous se joignirent au rire de Charles.

— Je te ramène ? lança celui-ci en se tournant vers Jean quand ils arrivèrent à Nantizon.

— Ça m'arrangerait, merci.

Charles relança la course de la Simca et ramena Jean à bon port, juste devant le portail. La voiture repartit aussitôt, le moteur exagérément poussé, tandis que Jean ouvrait la porte de la maison devant des mines renfrognées, accueilli par une forte odeur de choux qui accompagnaient de la chèvre salée.

— C'est à cette heure-ci que tu rentres ?

— Il t'est arrivé quelque chose ?

— Où étais-tu ?

— Tu as l'air d'avoir froid, on se faisait du souci.

S'il n'y avait eu son père et son air toujours aussi déplaisant et sûr de lui, Jean aurait protesté, aurait laissé les femmes à leurs tourments et aurait pris la direction de sa chambre.

— La voiture qui vient de repartir, c'était celle du fils Rénier, je parie, reprenait Yolande. Je ne veux plus que tu le fréquentes, celui-là. Le petit, ça va encore, mais l'aîné ne peut que t'entraîner à faire des mauvaises choses. Mais... tu sens la cigarette, tu sens comme dans les mauvais tripots ! Où as-tu été ? Et... (elle s'était rapprochée et le reniflait comme s'il avait été un gigot daubé)... tu sens la bière ! Tu bois de l'alcool ! J'en étais sûre ! Tu tournes mal !

— La bière n'est pas tout à fait de l'alcool, intervint Marthe.

— Il a quinze ans et bientôt du poil au menton. Vous n'allez pas vous le garder en barboteuse, non ? fit Claude, flegmatique.

Jean regarda son père, qui limitait l'agression verbale dont il faisait l'objet. Alors il se redressa, fier déjà de son audace.

— J'étais à Grenoble.

— A Grenoble ? Que faisais-tu à Grenoble ?

— J'embrassais des filles dans un bar.

L'éclat de rire de son père colmata un peu de ce mur ébréché qui les séparait, confortant Jean dans sa volonté d'impressionner son géniteur.

9

Le lundi qui suivait le 4 décembre, jour de la Sainte-Barbe, patronne des mineurs, était un jour chômé à la mine. La solidarité de cette corporation, bien connue en cas de coup dur, se manifestait aussi durant les moments de joie. Tous les mineurs faisaient la fête et ce gros lundi, qui tombait le jour du marché, était généralement bien arrosé.

Claude Loubet n'était pas spécialement porté sur l'alcool, en tout cas guère plus que de raison, mais les jours de la Sainte-Barbe, s'il ne participait pas aux banquets organisés dans les cercles des différents quartiers, il traînait dans les bistrots.

Ce soir-là, Jean quitta le domicile, décrétant aux femmes qu'il rentrerait tard. Yolande fronça les sourcils et jeta un œil sombre à Marthe, qui n'avait pas bougé.

— On dirait vraiment que tu en as pris ton parti, fit-elle, coupante.

— Le parti de quoi ?

— De le laisser s'encanailler avec les Rénier.

— Il prend toutes mes remarques à contre-pied, fait systématiquement l'inverse de ce que je lui conseille, et fait son malin quand je proteste, dit Marthe calmement.

— Il a besoin qu'on le remette dans le droit chemin.

— Je constate que tu n'y réussis pas mieux que moi. Mais peut-être doit-il passer par cette étape pour se construire ?

— Jusqu'à ce que les gendarmes nous le ramènent, menottes aux poings ? Quelle honte ! Je n'ai pas apprécié de les voir, l'autre jour. Leur air de nous soupçonner de l'aider à cacher les larcins des Rénier ! Ah, ça ! Jamais de ma vie je n'avais eu affaire aux gendarmes ! Le père doit se retourner dans sa tombe !

Marthe restait de marbre. Elle aussi avait mal pris l'intrusion des hommes en uniforme.

— Encore heureux qu'ils n'aient rien trouvé, reprenait Yolande, remontée. J'avoue que je n'étais pas tranquille tout le temps qu'a duré leur visite. Et puis leur moue, à leur départ ! Ces sous-entendus, rapport à son père ! D'ailleurs, l'attitude de celui-là me sidère, il restait là, ne se souciait de rien, comme s'il n'était pas d'ici et qu'il ne s'agissait pas de son môme ! Il ne faut peut-être pas chercher trop loin pour comprendre pourquoi il file un mauvais coton, notre Jean ! En tout cas, le petit ange est en train de se transformer en diable, c'est moi qui te le dis ! Tu as vu son air devant l'inquisition du capitaine ? Le même que celui de son père : arrogant, à la limite du correct. Bon, il n'avait rien à se reprocher, mais quand même !

Le silence de Marthe l'irritait, pourtant celle-ci appréciait son analyse et la laissait conclure :

— Il n'a que nous, ce gosse, pour filer droit.

— Et sa mère ? se hasarda Marthe, mine de rien.

— Sa mère ! Elle l'a tellement ignoré, et ce n'est pas faute de le lui avoir reproché, qu'elle a récolté ce qu'elle a semé. Je crois bien qu'il la déteste. Tu as vu comme ils se rendent transparents aux yeux l'un de l'autre ?

Reconnaître les torts de sa fille, et par là même les siens en filigrane, énerva davantage Yolande. Sa manière de se rebiffer contre le sort fut d'agresser sa sœur.

— Alors ? Pour une fois, tu ne vois pas plus loin que cette porte ? Tu ne peux pas prévoir la fâcheuse suite des événements ? A moins, bien sûr, que tu ne t'inclines devant son libre arbitre et la loi du grand dessein divin ?

L'ironie blessante de Yolande raviva la peine de Marthe, qui souffrait de voir, à travers des visions funestes, la situation se dégrader irrémédiablement. Mais elle pardonnait à sa sœur dont elle comprenait si bien la frustration.

— On devrait arrêter de lui donner la pièce, proposa Yolande. Il ne pourrait pas aller consommer dans les bars.

— Je pense que son travail auprès de Marcel mérite reconnaissance. Et puis ne plus lui en donner serait le pousser à s'en procurer d'une autre façon.

— En tout cas, j'en ai touché deux mots à son père, reprit Yolande. Il m'a promis de lui parler.

— Je me méfie toujours de ce qu'il lui dit.

— Il m'a promis de lui faire la morale... Oui, je sais, ça peut faire rire, mais il me l'a néanmoins promis.

— S'il le fait, espérons qu'il aura la façon, répondit

Marthe qui aurait eu tant de choses à dire à Yolande sur les influences ou manipulations dont Jean faisait l'objet.

Son extrême sensibilité lui permettait de saisir les comportements respectifs du père et du fils, la déperdition d'une certaine énergie de Jean. Celui-ci subissait le mécanisme de domination de son père – un père qui démolissait toute sa confiance difficilement édifiée – et créait en retour son propre mécanisme de défense tout en cherchant un point faible chez Claude. Marthe assistait presque chaque jour à cet échange inconscient de tous. Lorsqu'elle sentait que l'enfant n'était pas très bien, elle lui insufflait à grands coups d'amour cette énergie volée en partie par l'homme qu'il voulait surprendre.

En ville, Jean commençait à fréquenter les bars avec Gilles, évitant toujours soigneusement celui dans lequel travaillait sa mère.

Ce soir de la Sainte-Barbe, le hasard – était-ce le hasard, vraiment, et non pas une accélération des événements ? aurait commenté Marthe – les amena, sa bande et lui, à l'Escale, le bar sans aucun doute le plus enfumé de la rue du Breuil, celui dans lequel se fourvoyaient des jeunes en mal de questions.

Charles, François, Gilles et Jean s'installèrent à une table non loin du fond, face au comptoir auquel s'agrippaient des hommes éméchés. Le brouhaha était à son comble, la musique incompréhensible, l'air irrespirable, les conversations trop fortes. Les quatre amis commandèrent des bières et réduisirent leur cercle en se penchant sur la table pour se raconter quelque histoire salace, examinés et critiqués par des curieux. Charles monopolisait l'attention et il en tirait une fierté qui se répandait sur ses acolytes. Tous se sentaient forts de cette espèce de différence revendiquée qui les mettait dans une catégorie à part. Charles était en train de raconter comment Nany, le caïd de la place de l'Abbaye, l'avait convoqué à une grand-messe.

— Il va me demander d'entrer dans sa bande, c'est certain, fit-il en forçant sa voix juste ce qu'il fallait pour se faire entendre de ses fans.

Face à lui, sa troupe ouvrait des yeux larges comme des soucoupes. Nany, c'était la référence des références.

— Je me demande bien pourquoi on dit que cette table est une table de voyous.

Les quatre têtes se redressèrent d'un seul coup.

— Je ne vois que des garçons bien sages.

L'œil brillant, les pommettes roses, Claude les regardait tour à tour, un verre à la main, avec un étrange sourire. Il se démarquait de tout le monde par le whisky, par sa veste cintrée certes démodée mais classe, par une attitude que beaucoup prenaient pour de la supériorité.

Jean avait blêmi, mais gardait contenance. Charles fixait l'intrus, hésitant sur la manière dont il allait réagir, sachant que les autres attendaient pour adopter sa cause. Gilles était le seul à examiner Claude sans arrière-pensée vindicative. Il regardait avec attention le père de son ami, qu'il n'avait jamais vu d'aussi près.

Avec désinvolture, Claude s'empara d'un siège de la table d'à côté, et pour s'installer face à Charles il obligea Gilles et François à se décaler. Les sourcils de son vis-à-vis s'étaient durcis.

— Je cherchais seulement un peu d'oxygène, ne te frappe pas, fit Claude en avalant d'un trait le contenu de son verre avant de claquer la langue.

— La porte n'est pas loin, rétorqua Charles.

— Je ne parlais pas de cet air-là.

Tous deux se fixaient intensément.

— Il paraît que tu taquines les flics ? reprit Claude.

— Et alors ? C'est dans vos cordes ?

— Ça ne l'est plus, pour être exact.

— Et ça vous manque.

La conversation se passait entre eux deux.

— Je voulais voir à quoi ressemblent les petits caïds d'ici, et j'avoue être déçu. Il n'y a pas plus de malfrats à La Mure que d'extraterrestres. Il n'y a que des gugusses qui essaient d'embarquer des mômes dans leur sillage et qui veulent jouer aux durs.

— Tu me provoques ? fit Charles, un brin menaçant.

Jean était vert d'angoisse.

— Je croyais respirer du bon air, celui des grands rêves qui vous poussent à viser haut, mais il n'y a que du bas de gamme ici, ce que j'appelle du pipi de chat, reprit Claude d'un ton sarcastique. Je vais pouvoir en rassurer quelques-uns.

Il avait prononcé ces derniers mots en plantant son regard dans celui de Jean. Puis il se leva, les salua tous avec son verre vide et leur tourna le dos, plus arrogant que jamais.

— Quel con ! s'exclama Charles. Il me cherche ? A ton avis, il me cherche, ton vieux ? s'en prit-il à Jean.

— Non, c'est après moi qu'il en a, répondit Jean, mal à l'aise.

Au moment où il tournait la tête, gêné par l'expression de Charles, il aperçut de face Emile Brun en conversation avec un type aux épaules effacées. Avec un air des plus absorbés, Emile écoutait l'autre et jetait de temps en temps des coups d'œil autour de lui. L'un de ceux-ci capta la surprise de Jean, à laquelle il répondit discrètement de la tête. L'autre se retourna et Jean vit une figure dure aux yeux enfoncés.

— Je n'aime pas ses manières, répétait Charles en suivant des yeux la silhouette de Claude qui se faufilait jusqu'à la sortie. S'il croit m'impressionner, il se trompe.

Son premier souci étant de ne pas déplaire à Charles, Jean préférait ne pas polémiquer et le laisser se calmer. Il se doutait du sens de l'intervention de son père : il y avait des deux enquiquineuses là-dessous. Son regard revint sur Emile Brun, mais il le vit s'apprêter à franchir le seuil du bar en compagnie de l'autre homme.

Lorsqu'il rentra ce soir-là, courbé pour échapper au mordant d'un vent glacial et s'appliquant à ne pas glisser sur les trottoirs encombrés de neige gelée, Jean eut un sursaut de frayeur. Il n'avait pas vu l'ombre qui stationnait à quelques pas du lampadaire, dans le renfoncement d'un mur.

— Eh, Jean, je t'attendais.

Il fallut que l'homme sorte de sa cache pour se faire reconnaître.

— Excuse-moi de t'avoir effrayé, je t'attendais, reprit Emile Brun, emmitouflé dans un long pardessus. Il fallait que je te parle, as-tu deux minutes ? On est près de chez moi, il fait un froid de canard.

Le ciel étoilé, lavé de tout nuage, ressemblait à un tapis de pierres précieuses. La lune buvait, son halo dispensait du mystère. La température allait descendre jusqu'à moins quinze degrés, cette nuit.

Indécis, Jean hésita, mais son silence fut pris pour un acquiescement. Emile Brun le précéda dans la bourrasque, et l'adolescent le suivit jusqu'à son appartement, s'installa dans un fauteuil comme son ami l'y invitait. Jean n'était pas revenu là depuis au moins deux ans. Rien n'avait changé, il se sentait toujours bien en compagnie de l'homme calme et discret, qui s'affairait dans sa cuisine pour lui préparer un café.

— Tu m'as vu tout à l'heure, au bar, avec un ami, expliqua celui-ci en le rejoignant avec deux tasses à la main. Il m'a appris que les gendarmes recherchaient la planque de ton copain Charles. Ils sont en train d'établir une surveillance. Il paraît même qu'ils sont venus chez toi et repartis les mains vides ? Tiens, prends un sucre.

Jean hocha la tête mais observa le silence.

— Au moins, ils ne reviendront pas de sitôt, dit Emile Brun en souriant et en sirotant son café. Je tenais à t'avertir pour que tu passes le message aux deux frères. Mais je voulais surtout que tu restes à l'écart de leurs affaires. Je constate que tu es bien souvent avec eux…

Jean restait toujours silencieux, attentif aux mots bienveillants.

— C'est à cause de ton père ? Quand il vous a accostés tous les quatre, j'ai vu sa désinvolture et l'air furieux de ton copain. On aurait dit qu'il vous narguait. Je l'ai même trouvé méprisant.

Jean acquiesça du menton.

— Apparemment, il ne s'intéresse toujours pas plus à toi. Ça ne s'arrange pas.

— Non, fit enfin Jean.

— Peut-être que tu devrais trouver un moyen de le faire réagir.

— Je m'en fiche.

— Je ne pense pas que tu t'en fiches autant que cela, fit doucement Emile. Un fils a toujours besoin d'épater son père. Le tien m'effraie de se comporter ainsi… C'est vrai ! Ce type a une trop haute opinion de lui-même !

Presque amusé, Jean le regardait se frotter nerveusement les mains, se lever, s'asseoir, se relever pour arpenter la pièce, revenir en face de lui et finalement abandonner une idée contraire à ses convictions.

— Mon Dieu, je ne sais pas ce qui me prend, mais… imaginer un père insensible à ce point, aussi indifférent à son fils, m'est difficilement supportable. C'est sans doute parce que je n'ai pas eu la chance de voir grandir le mien. Mes regrets de ne pas avoir passé plus de temps avec lui me taraudent…

Il regarda Jean qui le fixait étrangement.

— Les remords sont si douloureux à vivre, reprit enfin Emile Brun. Laisse tomber, je vais trop loin. Non, non, laisse tomber. Je ne voudrais pas te pousser dans l'erreur. Ça en serait une, crois-moi, de prendre le même chemin que lui.

Tous deux finirent leur café, perdus dans leurs pensées.

Quand Jean fut sur le point de s'en aller, Emile Brun lui posa une main affectueuse sur l'épaule.

— Il mériterait vraiment une leçon... Enfin, en tout cas, préviens tes amis.

10

Lorsque Jean rapporta l'objet du délit, la nuit était noire et glacée.

Arrivé au portail de la ferme, il écouta le silence, se retourna une dernière fois, toujours sur ses gardes. Son cœur avait presque retrouvé son rythme normal. Il escalada le portail afin d'en éviter le couinement pour ne pas réveiller les chiens enfermés dans l'écurie.

Crocheter la serrure de la voiture ne lui avait pas posé de problème particulier – il avait tant écouté Charles et François –, pas plus qu'arracher les fils de l'autoradio. La peur lui était tombée dessus quand il avait fallu sortir du véhicule ; il avait levé la tête, redoutant de voir une figure le surveiller à travers le pare-brise, mais personne n'avait contrecarré son manège dans la nuit complice d'une rue écartée. Ce fut cette obscurité justement qui l'oppressa, recelant peut-être un danger, une ombre, une filature. Un piège. Le cœur affolé, conscient tout à coup d'avoir franchi une limite, et non des moindres – voler un autoradio après avoir fracturé la portière d'une voiture n'avait rien à voir avec l'escamotage d'un objet de mémé Yolande pour le bienfait de la grotte –, le souffle lui manquant, il avait été à deux doigts de paniquer et de regretter déjà son statut d'enfant sage. Mais l'objectif était de taille, relançant le lionceau à travers les ruelles sombres. Cet objet déterminerait son appartenance au clan de son père.

L'euphorie l'avait gagné en imaginant l'éclat dans la pupille sombre. Il allait guetter l'amorce du sourire en biais. Un début de complicité. Un geste, enfin.

Fugace, l'idée l'avait ramené deux jours en arrière, face aux adieux affectueux d'Emile Brun, la seule personne qui lui donnait bonne conscience après Marthe et qu'il ne fuyait pas, car si proche de l'image conservée du pépé : à croire que les deux hommes partageaient quelques principes de vie.

Mais Jean avait déjà dépassé le stade du mot « conscience ». Entre le choix d'être sage et de rester anonyme et celui de gagner l'estime de son père sans décevoir ses amis, il y avait les mots extraits des propos d'Emile Brun, qui le projetaient dans une curiosité maligne. Prendre le même chemin que son père lui convenait. Connaître l'opinion que ce dernier avait de lui-même l'intéressait. Lui donner une leçon en lui démontrant de quoi il était capable l'excitait.

Le courage lui était revenu, il avait choisi les coins d'ombre, avait traversé le parvis de la belle église, cru un moment être épié, suivi. Son cœur avait à nouveau bondi. Il était reparti en courant à travers les ruelles vides et froides, terrifié à l'idée d'entendre un écho à ses pas.

Si le doute resurgit au moment où il rentrait chez lui, il le balaya d'un coup de témérité. Allons ! il venait de faire le plus dur. On allait voir si Emile Brun avait raison.

Jean fut fixé trois jours plus tard.

Tout d'abord, la colère de Yolande surpassa tout ce qu'il avait imaginé. Il eut droit à des gifles appliquées d'une main de bûcheron et croula sous des jurons dignes d'un charretier. La tempête ne se calma pas de sitôt. Il fut privé de repas, de sortie ; la porte fut fermée à clé et la clé enfouie dans le tablier de la geôlière. Partagée entre le besoin de punir, la peur et la honte mélangées, le désir de taire le délit, de saper à la base les mauvais instincts de Jean, et la furieuse envie de secouer Marthe trop passive dans son coin, Yolande succomba au dépit. Elle s'abattit sur la table pour pleurer à chaudes larmes, la tête enfouie dans ses bras repliés.

Alors Jean ne sut plus très bien où porter ses regards. Il évita Yolande dont les épaules tressautaient douloureusement. Il évita Marthe dont le regard mouillé semblait lui dire : « Tu ne m'écoutes pas, tu vois où tout ça nous mène. » Il n'était pas très fier en ces instants de faire pleurer ceux qui lui voulaient du bien, mais il se préparait à l'arrivée de son père. Et puis, à son âge, les regrets ne s'installaient pas encore durablement.

Lorsque Claude pénétra dans la pièce, introduit par une Yolande aux lèvres pincées, son regard se posa sur l'autoradio, partit sur les deux visages bouleversés et se fixa sur celui du voleur.

Tout d'abord, Jean affronta l'œil dur, puis perdit contenance, s'en voulut de sentir le rouge lui monter au front et finit par baisser les yeux. Coupable.

— Suis-moi !

L'ordre de Claude avait été sec. Jean lui emboîta le pas jusqu'au hangar.

— Ce n'est pas Dieu possible ! Qu'est-ce qu'on va faire de ce gosse ? se plaignit Yolande en cherchant du réconfort auprès de Marthe. Que va-t-on devoir faire ?

— Eliminer son père, dit Marthe d'un ton neutre.

— Ce n'est pas le moment de plaisanter !

— Je ne plaisante pas. Ce n'est pas tant la fréquentation du fils Rénier qui est à craindre que la proximité de son père.

— Explique-toi.

— C'est bien toi qui fais la chambre du petit, une fois par semaine, qui secoues les couvertures et qui retournes son matelas ?

— Où veux-tu en venir ?

— Selon toi, pourquoi a-t-il caché cette chose sous le matelas que tu n'allais pas manquer de retourner, comme d'habitude ?

L'assurance de sa sœur, qui énonçait les faits avec calme et douceur, inquiéta Yolande.

— Tu insinues que…

Le front de Marthe approuva à plusieurs reprises. Elle fut aussi tentée de dire à Yolande son sentiment sur Claude et Josette. Elle se retint. Son intuition lui jouait peut-être des tours.

Tandis qu'à deux pas Claude écrasait Jean de son mépris :

— Tu croyais m'impressionner, toi, petit voyou de mes deux ? Tu te prends pour qui ?

Il s'était rapproché, menaçant, mais gardait les mains dans ses poches.

— Tu me fais rire avec tes larcins minables, tes vols de mioche de maternelle !

Jean recula et baissa la tête, ne supportant plus l'intensité du regard noir.

— On peut savoir ce que tu as dans le ventre ? Tu voudrais que je replonge pour assistance à un petit connard ? Ta connerie risque d'amener une deuxième fois les flics dans les parages. C'est ce que tu souhaites ?

Il s'était rapproché encore, coinçant Jean contre la 203 bâchée. Ce contact fit surgir dans l'esprit de Jean, d'une manière tout à fait incongrue, l'image du pépé en train d'astiquer la carrosserie beige. Une douleur lui vint, doublée d'une haine foudroyante pour cet homme qui lui crachait son dédain au visage.

— Je dois rester vierge quelque temps et je ne te laisserai pas foutre en l'air ma retraite ! J'ai d'autres ambitions que de croupir ici, au fond de ces putains de puits, à risquer ma peau tous les jours, à supporter les sarcasmes des autres qui se disent, eux, faits pour ce métier et fiers de l'être ! J'en ai d'autres aussi que de recommencer à la case départ !

Il parlait si près que Jean sentait son souffle sur ses lèvres et se brûlait à la colère qui jaillissait des paupières fendues.

Devant son air misérable, Claude aurait pu baisser le ton, se remémorer une époque où ses débuts dans la voyoucratie n'avaient rien eu de flamboyant. Mais il s'emporta davantage et aboya plus qu'il ne parla :

— Alors, remporte-moi cette saloperie ! Ne compte pas sur moi pour jouer avec tes copains foireux. Qu'est-ce que tu connais de la bagarre des loups, toi ? De cette rue qui peut te tuer dans chaque coin d'ombre ? Je trafiquais dans la cour des grands, moi ! Tu es loin d'être de taille et je hais les crétins de ton espèce !

Anéanti par la violence des propos, Jean s'était attendu à un coup, car Claude avait sorti les mains de ses poches, mais ç'avait été pour le plaquer contre la voiture et le tenir à la merci de son regard sinistre.

Déséquilibré, désagréablement penché en arrière, Jean restait prisonnier des deux bras, réalisant qu'il n'avait jamais touché son père d'aussi près. Leurs visages, à quelques centimètres l'un de l'autre, se heurtaient à un mur de haine, qui enflait du côté de Jean à la vitesse de l'éclair. Il la sentait investir chaque cellule de son corps et fusionner dans son cerveau pour lui insuffler des idées de meurtre.

Le pire moment fut quand Claude, qui avait attendu la nuit complète en l'obligeant à rester sous sa surveillance, lui flanqua l'objet dans les bras et le bouscula, odieux et mauvais, le sommant d'aller le remettre à sa place.

Tout à son ressentiment, Jean ne prit aucune précaution particulière. Il rapportait le poste, pour le déposer vite fait bien fait sur le capot de la voiture en question. Il marchait donc d'un pas nerveux, ressassant ses griefs, sa vexation, sa rancune, laissant parfois échapper un juron entre ses dents serrées. Il revoyait les regards échangés entre Claude et sa mère. Il ressentait le malaise insupportable des deux sœurs. Il avait sombré dans un doute profond avant de se raccrocher à sa haine. Des larmes de rage coulaient sur ses joues, qu'il essuyait d'un vif revers de la main.

Il fit un bond et retint un cri quand une main s'abattit sur son épaule.

— Qu'est-ce que tu fabriques dehors à cette heure-ci, toi ? fit une voix brutale.

— Mais il a l'air de cacher quelque chose sous son blouson, le bougre, reprit une seconde voix d'un ton comminatoire.

Le cœur fou, Jean, sous le choc, accéléra le pas.

— Eh là ! C'est un gendarme qui te cause !

Affolé, Jean regarda ses agresseurs. Les boutons dorés lui ôtèrent toute illusion. Il aurait tout donné pour disparaître à l'instant même, se fondre dans l'ombre comme un fantôme.

L'un des hommes lui barra le chemin, l'autre renforça sa poigne.

— Montre un peu ta récolte.

Jean se débattit, maudissant sa déveine et condamnant son père à l'enfer. Les autres se firent moins tendres et le serrèrent de plus près.

— Regardez-moi ça.

De la fumée blanche sortait de leurs bouches. Dans l'ombre, Jean ne voyait pas précisément leurs traits, il supposait qu'il en était de même pour eux. Peut-être qu'avec un peu de chance... Il courait vite, les ruelles étaient plongées dans l'obscurité et tortueuses à quelques mètres de là... Mais les deux semblaient connaître leur métier et ses risques. Jean fut encadré comme un forçat.

— Tu es le fils Loubet, toi ! Je te reconnais !

— Pas étonnant alors de te voir marauder la nuit !

Silencieux, ils remontèrent la rue de la Pépinière. Ils allaient passer devant chez Emile Brun, sur le trottoir d'en face, pour rejoindre la gendarmerie située entre le lycée et la clinique. Jean leva les yeux, attiré par la lumière qui brillait à l'étage de son ami. Une ombre passa justement à cet instant devant la fenêtre, s'écarta, revint comme si elle avait remarqué quelque chose, se posta derrière la vitre. Le cœur de Jean était amer, chamboulé, révolté. Il se remit à battre plus fort. Jean observa cette silhouette qui s'attardait, qui ouvrait la fenêtre et requérait poliment aux deux autres de l'attendre !

Se prenant à espérer, Jean regarda Emile Brun traverser la rue. Son ami tentait de s'envelopper d'une robe de chambre en velours sombre et de nouer une ceinture.

— Messieurs, je connais ce jeune garçon. Je... Qu'a-t-il fait ?

— Pris en possession d'un poste volé.

— Volé ? s'exclama Emile Brun.

— Il refuse de parler, mais il va nous suffire d'examiner les dépositions de ces derniers jours.

— Je le connais. Je réponds de lui.

— Ça nous fait une belle jambe ! ricana l'un des gendarmes. Nous aussi, on le connaît par ses jolies relations.

— Jean, dis-moi... Tu venais de voler ce poste ?

— Je venais le rendre, fit celui-ci de mauvaise grâce.

— Et moi, j'allais à la messe de minuit !

— Tu venais le rendre ? s'étonna Emile Brun. Mais c'est... merveilleux, non ? Messieurs...

— Tu venais le rendre ? Pour de vrai ?

Jean affirma de la tête.

— Tu nous prends pour des imbéciles ?

— Tu regrettais donc ? demanda doucement Emile Brun, radieux.

Nouvelle affirmation, face à la surprise des deux autres.

— Ecoutez... Ne pouvez-vous fermer les yeux pour cette fois ? Ce gosse n'a jamais fait parler de lui, c'était une première, il s'est repenti... Vous ne pouvez le sanctionner.

— De quoi je me mêle, monsieur... ?

— Brun. Je me porte garant de cet enfant.

— Il replongera. Tel père, tel fils, c'est comme ça que ça marche neuf fois sur dix ! Les chiens ne font pas des chats, on a l'habitude.

— Ne soyez pas aussi sévères, messieurs, intervint Emile Brun. Cet enfant, ce soir, a fait preuve de bon sentiment.

— C'est la même engeance, on a l'habitude, insista le même gendarme.

Mais l'autre, plus compréhensif, regarda son compère et haussa les épaules.

— D'accord, mais à la prochaine incartade son compte est bon.

— On l'aura à l'œil. Et, comme son père, il replongera !

La tête baissée, Jean ne vit pas les lourds regards échangés par les trois hommes.

Cet épisode l'anima d'une nouvelle violence.

Le pari qu'il s'était fixé devint un but. Si son père le méprisait en petit voleur, il allait l'admirer en criminel.

Puissant remède à sa souffrance, la haine de Jean avait trouvé sa source.

— Tu as essayé de savoir, à présent tu es fixé, mais

il faut arrêter de jouer à ce petit jeu, avait dit Emile Brun en le rendant à la rue ce soir-là après lui avoir fait conter son affront. C'est vrai que fracturer une voiture c'est accessoire pour un homme de cette trempe. Je crois qu'il va falloir t'habituer à n'être rien d'autre pour ton père qu'un petit gars qui n'écoute pas tous les discours, qui suit son chemin comme il le sent... Lui ne peut s'intéresser qu'à quelqu'un de son envergure...

Emile Brun avait un peu hésité avant de poursuivre, en regardant Jean d'une drôle de manière :

— J'ai eu connaissance des activités de ton père. J'ai hésité à t'en faire part, mais autant que tu saches. Il a toujours eu recours à la force et à la menace, pour voler, toujours à main armée. Il officiait avec un ami, un certain Philippe Galliardi, tous deux s'entendaient à merveille pour vivre d'infractions relatives aux drogues, aux vols et trafics d'automobiles, aux perçages de coffres-forts de banques ou de bijouteries. Ils ont aussi touché au proxénétisme. Une belle paire, ma foi, jusqu'au jour où leur coup a foiré. Il y a eu prise d'otages, échanges de coups de feu, ton père a été touché sans gravité à l'épaule, Galliardi n'a pas eu cette chance, il s'est fait descendre.

Les propos d'Emile Brun semblaient toujours faire écho à d'autres et laissaient toujours à Jean un étrange sentiment. Une fois encore, ceux-ci avaient remué en lui ce qui lui restait de bonne conscience, allant curieusement aussi dans le sens de sa future réalité.

De but en blanc, Jean apprit à gérer de front haine et patience.

A la ferme, l'épisode de l'autoradio ne fut pas étalé.

La seule chose perceptible fut que Jean se mit à éviter son père.

Yolande essaya bien de faire parler Marthe :

— Si on en revient à tes convictions, il a apparemment choisi le droit de se tromper, mais... puisque toi, tu peux savoir ce qui se prépare, je ne comprends pas que tu restes figée à attendre les ennuis.

La réponse sibylline lui fit hausser des épaules agacées :

— Ce qui peut être un mal pour les uns peut être un bien pour les autres. Tout prend racine dans l'infini des temps. Tout a une logique invisible propre.

11

L'année scolaire se solda par un autre redoublement. A seize ans, Jean et Gilles, dont la stature s'était développée et dont la voix éraillée déclenchait les rires des plus jeunes, faisaient figure de grands cancres au fond d'une classe de quatrième. Jean avait commencé à dépasser Gilles d'une bonne tête, qui, lui, restait filiforme et nerveux. Leur complicité manifeste n'étonnait personne, pourtant elle n'était toujours faite d'aucun discours, d'aucune révélation particulière. Jean, s'il avait dû être sincère à ce moment précis, aurait admis ne voir en Gilles que le moyen le plus sûr de remporter son pari.

Pour l'instant, mentir, se bagarrer, faire l'école buissonnière, résister à l'autorité des leurs, commencer à découcher et accessoirement voler pour la cause de la grotte, tout cela schématisait assez bien leur état d'esprit. Un comportement sexuel agressif venait parfaire le tout.

Marcel apprenait à se débrouiller seul à la ferme car le travail avait diminué. Claude, de par son appartenance à la mine, gagnait le chauffage de la maison en charbon, supprimant ainsi les corvées de bois. Le nombre de bestiaux avait été réduit de moitié, la surface du jardin aussi. Maintenant, Marcel regardait Jean à la dérobée, lui adressait rarement la parole et se retenait toujours pour ne pas lui flanquer quelques coups de pied au cul bien mérités, comme il le disait aux femmes en levant son verre de gnôle, certains soirs.

Tiki perdait de son entrain devant le manque d'intérêt de Jean. Elle restait couchée à ses côtés durant ses courtes présences, le museau entre les pattes, l'œil triste, en quête de caresses dispensées machinalement. Les instants se faisaient rares durant lesquels Jean s'agenouillait et la serrait très fort contre lui, enfouissant son visage dans son cou.

Cette poussée de haine pour Claude, de la part de Jean, correspondit au changement d'activités de Charles ; Nany, le caïd de l'Abbaye, avait recruté le délinquant murois comme porte-flingue.

Selon les dires du jeune homme, c'était lui qui lors des hold-up de banques ou des attaques de transports de fonds étaient en couverture, car il était capable de tuer pour couvrir une retraite. Charles disait même à ses frères qu'il se sentait capable de « fumer » n'importe qui. Les jeunes l'observaient alors avec une espèce d'envie respectueuse tandis qu'il montait et démontait son 7,65. Il le faisait les yeux fermés avec une incroyable dextérité et s'entraînait à dégainer de plus en plus vite.

— Nany dit que j'ai le regard et la carrure d'un chef, affirmait-il, l'œil vaniteux.

— Quand est-ce que je rentre dans la bande, moi aussi ?

— Bientôt. Il me l'a promis.

François regardait son frère comme s'il avait été le messie.

Les virées à Grenoble se faisaient de plus en plus fréquentes en fin de semaine. Ils devinrent les habitués de certains bars, surtout du Carré.

Gilles et Jean découvraient l'alcool et les filles. Mais si Charles et François plongeaient dans la séduction avec ravissement, il n'en allait pas de même pour Gilles, qui ne voyait en ces créatures que de futurs objets d'expérience, et pour Jean, qui, après avoir connu les premiers émois d'une proximité de chair, se surprenait à les redouter. Pour l'un comme pour l'autre, cette découverte s'accompagnait de conflits majeurs. Gilles confirmait son penchant sadique : des filles s'étaient plaintes de sa brutalité. Jean se découvrait une aversion pour les blondes.

Cette vie se poursuivit un temps, durant lequel Charles couva ses « petits » d'un œil de mère et subvint à leurs menus besoins, incluant dans la nichée un Jean plein de gratitude. Il leur rapportait dans la semaine le palmarès de ses méfaits grandissants, récoltant une admiration sans bornes, allant même jusqu'à créer le petit frisson supplémentaire en faisant mine de surveiller les abords de leurs lieux de rencontre.

Jusqu'à ce que, pris en flagrant délit dans une bijouterie grenobloise, il fut incarcéré pour un an à la prison de Varces, près de Grenoble.

Ce fut la débandade.

La cassure.

La déprime.

En fonction des saisons, les trois amis se retrouvèrent dans la maison de Jeanne, vautrés dans les fauteuils, buvant de la bière en regardant sans les voir tous les programmes de la télévision – offerte à leur mère qui n'osait demander avec quel argent –, ou bien dans la grotte, depuis longtemps à moitié déblayée de son bazar illicite, où ils essayaient interminablement de refaire le monde, d'imaginer de fausses possibilités d'évasion de leur chef.

Sans Charles, ils étaient orphelins et inactifs.

Puis celui-ci, jaloux, ayant insisté pour qu'ils surveillent Isabelle, tous trois se remirent à descendre régulièrement sur Grenoble. François avait le permis, il utilisa la voiture de son frère.

L'emprisonnement du fils Rénier faisait jaser dans La Mure, et le nom de Jean était associé aux jacasseries. Yolande affronta difficilement des regards prompts à fabuler et calomnier. Mais, à moins d'enfermer le gosse à double tour et de l'enchaîner, il fallut bien apprendre à laisser s'écouler les jours sans trop les craindre. A laisser le temps poursuivre son œuvre, en priant pour que le vent tourne.

— Le péril une fois passé, le saint sera négligé, se moquait Marthe gentiment.

— Il faut bien que quelqu'un prenne le relais, je ne te vois plus rien faire en ce sens, rétorquait Yolande un peu vexée.

Un soir, François surprit Gilles en train de molester une Vietnamienne de seize ans. Petite et fluette, elle avait un corps d'enfant et ne faisait pas le poids contre l'adolescent tout en nerfs. Il se tenait assis sur la jeune fille – allongée sur le sol carrelé, terrifiée – dont il avait dénudé le torse, et d'une main lui bâillonnait la bouche, de l'autre s'amusait à faire glisser la lame de son canif autour des aréoles de poupée. François, qui commençait à s'interroger sur l'absence prolongée de son frère, était monté à l'étage du bar et avait foncé dans les toilettes d'où filtraient des bruits suspects. Il avait chopé l'imbécile par le col de sa veste et l'avait relevé d'un coup sec avant d'expédier la fille dans le couloir en lui faisant jurer le silence d'un œil terrible. Jean les avait vus revenir, François rouge et excédé, Gilles un sourire énigmatique sur le visage.

— Complètement barge, avait commenté François en avalant sa bière d'un trait.

Isabelle était arrivée à cet instant, accompagnée d'un homme à la carrure de catcheur et au sourire Colgate. Son regard avait fait le tour de la salle et elle avait tiqué en remarquant les frères de son fiancé. Cachant sa contrariété sous un faux air contrit, elle était venue les saluer, leur demander des nouvelles de Charles qu'elle n'avait pas revu depuis plusieurs semaines.

— Il t'attend tous les jours, lui reprocha François.

— Je sais, j'ai du boulot.

— Peut-être, mais il t'attend.

— J'irai le voir dans quelques jours.

— On lui dira.

Elle était repartie en balançant ses hanches sur des semelles compensées d'au moins quinze centimètres.

— Quelle salope ! murmura François. Je suis sûre qu'elle se tape le gorille.

Sa peine purgée, il fut évident que Charles avait changé, et pas en mieux. Il avait maigri, son œil s'était noirci. Il avait en lui une haine renforcée de la loi. Mais l'accueil de ses frères et de la bande à Nany fut à la hauteur de ses espérances : on l'accueillit en chef. La fête dura plusieurs soirs, durant lesquels Gilles et Jean acquirent un aplomb supplémentaire et de mauvaises manières, à côtoyer de la racaille avertie.

— Nany veut bien te prendre à l'essai, fit Charles à François, pour remplacer Alex, qui vient de se faire embarquer par les poulets. Il est en train de planifier des choses pour cet hiver. Quant à vous, les mômes, reprit-il en s'adressant à Gilles et à Jean, il vous a à la bonne. Si vous étiez moins jeunes, il vous enrôlerait sans hésiter. Ça viendra, ajouta-t-il devant leurs regards luisants.

Par contre, les retrouvailles avec Isabelle furent houleuses : elle annonça sa rupture. La belle décréta que, lasse d'attendre son Roméo, elle avait décidé de faire sa vie avec un homme qu'elle ne devrait pas aller visiter en prison.

Charles vécut mal cette séparation.

La rancune fit des ravages. La violence repointa son nez au milieu des beuveries.

Gilles et Jean se mirent à les rejoindre sur Grenoble en faisant du stop. Par tous les temps, on les vit, à la sortie de La Mure, pointer leur pouce vers des rendez-vous de débauche.

Ce fut lors d'une de ces descentes que Jean remarqua une fille à moitié cachée derrière le comptoir du Carré depuis lequel elle servait et qu'elle ne quittait jamais. Différente de toutes celles qu'il avait jusque-là côtoyées. Anachronique dans cette atmosphère dissolue. Leurs regards s'étaient croisés une longue seconde, mais d'une façon si fugace qu'il ne resta rien dans leur esprit qu'un vague sentiment intraduisible. Jean avait terminé la soirée à s'imprégner de l'emportement des autres à vouloir briser les orgueilleuses. Les fragiles, les émotives fuyaient leur groupe, seules restaient dans leurs bras les coriaces, celles que la brutalité ne rebutait pas. Et toujours, Jean tentait de repousser les limites de son aversion, mais tout ce qui lui rappelait sa mère l'amenait au bord de la rage. Il avait commencé à en rudoyer quelques-unes, des blondes pour la plupart, approuvé en cela par les trois autres qui ne se privaient pas d'imposer leur sexisme. Surveillé de près par ses frères, Gilles ressemblait de plus en plus au python qui hypnotise ses proies avant de les étouffer.

Les jours passèrent dans une relative tranquillité, le temps d'endormir la méfiance de la police.

Mais ce que Nany révéla à Charles, un soir d'automne, le rendit fou.

Il lui apprit qu'Isabelle, durant son incarcération et alors qu'elle était encore officiellement sa petite amie, l'avait trompé avec un certain Roland, voyou de bas étage en passe de devenir le bras droit d'un autre caïd du quartier. A partir de cet instant, Charles n'eut plus qu'une idée en tête : se venger de Roland, qui l'avait fait passer pour cocu dans tout le milieu, en un temps où il ne pouvait lutter à armes égales.

Dans une ambiance délétère, ils passèrent les soirées suivantes à échafauder un plan. Ils quitteraient à nouveau la grotte dès les premières neiges, mais pour l'instant ils l'avaient réinvestie, mettant au point une tactique pour s'y rendre sans attirer l'attention. Ils passaient de l'autre côté du Cimon après avoir caché la voiture dans un chemin de terre face au château, et arrivaient par-dessus la colline.

Sous les lumières vacillantes et mystérieuses des lampes à pétrole, Gilles et Jean buvaient les propos pernicieux de leur maître outragé.

— Je vais lui faire la peau, dit un soir celui-ci en déballant un long paquet ficelé.

Sous trois paires d'yeux médusés, Charles déchira les journaux enroulés autour d'un canon double.

— Fusil à pompe et chevrotines. Avec ça, s'il s'en sort...

Son lourd et froid regard marine fit le tour de ses disciples et revint jouir du spectacle étalé sur la table. Pour cacher son trouble, Jean s'arracha à petits coups de dents la peau qui bordait ses ongles.

— Ce Roland deale de la cocaïne pour une autre équipe grenobloise. Je vais faire ami ami avec lui, jusqu'à ce qu'un moyen se présente.

— Ça peut durer longtemps, répondit Gilles, pas plus ému d'envisager son frère en assassin qu'en joueur de pipeau.

— La vengeance est un plat qui se mange froid, mon vieux !

Et Charles tint parole.

Les trois garçons suivirent les affaires comme un feuilleton télévisé, se noyant au fil des jours dans un coupable secret.

Il fallut patienter six mois pour que Roland et Pierre, un ami de celui-ci, fassent part à Charles de leurs difficultés à revendre quatre cents grammes de cocaïne fournie par une équipe de truands adverse, articulée autour d'un certain Marco, exploitant de bar dans le centre-ville.

— Ils ont été mis à l'amende pour leur retard, leur rapporta Charles. Ce Marco est une pointure, il les fait filer droit. Je leur ai proposé un acheteur pour un kilo. C'est à Marco de décider. S'il est consentant, je tiens ce salaud de Roland.

Charles avait raison d'être optimiste ; son nom provoquait déjà un certain effet dans le milieu.

Marco se laissa convaincre et remit à Roland et son ami Pierre un kilo de cocaïne à livrer par l'intermédiaire de Charles.

— C'est pour demain soir, déclara ce dernier un jour de mars. Je leur ai fixé rendez-vous au cimetière d'Eybens. Tu viens avec moi, commanda-t-il à François.

— Moi aussi ! fit Gilles.

— Pas question ! Ça va être chaud.

— Tu vas les flinguer ?

Charles ne répondit pas. Seule l'intensité de son regard laissa supposer qu'il n'avait en rien modifié ses projets initiaux.

— Je viens avec vous, et Jean aussi, affirma Gilles en se redressant de toute sa taille. On n'a plus envie d'être tenus à l'écart ! On a dix-huit ans, tu nous considères toujours comme des mômes. Merde ! C'est moi qui ai largué le vieux ! C'est moi qui lui ai fait faire son vol plané ! C'est moi qui ai débarrassé tout le monde de cet enfoiré ! Rien ne me fait peur !

Une explosion à deux pas n'aurait pas davantage abasourdi les témoins de la scène. Jean, qui bizarrement s'était senti hors du jeu, un peu en retrait de cette folie qui les gagnait tous depuis des mois, regarda presque avec horreur son ami, dont il réalisait soudain toute l'ambiguïté, tout l'infernal comportement. Gilles était fou. Fêlé, comme disaient ses frères.

— Tu es très con de te servir de l'accident du père comme argument ! Je ne te crois pas ! lança Charles, qui pourtant ne doutait pas de cet aveu.

Gilles se tenait droit, le regard enfoncé dans celui de son frère.

— C'était lui, le sale con ! Il allait mettre une rouste à la mère, vous étiez partis ! Je l'ai juste poussé au moment où il passait devant la porte de la cave.

— Cette porte est toujours fermée.

— Je l'avais ouverte.

Les secondes s'égrenèrent avec une lenteur exaspérante. François était resté la bouche ouverte et continuait à regarder son jeune frère comme s'il venait de se transformer en citrouille.

— D'accord, je vous embarque, dit enfin Charles nerveusement, mais je vous veux invisibles et muets ! Rendez-vous demain à dix-huit heures. Jean, on passera te prendre !

Lorsque celui-ci regagna la ferme, il ne fit que passer dans la cuisine et s'engagea dans le couloir pour rejoindre sa chambre, jetant à qui voulait l'entendre qu'il avait déjà « soupé ». Marthe, submergée d'images funestes, chercha en vain son regard.

Il ne réapparut pas de la soirée.

Yolande leva les yeux au ciel en surprenant sa sœur à se gratter les mains.

Le lendemain, il alla en cours pour n'en revenir qu'à dix-sept heures trente. Il se réfugia de nouveau dans sa chambre afin d'échapper aux regards aigus de Marthe et aux questions crispantes de Yolande.

Mais il ne comprit pas ce qui se produisit, sitôt qu'il eut fermé la porte. Comme s'il était entré dans un autre univers, tout semblait exacerbé autour de lui. Les couleurs, les odeurs... Même le toucher de la montre qu'il avait toujours conservée au fond de sa poche, durant toutes ces années. Toucher qui l'émouvait particulièrement en cet instant, le ramenant irrésistiblement des années en arrière... Une senteur de tabac et de lavande mélangés assaillit ses narines lorsqu'il extirpa un pull de l'armoire. Odeur oubliée, peu à peu estompée au fil du temps. Il referma le battant d'un geste sec mais elle persista, comme si elle se déplaçait en même temps que lui pour ne plus le lâcher... Il eut le sentiment d'un léger picotement sur les mains...

Pourquoi donc, précisément au moment où il acceptait un baptême du feu, où il franchissait une étape capitale dans l'élaboration de son plan, pourquoi donc des souvenirs l'encombraient-ils jusqu'à lui faire presque guetter l'apparition du pépé dans sa chambre ? Jusqu'à lui faire oublier que l'heure du rendez-vous approchait ? Il sursauta.

Un coup venait d'être frappé à la porte.

— Jean, je voudrais te parler, laisse-moi entrer, fit une voix fluette.

— Pas le temps. On vient me chercher.

— C'est justement à cause de cela que je veux...

— Tu m'emmerdes !

— Jean ! s'offusqua Marthe.

« Tu n'es pas très poli, la crevette. »

— Quoi ? s'effraya Jean.

— Jean ! Sois poli, s'il te plaît ! se plaignit Marthe de l'autre côté du panneau de bois.

Jean avait fait un bond de côté. Plaqué maintenant dos à la porte, il dardait ses yeux fous dans tous les sens, à la recherche... Il divaguait ! C'était cette folle qui jouait avec ses nerfs !

— Fiche-moi la paix ! Pas le temps !

— Jean, ouvre cette porte immédiatement !

« Ouvre-lui la porte, mon Jean, écoute ce qu'elle a à te dire. »

Se prenant le front à deux mains, Jean essaya de recouvrer son calme. La voix – la même que celle de ce fameux été – s'exprimait avec douceur au fond de lui.

— Je sens que tu vas faire une monstrueuse bêtise, reste là ce soir, fit celle de Marthe dans son dos.

« Elle a raison, la crevette, tu le sais. »

— Tais-toi, tais-toi ! cria Jean en plaquant ses mains contre ses oreilles.

La voix de Marthe lui parvint étouffée à travers la porte, mais celle du pépé résonna clairement dans son esprit :

« Ecoute ta conscience, Jean, cette bonne conscience qui veut faire de toi un homme sans remords. »

— Arrête de jouer avec moi ! cria-t-il à Marthe en ouvrant la porte à la volée. Arrête de me faire croire qu'il est là !

— Que dis-tu ? s'alarma Marthe, que Yolande venait de rejoindre sur le palier.

— Qu'est-ce que tu es en train de me faire ? gronda-t-il méchamment.

— Que se passe-t-il ? insista Marthe, le regard subitement brillant.

— Tu le sais très bien ! hurla-t-il. Tu me manipules ! Tu me fais croire qu'il est là ! Qu'il me parle ! Nom de Dieu, tu n'as pas le droit de faire ça ! ajouta-t-il en levant le poing pour qu'elles s'écartent. Laissez-moi passer !

« N'use pas de violence contre elles, elles ne le méritent pas, mon Jean. »

— Ah ! s'exclama Jean en prenant de nouveau sa tête entre ses mains. Vous l'entendez ?

— Mais de quoi parles-tu, à la fin ? se fâcha Yolande, qui s'approcha hardiment.

Elle faillit recevoir sur la figure le battant, que Jean claqua avec rage pour ne plus les voir. Le cœur désordonné, tous trois restèrent immobiles et silencieux de part et d'autre de la porte. En attente…

Et puis Jean se reprit. Plus rien ne se passait…

Il revint doucement au centre de la pièce, se laissa tomber sur le lit tandis que son regard se posait sur la haute glace de l'armoire. Il se vit, affaissé sous l'incompréhensible, tassé sous la peur qui le quittait lentement, mais qui, d'un seul coup, revint le happer. En criant, il bondit sur ses pieds et regarda, les yeux exorbités, la forme qui se matérialisait derrière lui. D'un bloc, il se retourna. Fou ! Ne vit rien. Revint au miroir. Revit la forme qui semblait le surpasser, presque transparente, flottante, et qui avait les traits du…

Une ivresse, digne de ses cuites les plus mémorables, lui ôta tout jugement. Son mouvement fut si brusque qu'il heurta la table de nuit, et tout ce qu'elle supportait tomba dans un énorme fracas. C'était impensable ! Ce ne pouvait être le fantôme du pépé ! Impossible ! Il se rua sur la porte, s'acharna sur le loquet qui refusait de tourner.

— Ouvrez-moi ! cria-t-il. Lâchez cette putain de poignée !

— Mais nous ne tenons rien ! s'exclamèrent deux voix à l'unisson.

Le cœur battant la chamade, Jean se retourna, ne vit rien, n'osa contrôler dans le miroir. A ce moment, un coup de klaxon retentit depuis la rue.

« N'y va pas ! » s'exclama dans sa tête la voix rocailleuse.

Il donna un grand coup de pied dans la porte, s'escrimant à l'ouvrir. Elle céda brusquement. Il apparut aux deux femmes dans un état pitoyable. D'une pâleur extrême. Hirsute et tremblant.

Il les bouscula et disparut dans l'escalier comme s'il avait été pourchassé par un essaim de frelons.

12

Coursé par Tiki, une fois de plus déçue de disparaître des préoccupations de son maître, Jean se rua jusqu'à la voiture, plongea dans l'habitacle où, accueilli par un silence inhabituel, il se cogna contre Gilles. Refoulant de toutes ses forces l'épisode de la chambre, il entra dans la sphère mentale des trois frères, se concentrant sur les heures à venir, durcissant son visage, à leur instar. Conscient de s'aventurer vers le crime. Mais encore inconscient de la tragédie à venir.

Charles aurait-il le cran – hautement revendiqué – de tirer sur Roland, pour avoir été ridiculisé aux yeux de ses pairs ? Dans un silence de circonstance, la voiture filait à travers un froid sec, jusqu'à son rendez-vous.

Mais, malgré le contexte, Jean ne pouvait se départir d'un autre malaise, irrésistiblement ramené aux faits qui venaient de se produire. Maintenant un peu calmé, il se laissait prudemment aller à y repenser. Paranormal étant un mot absent de son vocabulaire, et n'étant pas lui-même du genre à analyser ou à décortiquer les choses, il ne savait quel parti prendre : ignorer ou craindre.

Il ne doutait pas de ses capacités mentales. Il n'était pas fou. La montre, le loquet de la porte bloqué pouvaient parfaitement s'expliquer par les mensonges des deux femmes. L'image reflétée dans la glace, elle, pouvait n'être qu'illusion, à cause de son affolement compréhensible, car... La voix ! Imposée de manière si réelle à son entendement ! La voix était bien celle de l'homme disparu. Il en entendait encore toutes les consonances, tous les accents rocailleux. Mais comment admettre une telle ineptie ? Ç'avait été encore un coup de Marthe ! La question n'était plus : « Comment accorder un tel pouvoir aux morts ? », mais : « Comment accorder un tel pouvoir à Marthe ? »

Sorcière ! Elle ne perdait rien pour attendre ! Ses manœuvres et machinations ne risquaient pas d'obtenir de lui la moindre faiblesse !

La nuit était tombée lorsqu'ils se garèrent à l'entrée du cimetière d'Eybens. Charles avait tenu à être le premier sur les lieux. Il positionna la Rallye II de manière à voir arriver l'ennemi et éteignit ses feux.

— Même la nuit nous est propice, pas de lune ni d'étoiles, fit-il d'une voix méconnaissable. Maintenant, quoi qu'il arrive, vous n'existez pas ! Vous ne bougez pas ! Ne me faites pas regretter de vous avoir acceptés à bord !

Ses ordres claquèrent étrangement dans l'obscurité. A ce moment, Jean sentit comme un fourmillement dans les mains et paniqua soudain à l'idée d'entendre la voix réinvestir sa tête. Comment Marthe pouvait-elle le poursuivre de la sorte, le harceler, le torturer ? La chose se précisait. L'impression d'une présence autre que celle de ses amis dans l'habitacle…

Pour échapper à cette emprise, il se tourna vers le fin profil de Gilles et fut frappé par son expression. L'adolescent semblait tétanisé, le corps porté en avant comme pour démarrer un sprint. L'incroyable attente que Jean décela dans cette position se manifestait aussi par l'ouverture des yeux, agrandis comme pour ne rien rater, ni des lieux ni des circonstances. Lorsque des phares trouèrent les ténèbres, Jean le sentit trembler d'une excitation contenue, alors qu'il capta, avec une extrême acuité, la frayeur de François. Lui-même manquait d'assurance. Il n'avait pas encore la carrure de Charles.

— Les voilà !

Impavide, Charles descendit de la Simca pour échanger quelques mots avec le chauffeur et revint rapidement.

— Ils nous suivent !

Le moteur toussota, comme réticent à poursuivre l'aventure, puis la Simca prit la tête du court convoi.

— Tu es toujours sûr de toi ? demanda François, dont la voix contenait toutes les inquiétudes du monde.

— Et comment ! De le revoir me fait pousser des furoncles ! riposta Charles.

La voiture, une Renault Gordini bleue, les accompagna jusque dans un chemin en bordure de l'Isère. Le temps parut long à effectuer ce trajet peu ordinaire.

— Ils sont tombés dans le panneau, jubila Charles.

A partir de maintenant, plus personne ne bouge un cil !

Aucun dans la Rallye II, aucun sauf Gilles, que la fièvre gagnait, n'aurait eu l'idée de contrecarrer la dernière injonction du chef, trop heureux d'être tenu dans un immobilisme forcé.

Charles oserait-il mettre sa menace à exécution ? Un doute vint à l'esprit de Jean : le garçon les avait-il amenés pour s'obliger à aller jusqu'au bout de son acte ? Une curiosité morbide prit le pas sur le reste.

La Simca stoppa dans un bruit de galets roulés et entrechoqués. Prudemment, l'autre voiture resta un peu en arrière, les éclairant de ses phares.

Et tout s'accéléra dans un décor de fiction.

Charles jaillit comme un diable de son véhicule, le contourna afin d'ouvrir le coffre à la hâte. Les autres avaient à peine éteint leur moteur que déjà il pivotait vers eux et cueillait Roland, qui sortait de la Renault, d'une décharge de chevrotines.

Pour Jean, tout le reste à partir de là se déroula comme au ralenti, hors de la réalité. Tétanisé, accroché au dossier de son siège pour tout voir depuis la vitre arrière, son épaule collée à celle de Gilles, il vit la tête exploser et le corps être projeté en arrière, avant de rebondir sur le capot. Il vit Charles se retourner vers Pierre pétrifié, tenant désespérément son volant, appuyer une nouvelle fois sur la détente pour l'abattre à son tour d'une décharge en pleine poitrine à travers le pare-brise. Le corps de Pierre, qui s'affala contre la portière, ressembla à celui d'une poupée de son ensanglantée. Ce carnage ne suffisant pas à éradiquer sa fureur, Charles revint au premier corps, réamorça la pompe du fusil et exprima sa haine en tirant une nouvelle cartouche à bout portant dans le cœur de Roland, qui gisait déjà mort sur le sol.

A l'intérieur de la Simca, les spectateurs retenaient leur souffle, les oreilles emplies du vacarme des trois coups tirés en moins de cinq secondes. A quelques mètres d'eux, insolite et sauvage, la scène se déroulait à l'intérieur d'un cercle de lumière cerné de ténèbres.

Ni François ni Jean ne bougèrent quand Gilles ouvrit la portière. Ils le regardèrent aller vers Charles, qui déjà s'acharnait à trouver le kilo de cocaïne. Ses pas sur les galets étaient le seul bruit qui pénétrait peu à peu dans leur conscience. Ils le virent se pencher sur le cadavre de Roland, examiner les dégâts occasionnés par les énormes plombs, tâter même d'un doigt le sang qui engluait la poitrine déchiquetée. A travers la lumière des phares, la placidité de son examen paraissait extrêmement choquante. Alors Jean repensa au terrible aveu. Oui, Gilles avait provoqué la mort de son père, il n'y avait aucun doute à ce sujet. La mort ne signifiait rien pour un tel individu, peut-être même était-elle une source de plaisir. Il n'y avait qu'à voir le sourire démoniaque que lui inspirait le passage de vie à trépas de ces deux hommes condamnés sans sommation et sans aucune chance par la haine aveugle d'un homme bafoué.

S'imprégnant au fer rouge sous le front de Jean, en prévision de ses futurs cauchemars, la scène passa au deuxième acte.

Jean vit Gilles aider son frère à remettre le corps, criblé de chevrotines, dans le véhicule bleu. Le levier de vitesse fut mis au point mort, les feux éteints et la portière claquée. Le lieu de rencontre avait été stratégiquement bien choisi. Il suffit aux deux complices d'un effort minime pour amener la Gordini au bord de la berge et d'un dernier coup de reins la faire basculer dans l'Isère, profonde en cet endroit. Masquer les dernières traces fut ensuite un jeu d'enfant. Tandis que Charles essuyait toute empreinte sur l'arme, Gilles remua les graviers et pierres jusqu'à recouvrir le sang et les éclats de vitre.

Jean ne rentrerait pas de la nuit. Jean touchait l'horreur.

Les démangeaisons de Marthe reprenaient de plus belle. La brave femme n'avait jamais encore éprouvé sentiment plus complexe. Incapable de fermer l'œil. Dans l'impossibilité d'oublier l'intervention du père. Car elle savait ! Tout comme elle imaginait trop bien l'état d'effarement dans lequel devait se trouver Jean.

Elle se leva le lendemain matin les mains recouvertes de squames, qui la faisaient se gratter jusqu'au sang.

— Mon Dieu ! s'écria Yolande. Tu nous fais un eczéma géant !

Marthe acquiesça sans commentaire en partant chercher de l'aide dans la remise, auprès de ses plantes.

Pendant qu'elle choisissait des pensées sauvages, elle entendit très nettement la voix d'Adrienne entrer en elle : « Pourquoi te laisser aller au tourment ? Regarde le mal que tu te fais. Combien de fois devrai-je te dire de laisser venir les choses ? »

Ebranlée de ressentir la présence si forte de l'aïeule, en ces moments de terribles doutes, Marthe protesta :

— Jean s'est entouré d'êtres d'une conscience

inférieure, je « vois » les choix qu'il est en train de faire, je peux lui en faire prendre d'autres pour modifier le résultat.

— Souviens-toi, l'âme doit tout connaître pour pouvoir choisir. En créant ses choix, Jean crée sa propre réalité. Sois à son écoute, s'il le souhaite, alors tu pourras faire en sorte de le guider afin de transformer l'expérience à venir, mais malgré cela il sera toujours libre de ses décisions. Et je te le répète, en ce moment son choix lui convient. Reste seulement prête à l'aider. Jésus n'accomplissait aucune guérison au hasard ; il guérissait ceux qui venaient le trouver ou qui lui envoyaient d'autres gens le supplier en leur nom, parce qu'il voyait que cette demande de guérison faisait partie du processus. S'il l'avait fait, il aurait violé une loi sacrée de l'univers : laisser chaque âme suivre sa voie.

— Si je pouvais intervenir au niveau de son père, je...

— Qui te dit que son père n'est pas là pour l'aider à se parfaire ? Ainsi que sa mère ? Ne recommence pas à juger. Pourquoi crois-tu que son pépé soit parti en le laissant si fragile aux mains de Claude, à l'influence de ses amis ? Ne recommence pas à qualifier quelque chose de bon ou de mal. Une chose n'est bonne ou mauvaise que parce que tu le dis. Un véritable médium ne joue jamais avec le libre arbitre d'un autre, n'interfère en rien avec la voie qu'il parcourt, n'envahit jamais ses pensées ni ne viole son espace psychique. Un bon médium n'est là que pour servir.

— Parfois je préférerais ne rien savoir, ne rien voir.

— Observe seulement et ne juge pas. Tout vient en

son temps. Utilise ton don à bon escient… Jean a un rendez-vous à ne pas manquer une nouvelle fois.

— Quel rendez-vous ?

— Son problème n'a pas été résolu dans ses vies précédentes, il est reposé dans celle-ci.

— Quel problème ? murmura Marthe.

— Il a eu de mauvais parents, des mères haineuses, il a toujours essayé de gérer cela en reproduisant les mêmes schémas de vengeance jusqu'à l'autodestruction. Il va tenter de réussir maintenant, après avoir modifié quelques données dont il va essayer de se souvenir, comme tout humain, en se débattant avec ses intuitions et ses convictions profondes. Mais comme il ne saisit pas les outils que nous mettons à sa disposition, nous lui envoyons des aides supplémentaires.

— C'est vrai, il a occulté l'apparition de la montre, avança Marthe.

— Tout comme il n'écoute pas ses rêves, ni son intuition, et refuse vos interventions. Nous commençons à lui envoyer le père…

— Mon Dieu, c'était lui, hier soir…

— C'était lui. De plus, Jean a déjà fait une rencontre, et moi-même je viendrai l'aider pour l'accompagner sur la voie du pardon. En un autre temps…

— Mais comment ? Comment ?

— En un autre temps… Chut, mon enfant. Tu sais déjà plus de choses qu'il ne t'est nécessaire de savoir, et tu en as deviné d'autres qui vont bientôt se vérifier.

— Tu dis que Jean a modifié des données ?

— C'était son choix de retour sur terre.

— Cette rencontre…

— Marion, la jeune femme qui arrive dans sa vie. Il a déjà partagé son amour, à plusieurs reprises.

— Marion... Et qui d'autre encore, ou quoi d'autre ?

— Je t'ai dit que tu avais deviné des choses...

Marthe commençait à avoir l'habitude des douces semonces d'Adrienne. Son regard fut attiré par une espèce de lumière blanche, au travers de laquelle elle la vit qui souriait tendrement. Elle ferma les yeux, le cœur battant doublement, doutant d'elle, mais la vision était toujours là lorsqu'elle les rouvrit. C'était bien mémé Adrienne, rajeunie, belle de bonheur, qui la regardait tendrement d'une autre dimension, depuis l'infini. Marthe sentit quelque chose de léger glisser le long de ses mains, comme une caresse, un souffle. L'émotion fut trop forte. Des larmes roulèrent sur ses joues.

— Je te vois, murmura-t-elle... Tu es si jeune, si jolie !

— Tu me vois avec les yeux de l'amour ; l'amour est la clé de tout, je ne te le répéterai jamais assez... fit la voix tellement douce et bienveillante.

— Je suis là moi aussi, près de toi, petite, près de vous tous.

— Mon Dieu... murmura Marthe au comble d'un immense bonheur, ses yeux agrandis passant d'Adrienne au père, qui apparaissait à son tour, qui la regardait d'un air à la fois si grave et pénétrant qu'elle fut ramenée des années en arrière, lorsqu'un tel regard faisait s'envoler ses peurs d'enfant.

Elle fut transportée, animée d'une foi infinie. Les minutes suivantes l'unirent à ses fantômes dans un extraordinaire dialogue. Et lorsqu'ils prirent congé, elle effleura les questions auxquelles ni l'un ni l'autre, retranchés derrière un sourire confiant, n'avait apporté de réponse.

Pourquoi était-elle là, elle-même, sur terre ? Elle ne voyait pas son propre futur, seulement celui des autres. Quel était ce changement de données ? Qu'avait-elle deviné ?

Son esprit s'envola, elle sourit un peu tristement et s'en revint à la cuisine.

Quand elle prépara sa tisane, avec neuf têtes de pensées sauvages, Marthe constata que la démangeaison avait déjà cessé, que les squames s'asséchaient. Elle ne vit pas Yolande qui la fixait avec de grands yeux incrédules.

— Ah, ça ! Si je ne venais pas de voir tes mains... Si je ne m'abuse, pour une telle manifestation, il faut généralement trois jours pour atteindre le premier stade de la sécheresse, encore trois jours pour arrêter la démangeaison, et trois de plus pour la cicatrisation... Ce n'était donc pas de l'eczéma ?

Le regard et le silence de sa sœur la mirent si mal à l'aise qu'elle préféra partir faire des courses.

13

Jean réapparut un peu avant midi. Sa pâleur était tragique.

Il s'immobilisa devant Marthe.

Il savait qu'elle entrevoyait la vérité de tout son être derrière la façade. Il faillit poser le masque, lui rendre son pouvoir de persuasion. Mais sa faiblesse morale ne dura que le temps de se rendre à la terrible évidence : il venait de perdre toute son innocence.

Soudain conscient de sa déchéance, son visage vira du blanc au vert. Il se précipita vers l'évier et se débattit contre de grands spasmes douloureux. Et puis, sous le regard désespéré de Marthe, il rejoignit sa chambre, non sans éprouver quelque appréhension.

Mais il avait eu son compte d'émotions. Revoyant encore, comme s'il l'avait devant les yeux, Charles en train de faire tournoyer le fusil au-dessus de sa tête pour le jeter au loin dans l'Isère, se revoyant avec les trois frères, liés à jamais dans le meurtre, faire la tournée des endroits qu'ils fréquentaient habituellement et où ils se faisaient remarquer par des éclats singuliers, il tomba pour quelques heures dans un oubli réparateur, non sans avoir éprouvé un dernier remords pour avoir molesté la jeune Marion...

Son repos ne dura que le temps de ce sommeil trouble. La dure réalité l'assaillit à l'instant même de sa reprise de conscience, déréglant du même coup son rythme cardiaque. La voix pleine de colère de Yolande retentissait derrière la porte de sa chambre :

— Jean ! Lève-toi ! Les gendarmes sont là et veulent te parler !

Jean, aussitôt, se remémora les mots de Charles, ses ordres et ses conseils, qui permettraient de faire concorder leurs aveux. Il était clair que la visite des gendarmes n'avait rien à voir avec les meurtres de la veille. Les corps n'avaient pu être retrouvés et leur disparition déjà signalée. Il respira plusieurs fois, longuement, oublia Roland et Pierre, se concentra sur leur méchante virée nocturne qui devait consolider des alibis en béton pour la suite, au cas où...

La présence de son père au côté des deux hommes en uniforme fut la chose la plus difficile à supporter pour Jean. Claude se tenait droit, les bras croisés sur la poitrine, et l'examinait comme s'il découvrait un nid de vipères. Les deux femmes étaient un peu à l'écart, pâles, Yolande plus indignée que choquée.

Le capitaine Durand regarda Jean d'un œil ardent tout autant que suspicieux, attentif au moindre tressaillement dans le visage faussement candide. Il ajusta son képi et parla enfin :

— Nous avons été saisis de plaintes pour violences, concernant tes copains Rénier. Il paraît que tu étais avec eux, hier soir. Vous avez bousculé un monsieur âgé pour lui confisquer son portefeuille, avant de vous en prendre au patron d'un bar. Parallèlement, des collègues de Grenoble nous ont alertés pour des faits similaires, à peu de temps d'intervalle. Coups et violence dans un autre bar, bagarre généralisée, etc. Tu confirmes ?

— On avait bu.

— Qu'est-ce qui peut bien expliquer ce changement d'attitude ?

— ... comprends pas.

— D'habitude, vous jouez dans la discrétion. Se faire remarquer n'est pas la devise première des Rénier. Tu es sûr de ne rien avoir à ajouter ?

— Je vous dis qu'on avait trop bu.

— Bien ! fit le capitaine d'un ton blasé et sceptique. Tu risques de nous revoir au sujet des plaintes. Tu es majeur, tu répondras de tes actes.

Une fois les gendarmes sortis, un lourd silence perdura dans la cuisine. Même Claude, qui ne s'était pas départi d'une attitude hautaine, ne jugea pas nécessaire de jeter une de ses remarques désobligeantes.

Jean se retrouva bientôt seul au centre de la pièce, abandonné de tous, comme un pestiféré. Il prit la porte, reconnut Tiki aux abords du bassin à moitié englouti dans la nuit. Il la siffla et prit le chemin, depuis si longtemps oublié, de la grange. Portée à bout de bras, la chienne, qui commençait à prendre de l'âge et à avoir des rhumatismes, l'accompagna ainsi dans son ancien repaire, n'osant croire à son bonheur.

Jean s'allongea contre le tout dernier foin de l'hiver. En adoration, Tiki posa sur sa cuisse son chaud museau aux poils maintenant blanchis et regarda l'homme qu'il devenait s'égarer dans de sombres pensées.

Le cœur étreint, Jean savait bien que s'il avait une seule fois deviné de l'amour dans celui de Claude, ce sentiment qui débordait de l'œil du pépé ou même de Marthe, il aurait aussitôt renié ses penchants pour un rôle qui lui correspondait peu. Mais une nouvelle fois l'indifférence de son père, tout à l'heure, le mortifiait plus que son mépris. Une gifle, un coup même auraient eu plus de conséquences heureuses que ce refus insultant de reconnaissance.

Un fils doit-il systématiquement reproduire les erreurs de son père ? Cette idée le tourmentait. Si cela entrait dans des règles établies de l'hérédité, comme l'affirmaient tant de gens, alors où était sa propre part de responsabilité ? Cela était si parfaitement simple et facile et arrangeant. Non ! Il avait beau faire, il n'avait pas l'étoffe d'un criminel. Il le sentait bien, et une petite voix le poussait à ignorer ce terme… Les fantômes de leurs victimes venaient déjà le hanter, rendant épineuse et rebutante sa volonté de ressembler à Charles pour mieux braver son père.

Son esprit se brisait sans cesse sur deux instants cruciaux de ces dernières heures. La tuerie féroce, dont il doutait parfois de la réalité, et la violence dont il avait fait preuve dans la foulée, pour exorciser sa peur, cacher sa faiblesse, obéir aux injonctions de Charles. Pour ne pas être éjecté d'un projet qui l'amenait, doucement mais sûrement, à réaliser son plan.

Il revoyait le visage de la jeune fille aux yeux si bleus, au cou si gracile, mais qui avaient le tort de lui rappeler trop sa mère. Il l'avait giflée fortement pour faire rire les autres, pour leur ressembler et pour s'endurcir. Il revoyait les larmes envahir l'œil sans en ôter la fierté. Il avait giflé encore plus fort le fin visage. Parce qu'elle leur avait refusé un baiser, parce qu'elle avait refusé de venir les servir à leur table. Parce que Charles avait déjà fait le tour du comptoir en lui promettant une raclée mémorable. Jean, sans réfléchir, avait bondi tel un tigre par-dessus le zinc encombré de verres et avait entravé l'élan de son chef, prétextant qu'il se chargeait de faire payer son arrogance à cette garce. Il avait dû frapper fort. Il avait dû convaincre.

La douceur des poils de Tiki, son calme, son souffle lent et régulier qu'il sentait à travers son jean, l'isolement et l'odeur du bon foin détendirent peu à peu ses nerfs. Il ferma les yeux, à la recherche du visage ovale encombré de mèches défaites et emmêlées. Il avait remarqué le sang au bord de la lèvre fendue et avait voulu l'essuyer de ses doigts. Elle l'avait mordu sous des éclats de rire. Il l'avait giflée à nouveau, croyant gifler sa mère. Quelque chose avait craqué en lui, tandis que les autres se claquaient les cuisses, savourant le combat inégal. Il aurait pu la rouer de coups, imaginant Josette se tordre à ses pieds. Il avait soudain eu peur de sa propre rage, mais le mal enraciné ne s'arrachait pas d'un simple vouloir. Marion – il n'avait appris son nom qu'à cet instant, quand le patron du Carré, massif et vigoureux, lui avait foncé dessus pour le calmer – n'avait pas gémi une seule fois, mais l'avait fixé tout le temps de leur affrontement dans les yeux. Il n'avait lu dans les grands lacs bleus ni haine, ni peur, ni dégoût, ni luxure, ces quatre expressions qu'il ne connaissait que trop bien dans le regard des filles qu'il côtoyait.

Le patron du bar l'avait méchamment bousculé.

— On ne touche pas à Marion, nom de Dieu ! Ne vous avisez pas de recommencer ou je vous interdis de séjour ! Barrez-vous, bande d'ivrognes, vous avez votre compte !

Cette nuit-là, après être venus semer la pagaille à La Mure, ils étaient retournés à Grenoble retrouver la bande de Charles. Ils avaient partagé une grande chambre aux matelas étalés à même le plancher crasseux.

Couché sous une grande fille aux cuisses et aux seins lourds, Jean n'avait pu aller jusqu'au bout du coït, obsédé par le visage de Marion qui n'avait cessé de défiler derrière son front, ses yeux plantés dans les siens comme pour y lire à cœur ouvert. Au-dessus de lui, la fille avait maugréé en bougeant davantage, mais Jean avait interrompu sa gymnastique bien avant qu'elle eût trouvé son compte. A demi furieux, il s'était débarrassé d'elle en la faisant basculer sur le côté. Elle l'avait planté là, vexée, sous les quolibets des autres qui avaient continué à forniquer. Charles, comme d'habitude, avait joui avant sa partenaire, lui avait claqué les fesses et l'avait envoyée à un François sans allant, puis avait exhorté Gilles à la prudence, côté vice. Il soupçonnait ce dernier de n'accéder à la jouissance qu'en imaginant les pires scénarios, mais se doutait-il que la boucherie de tout à l'heure avait fourni son trip à Gilles, qui se complaisait à visualiser sans relâche la tête et la poitrine déchiquetées de Roland tandis qu'il se retenait d'enrouler ses doigts vicieux autour de la gorge d'une fille ?

Au milieu des ronflements et des bruits de la nuit, Jean avait pensé que la seule petite lumière de cette odieuse journée avait été le regard de Marion, ce regard venu d'ailleurs, connu d'ailleurs...

Il y repensait à l'instant, blotti contre le foin odorant, envahi d'une étrange sensation, d'une douceur qui l'élevait au-dessus de tout le reste.

Cinq jours plus tard, les quatre amis se retrouvaient au foyer de Jeanne Rénier.

— Je suis allé voir Marco, je lui ai dit que ses deux poulains m'avaient fourgué la came pour leur propre compte. Je lui ai fait croire qu'ils étaient partis se mettre au vert en craignant ses représailles. On a le temps de voir venir.

— Qu'est-ce que tu as fait du paquet ?

— Caché dans la grotte. On le revendra plus tard pour notre pomme. Il y aura de quoi toucher gros !

Toute l'attitude de Charles avait changé. Quelque chose dans son regard, dans sa façon de se tenir rappelait Nany, son maître à penser. Mais s'il avait passé l'épreuve du feu avec succès, il n'en était pas de même pour François, qu'il regardait maintenant non sans inquiétude. Le lendemain des meurtres, ce dernier s'était réveillé bourré de tics. Il ne cessait plus, depuis, de cligner des yeux et de se frotter les mains. Son visage avait perdu son air presque bon enfant, et sa méchanceté présumée se noyait dans la peur. Charles en était mortifié.

— Je continue à me faire voir un peu partout, ça brouillera toujours les pistes quand le pot aux roses sera découvert. On va avoir quelques ennuis avec les flics, reprit-il, à cause des plaintes, mais ça faisait partie de notre plan, alors pas de panique, on saura bien s'excuser platement, comme de gentils garçons repentants. Apparemment, tu t'en es bien tiré, toi, fit-il avec une drôle de moue à Jean. La pétasse a l'air de t'avoir à la bonne. Elle a refusé de te charger.

Les ricanements glissèrent sur Jean, dont le pouls s'était accéléré, mais François enchaîna :

— Et les corps ? Toujours rien ?

— Avec la fonte des neiges qui va gonfler l'Isère, on n'est pas près de les revoir, répondit Charles, agacé.

Mais il avait présumé des caprices de la nature. La rivière rendit beaucoup trop tôt les corps à la justice. Les journaux de la semaine suivante étalèrent à leur une un article circonstancié des faits.

Un soir où Jean et Gilles se retrouvèrent dans un bar de La Mure, Emile Brun se rapprocha de leur table et s'assit sans façon auprès d'eux.

— Cela fait un bail, les jeunes. Qu'est-ce que vous devenez ?

Gilles continua de mastiquer son chewing-gum sans répondre à son salut, tandis que Jean éprouvait de la contrariété.

Emile Brun avisa un journal sur la table d'à côté.

— Tout le monde ne fait que parler de ce règlement de comptes.

— Qu'est-ce qu'on en a à braire ? dit Gilles en haussant les épaules.

— Tu as raison. Ces types avaient un casier

judiciaire chargé. Mais quand même, les abattre avec un tel sang-froid…

— Qu'est-ce que vous en savez ?

— Ce qu'en disent les journaux. Abattus à bout portant. Acharnement.

Le regard de Gilles luisait si fort que Jean craignit une vantardise déplacée. Il se mit à faire diversion, leur demandant ce qu'ils voulaient boire. Gilles lui jeta un regard irrité tout en lançant :

— Et alors ! Les pisse-papiers sont forts pour imaginer des situations, mais…

— Mais ? s'enquit Emile Brun.

— Rien !

Jean venait de lui donner un rude coup à la cheville.

— C'est ma tournée, fit Emile Brun, patelin.

Ils échangèrent des banalités jusqu'à ce que Gilles, qui n'appréciait pas son irruption à leur table, parte aux toilettes. Alors Emile Brun se pencha vers Jean et enfonça son regard dans le sien.

— Tu te rappelles cet ami dont je t'avais parlé. Un ami bien placé, qui connaît des tas de choses… Eh bien, cet ami a entendu des bruits sur Charles. Les deux meurtres, c'est lui, n'est-ce pas ?

Jean n'acquiesça ni ne démentit, empli d'un doute, se trouvant d'ailleurs surpris d'éprouver un tel sentiment.

— Vous avez de drôles d'amis, biaisa-t-il.

— Ce serait trop long à te raconter, mais tu peux me faire confiance. Je ne te dirais pas tout cela si je n'éprouvais rien pour toi. On dit même que Charles n'était pas seul, quand…

Le silence de Jean n'était en soi ni un aveu ni un

refus de parler, mais découlait bien d'un désir de se préserver, joint à un début de suspicion.

— A ce rythme, tu es en train de rattraper ton père, jeta bizarrement Emile Brun en se levant.

Le regard interrogatif de Jean le suivit jusqu'à sa sortie et resta longtemps figé sur la porte refermée.

14

Mis en cause par Marco dans l'assassinat de Roland et Pierre, Charles nia longuement les faits, ne signa aucune de ses déclarations, échappant à la justice qui n'avait aucune preuve contre lui, même pas celle de recel de stupéfiants.

Enfin libéré de ces tracasseries, il réunit sa troupe, plus serein que jamais.

— J'ai rencontré Alex, qui est sorti de prison. On le retrouve pour trinquer ce soir à Grenoble.

— A ta place, je laisserais les esprits se calmer, intervint François. Les flics doivent toujours te coller au cul.

— Et toi, tu pisses dans ton froc à la seule idée de pointer ton nez dehors ! Les mômes, si ça vous branche, on y va ! Sinon, vous restez tenir compagnie à ce couard.

— Je suis prudent, c'est tout, s'excusa François, qui se leva aussi. Ça ne m'empêche pas de vouloir être des vôtres.

Un « Bien » ironique ponctua la discussion, et comme d'habitude ils s'engouffrèrent à leurs places respectives dans la Rallye.

— Vous verrez, il a morflé, Alex. On lui a fait faire une cure de désintoxication en taule. J'ai failli ne pas le reconnaître, mais je lui donne à peine deux semaines avant qu'il retouche à la poudre.

Les derniers jours de mai dispensaient leurs senteurs dans la ville grenobloise étrangement plate entre toutes ses montagnes. De La Mure à Grenoble, l'écart des températures était conséquent. Cette soirée paraissait douce aux garçons, qui s'engagèrent dans la rue Prosper-Mérimée, les mains enfoncées dans leurs blousons, le col relevé sur des cheveux de plus en plus longs et gras. A quatre, ils encombraient le trottoir et s'amusaient à en évincer les promeneurs. A quelques mètres du miteux Champs-Elysées, dans lequel ils devaient retrouver Alex, une silhouette mince et sautillante qui arrivait en sens inverse ne se laissa pas intimider par leur manège et s'immobilisa devant leur charge.

— Charles !

— Djamel ! Quelle surprise ! Tu es sorti quand ?

— Juste après toi, mon pote !

Les présentations furent brèves mais chaleureuses.

— On a rendez-vous avec un des nôtres au Champs.

— A un de ces jours, alors.

Et Djamel embrassa Charles comme un frère, avant de saluer les autres et de s'éloigner de sa démarche de moineau.

— Un gonze rencontré pendant ma purge, à Varces. Un sacré type. On se reverra sûrement, commenta Charles en pénétrant dans le bar où il localisa tout de suite Alex.

L'homme, qui les avait un jour rendus nauséeux en

conduisant la Rallye comme une formule 1, avait perdu sa fière allure de dandy. Même ses dents ébréchées avaient viré au gris, et ses doigts avaient la tremblote. Difficile de l'imaginer encore derrière un volant pour emmener des braqueurs de banque à un train d'enfer à travers la ville, à la barbe des flics.

Les cinq amis sablèrent le champagne jusqu'à minuit, heure à laquelle Alex les quitta pour un autre rendez-vous.

Ce qui se passa par la suite, ni Charles ni Gilles ne furent en mesure de le rapporter plus tard dans les moindres détails. Seule cadra leur perception de la camionnette Renault qui, doucement, était venue se glisser durant l'heure précédente en face du bar, et dont personne n'était descendu. Le silence peut-être aussi, profond et soudain, dans le bar qui s'était vidé comme par enchantement, peu après qu'Alex en fut sorti.

Mais, la tête joyeuse, ils n'avaient prêté attention à rien de tout cela quand ils avaient décidé de quitter l'endroit. Ils avaient seulement été agacés de voir Jean grimacer et courir aux toilettes juste avant de partir. Ils l'avaient charrié. Jean, lui-même, avait maudit ces coliques soudaines qui lui tordaient les entrailles. Tandis que les autres enfilaient leurs vestes et commençaient à sortir, il avait franchi l'escalier quatre à quatre, jusqu'à l'étage.

Avant que n'éclatent les coups de feu, Jean avait déjà rajusté son ceinturon, ne comprenant pas ce qui lui avait pris de se croire incommodé. Lorsqu'il avait voulu ouvrir la porte, il avait mis plusieurs secondes avant de réaliser que le loquet en était bloqué. Il avait eu beau contrôler et constater que la targette était bien tirée, tenter de tourner la poignée ronde dans un sens ou dans l'autre, rien n'y avait fait. Se décidant à rire de la situation, il avait hésité entre faire exploser le mince battant à coups de pied et alerter le patron par un énorme chahut. Tout en écartant violemment la similitude avec une autre scène encore fraîche à son esprit... Mais à cent lieues d'imaginer le drame qui se jouait dans la rue, sans lui.

La porte de la Renault avait coulissé dans un bruit feutré. Pourtant, celui-ci avait alerté Charles, qui, aussitôt, avait compris. Hurlant à ses frères de déguerpir, il avait lui-même, d'une détente de félin, franchi la haie d'un des jardinets qui bordent la rue Mérimée. Tout en courant ou rampant comme un diable fou, talonné par les projectiles qui faisaient jaillir des mottes de terre autour de lui, il avait cru entendre à ses côtés une respiration haletante. Il avait enjambé une barrière, senti sa main s'ouvrir sur une arête coupante, s'était étalé dans un buisson épineux et s'était relevé comme électrisé, avant de s'apercevoir que les coups de feu avaient cessé pour faire place à d'autres bruits. Des volets claquaient sur les façades. Des voix s'interpellaient. Des lumières jaillissaient des foyers réveillés par la frénésie de la rue. Des cris arrivaient jusqu'à lui, qui s'était retourné, vif comme l'éclair, vers Gilles, qui ne l'avait pas lâché d'une semelle.

— François ! avaient-ils soufflé ensemble.

A ce moment, un dernier coup de feu avait claqué. Venant de la route. Un coup sec et unique. Tout de suite suivi d'un strident crissement de pneus et d'un moteur rugissant.

— François ! Jean ! Nom de Dieu !

Paniqués, Charles et Gilles étaient revenus en se précipitant sur le chemin inverse.

Ensemble, à travers une odeur de caoutchouc brûlé, ils avaient découvert le corps de leur frère allongé, dos contre terre, son regard marine figé sur l'éternité. A la lumière des lampadaires, ils avaient vu une rigole noire et visqueuse s'écouler depuis son dos et rejoindre celle du trottoir. Les jambes coupées, Charles était tombé à genoux auprès de François et l'avait pris dans ses bras, les yeux rivés sur le front troué où la dernière balle, tirée à bout portant, lui avait fait exploser la boîte crânienne. Un coup de grâce qui lui rappelait le sien. Les dents serrées sur sa douleur, Charles avait senti des larmes rouler sur ses joues, ravagé par une rage que rien jamais n'endiguerait.

Quand il avait relevé la tête, son regard avait rencontré celui de Jean, complètement hébété, pâle et démuni, debout à quelques mètres parmi les premiers curieux. Ce qu'y avait lu ce dernier n'avait plus rien à voir avec les éternelles promesses de puissance, ou même la vantardise et l'effronterie coutumières, mais bien avec une blessure béante que rien ne cicatriserait chez le jeune homme, sa vie durant. Et à travers cette douleur muette, une interrogation bien normale sur cette absence, étrange à un moment crucial, d'un des leurs, qui avait échappé au complot...

Mais comment Jean expliquerait-il jamais les incompréhensibles phénomènes qui assujettissaient sa propre volonté ? Même Gilles, agenouillé maintenant auprès de ses frères, l'avait regardé d'une manière qui en disait long sur ses doutes.

Ce malheureux épisode, qui empestait le règlement de comptes, n'apporta rien de plus à la police, qui rendit une nouvelle fois Charles aux siens.

De tous les habitants du plateau matheysin, qui prédisaient un avenir des plus sordides aux fils Rénier restants, seule Marthe pressentait que tout serait bientôt fini. Mais elle ne pouvait rassurer Yolande, que la peur tenaillait aussi de savoir Jean immergé dans un tel monde.

Une semaine après l'enterrement de François, Nany fournit une information capitale aux deux frères endeuillés. Contrairement à ce qu'ils avaient pu penser, la chèvre qui les avait attirés dans un traquenard n'était pas Alex mais Djamel, qui faisait partie, depuis sa sortie de prison, de la bande à Marco, ex-dealer des deux hommes assassinés.

Se remémorant les détails de leur entrevue, Charles convint de sa grande naïveté : Djamel, en les quittant sur le trottoir, lui avait offert le « baiser de la mort », trahison suprême dans le milieu.

Contrarié, il dut cependant se conformer aux ordres de Nany, qui voyait dans cette affaire un séduisant moyen pour porter un rude coup à la bande rivale.

— Nany nous donnera les moyens de nous venger, mais on doit attendre son feu vert ! Djamel est un petit toxico qui se méfie de tout le monde et a des indics auprès des flics. Nous allons les planquer tous, de lui à son chef Marco, jusqu'au moment décisif.

Le trio devint patient, mais obstiné à la besogne.

Leur vie s'écoulait à Grenoble, pour assurer au mieux leurs filatures.

Trio, car Jean avait un argument supplémentaire pour rester soudé aux deux frères : les convaincre de sa bonne foi. Il ne supportait pas l'idée qu'ils pussent seulement même l'effleurer du plus infime soupçon de peur ou de traîtrise.

Ainsi Jean était-il pris au piège de sa moralité. Au piège d'un objectif qu'il n'avait, somme toute, jamais vraiment défini.

Les heures qu'il passa à planquer pour étayer le piège de Nany furent source de méditation.

« Qu'est-ce que tu connais de la bagarre des loups, toi ? De cette rue qui peut te tuer dans chaque coin d'ombre ? » L'ironie méprisante de son père lui revenait comme un boomerang. Emile Brun ne se trompait pas sur ce point : Jean était bel et bien en train de rattraper Claude.

Mais cette idée n'apportait plus à l'assoiffé d'amour paternel de jadis la griserie escomptée. L'esprit de Jean était en train de se débattre avec ses inspirations et ses convictions, et, s'il ne comprenait pas pleinement ce revirement, son âme en connaissait la cause.

Il cala son dos contre l'encoignure d'une porte de cave, releva le col de sa veste et détendit ses doigts à plusieurs reprises – peut-être inconsciemment dans l'expectative de ce singulier picotement –, regardant Gilles dont le pur profil semblait taillé dans le roc. L'absence de François déséquilibrait le groupe. Depuis sa mort, Gilles et Charles s'étaient rapprochés au point souvent de ne plus faire qu'un dans leurs répliques et leur allure. Dans leur esprit de vendetta. Jean aurait pu, parfois, dire exactement ce qui passait dans leur tête. Il se surprenait dans ces instants à penser à Marthe, dont il commençait à mieux traduire les regards et les airs. Marthe, qu'il avait à maintes reprises accusée de lui ravir sa pensée... A tort ou à raison ?

Il fit le vide en lui. « Dieu est la part de nous qui décide ton meilleur sentiment. Rien, rien n'arrive par hasard... Reste attentif aux signes. A chaque pressentiment. A chaque intuition que tu reçois. »

Pour la toute première fois, Jean laissa les mots de Marthe investir sa tête, lui faire prendre conscience que ses meilleurs sentiments dataient de bien trop longtemps. Que des choses pouvaient survenir, comme ces phénomènes déroutants, irrationnels, correspondant à ses mises à l'écart forcées... Perturbé, il se sentit exhorté au calme, à la réflexion. Sans les brider comme à l'accoutumée, il laissa ses pensées aller comme elles le voulaient. Il s'écouta, comme il ne l'avait jamais réellement fait.

Jean écouta son âme.

Leur objectif commun enfonçait les trois amis dans les ténèbres, et Jean n'aurait eu aucune raison de résister à l'influence pernicieuse de ses frères de cœur et de rue, si de toute cette noirceur n'en ressortait toujours, subliminal, le regard océan de Marion... Sa course à la reconnaissance avait brutalement cessé à la seconde précise de l'impact de leurs regards, même s'il n'en avait pas pris conscience alors. Cette forte intuition qui n'avait pu franchir son entendement se manifestait à présent par un irrésistible désir de retour en arrière.

Il lui fallait revoir cette fille !

Il regarda sa montre : vingt et une heures.

L'œil du patron s'assombrit à son entrée, mais Jean ne s'en froissa point et s'approcha du comptoir, la figure amicale.

— J'espère que tu es lucide, lui dit l'homme, méfiant, qui essuyait des verres.

— Complètement.

— Je préfère ça.

— Où est Marion ? demanda Jean en jetant un œil sur la fille trop maquillée qui officiait tout près.

— Tu as du toupet, toi ! s'énerva l'autre.

— Tout va bien, je vous dis, je suis venu m'excuser.

— Il t'en a fallu, du temps ! Deux mois... Elle ne travaille plus là, elle ne faisait que me dépanner.

— Je peux la trouver où ?

— Nulle part !

— Je veux vraiment m'excuser.

— Ecoute, morveux, fit le patron en s'accoudant pour amener ses yeux face à ceux de Jean. Cette môme est ma nièce, elle est venue me rendre service, mais c'est pas son truc et tu peux comprendre pourquoi ! Si tu étais revenu le lendemain de ta prestation, je te jure que je t'aurais filé la dérouillée de ta vie, avant de t'amener chez les flics. Elle m'a interdit de te retrouver pour t'aplatir le portrait. Tu l'avais foutrement amochée, c'est vrai qu'elle aurait mérité tes remerciements, décréta-t-il en se redressant, mais je te conseille de surtout l'oublier !

— J'ai déconné, je sais... Je voudrais le lui dire...

— Ne compte pas sur moi ! Je vire plutôt les crapules de ton espèce, et le meilleur avis que je...

Il ne finit pas sa phrase, l'œil subitement contrarié, porté au-delà de Jean, qui se retourna d'un bloc.

Il la vit !

Retenue sur le seuil par une hésitation craintive, par l'attitude de son oncle ou bien par son attente à lui, soudain trop palpable... Ou bien par la même émotion qui lui étreignait la gorge.

Les sons, les mouvements, la vie : tout s'était arrêté autour de Jean.

Il ne sut plus très bien comment il se retrouva assis en face d'elle, dont le visage attentif et sérieux attendait qu'il se manifeste autrement que par des onomatopées de lourdaud.

Sévère et méfiant, le patron ne les quittait pas des yeux, désapprouvant sa nièce. Il regrettait qu'elle eût pointé son nez justement le soir où le petit voyou réapparaissait. Pestant après ces coïncidences par trop malheureuses, il était prêt à intervenir au moindre faux pas du salopard, à qui il ne pardonnait pas les bleus de Marion.

Les deux jeunes gens se regardaient avec le sentiment plus qu'étrange de se connaître depuis longtemps, ressentant une impression bizarre et vague de retrouvailles, de souvenirs semblables... Une commune intuition qu'ils se confieraient plus tard, mais qui les étouffait déjà de n'en rien laisser paraître. Etait-ce le coup de foudre, l'amour que clamaient les poètes ?

Enfin Jean put s'exprimer et il le fit d'un jet, mêlant questions et excuses, apeuré déjà de la voir repartir et disparaître de sa vie. Il précipita dans ses mots un maximum d'informations dont il attendit le retour avec un douloureux émoi. Il écouta la voix qu'il jugea la plus jolie jamais entendue, claire et sourde à la fois, sensuelle, musicale. Il but ses paroles, réalisant qu'il était amoureux pour la première fois de sa vie.

— C'est vrai, je suis sa nièce et j'habite à deux pas de chez lui. Oui, j'accepte tes excuses. J'ai vingt et un ans, un travail. Je suis indépendante, orpheline, j'ai une sœur qui habite à l'étranger. Je ne vais jamais dans les bars, celui-ci c'était pour arranger. Tu n'es pas une fréquentation recommandable, mais je...

Elle se troubla enfin, à la grande joie de Jean, qui regarda avec ravissement les joues rosir, les yeux se voiler, les lèvres frémir. Marion perdait de son assurance devant la fabuleuse révélation ; elle ne s'était pas trompée. Le regard brun s'était réchauffé d'une tendresse nouvelle, l'amertume de la bouche s'était adoucie, un sourire même avait fait trembler la commissure des lèvres. Il y avait du bon dans ce garçon, comme elle l'avait pressenti, du bon qu'elle avait envie de décrypter.

Conscients de leur désir réciproque, ils furent saisis du même élan et avancèrent leurs mains ensemble sur la table, qui s'effleurèrent maladroitement.

Mais cet éveil de Jean, cette clairvoyance éprouvée de n'avoir accordé jusque-là que de fausses valeurs à tant de choses, arrivait trop tard.

En quelques heures, il retomba dans le piège de sa vie, car cette nuit-là Nany leur donna le feu vert.

— Djamel, Marco et un troisième crack sont en

boîte, au Liberty. Nous serons six. Nous aurons trois minutes pour faire notre job.

Traduite comme un job, l'échauffourée n'aurait cependant rien de tendre, chacun connaissait les mots d'ordre : tuer, s'enfuir.

Des armes circulèrent. Jean se retrouva comme les autres en train de manipuler un revolver, sans éprouver leur fièvre.

— Il suffit d'appuyer sur la gâchette, fit Gilles, moqueur, en face de lui en élevant son arme pour le viser.

— Ils sont chargés, précisa Nany.

— Je sais, répliqua Gilles dont Jean découvrait un nouveau sourire.

Carnivore, sous un regard à demi fermé qui ne laissait rien filtrer d'humain, ce sourire-là aurait retenu l'attention de Charles s'il avait été lui-même en mesure de contrôler ses envies de meurtre.

— Je me garde Djamel, intervint celui-ci d'une voix dure.

A quatre heures cinquante-deux, Nany sortit de la boîte au milieu d'un groupe de jeunes bien échauffés. Leurs rires arrivèrent jusqu'aux cinq compères par les vitres baissées de la voiture, volée pour la circonstance.

Nany leur fit le signal convenu.

Tout le monde descendit de la voiture et s'en écarta, Charles faisant claquer son chargeur, imité par Gilles, suivi par Jean. Les deux autres partirent rejoindre Nany, qui déjà s'enfonçait dans une rue latérale pour contourner le bâtiment.

Les lieux se prêtaient au piège. Ils avaient repéré la voiture de l'ennemi, garée dans le parking, à cinquante mètres environ. C'était là qu'il serait cueilli par Charles, Gilles et Jean, cachés à travers un espace de conifères et de buis. Nany et les autres le prendraient à revers.

Tout devait se dérouler en moins de temps qu'il ne fallait pour l'exposer.

Rien ne se passa comme prévu.

Attendu à trois, le groupe adverse se présenta à six.

Charles eut un moment d'hésitation quand il vit les hommes mettre la main à leur ceinture et regarder en tous sens en s'écartant les uns des autres. Mais il avait trop attendu ce moment et se croyait protégé par sa haine. N'étaient-ils pas, eux-mêmes, six ? Il se baissa plus encore derrière la haie, conseillant d'un geste à Gilles et à Jean d'en faire autant, de reculer jusqu'aux arbrisseaux suivants pour mieux se cacher, laisser venir l'adversaire plus près encore.

Il devait y avoir deux véhicules au minimum. Savoir dans lequel monterait Djamel était la seule obsession de Charles. Tout le reste devint accessoire, la prudence comme la stratégie. Et cela le perdit.

Les premiers coups de feu éclatèrent au moment où Jean devenait comme plomb. Fut-ce la peur, la panique ? Jean fut impuissant à se mouvoir pour échapper au pire ou pour affronter le danger des balles. Il en entendit siffler à ses oreilles. Il perçut un cri. Il vit Charles vaciller mais continuer à faire feu comme un forcené. Dans une atmosphère onirique, il vit Djamel tomber. Et puis un autre. Et un troisième. Alignés dans la mire de Gilles. Jean, lui, ne parvenait qu'à demeurer spectateur immobile de la scène de mort. Un sursaut le prit de se porter au secours de ses frères. Nany et les deux autres ne se manifestaient toujours pas. Si l'ennemi reprenait l'assaut, leur compte était bon. Les balles allaient manquer. Jean lutta de plus belle contre cette impotence tragique. Il n'avait pas l'impression d'avoir peur, alors qu'était donc ce terrible poids qui le tassait jusqu'à le faire s'agenouiller à terre ? Il avait un jour connu une frayeur qui l'avait fait s'asseoir après lui avoir coupé les jambes. Le résultat était identique mais les causes différaient. Il en était certain, c'était comme si des forces physiques s'opposaient aux siennes... Une balle lui érafla le bras, lui occasionnant une vive brûlure, mais ne le libéra pas de cette monstrueuse anesthésie qui l'empêchait d'agir. Il essaya de crier à Gilles de se baisser. Il ne fit que gémir. A genoux, il banda tous ses muscles et sa volonté pour lever son arme et viser l'homme qui s'approchait en rampant vers eux. S'opposant à une étrange puissance, il crispa le doigt sur la gâchette.

« Ne fais pas ça, Jean ! » éclata la voix dans sa tête.

Atteint d'aboulie, Jean laissa retomber son bras. Il fut incapable de se rapprocher de Gilles, qui regardait son frère affalé contre le tronc d'un arbrisseau, la main ouverte sur son arme échappée. Le cœur serré, il le vit aussi tomber, pris à revers par un assaillant.

Il sentit une présence. Il leva les yeux.

Emile Brun le regardait d'un air inexprimable.

Etait-ce bien Emile Brun ? Et, si c'était lui, que faisait-il donc là ? Jean était sûr de rêver après avoir subi une paralysie de cette envergure, après avoir vu ses copains se faire descendre, sans être intervenu. Il sentit que l'homme lui ôtait l'arme des mains.

Il entendit un dernier coup de feu et se sentit soulevé avec force.

15

L'arme pointée sur lui ne l'effrayait pas, il avait l'esprit trop embrumé pour éprouver de la peur. Il venait de perdre ses seuls amis, et plus rien n'avait d'importance. Mourir ou vivre, il s'en fichait.

Jean se trouvait dans un véhicule inconnu arrêté en bordure de la route de Prunières, à deux pas de chez lui. Vêtu d'un simple tee-shirt, il avait un peu froid. Il regarda son bras, que le sang en séchant avait marbré de filets bruns. La balle lui avait entaillé les chairs.

Le soleil s'était déjà levé et parait les monts d'une clarté mystérieuse, changeante comme les caractères humains et leur destinée. Il frissonna, conscient de la bizarrerie de la situation, mais préféra se renfoncer dans le confort de l'oubli. Il ne voulait pas penser à la tragique réalité passée et à celle à venir, qu'une part de lui-même devinait démoniaque.

Emile Brun, le dos calé contre la portière, le menaçait d'un revolver. Son visage n'avait plus rien du retraité paternel. Ses traits s'étaient durcis, ses yeux flamboyaient, tandis que le haut de son corps semblait s'être redressé et élargi.

— C'est vous qui avez tout fait foirer ? demanda

Jean, ironique, en désignant l'objet métallique. Vous nous avez vendus ?

— Disons que j'ai acheté des complicités, articula l'autre d'une voix que Jean ne reconnut pas non plus, bizarrement teintée d'un accent méridional.

— Nany ?

— Nany aime le fric, Alex la drogue, Djamel les problèmes. Tout le monde aime quelque chose qui le fera craquer tôt ou tard. Les hommes sont comme ça, ils ont le goût du pouvoir, de l'argent, de la vengeance. En ce qui me concerne, la haine est mon oxygène. Nany ne montait pas un piège pour Charles, mais pour moi.

— Je ne comprends rien, fit Jean, incrédule, qui sentait la migraine s'installer.

— Comme je ne comprends pas ce qui m'a pris de te tirer de ce pétrin, alors que tu devais y rester.

— Quoi, vous vouliez ma mort ? s'exclama Jean, qui retrouvait ses facultés.

— Ta mort était programmée, jusqu'à cette idée saugrenue de t'épargner.

— Que vous ai-je donc fait ?

— Rien ! Toi, rien ! Tu n'es que l'innocente victime d'une machination.

Emile Brun aurait pu, à cet instant, se détendre et sourire, reconnaître qu'il plaisantait, même d'une manière douteuse, et les choses auraient peut-être repris un cours plus normal. Mais tous ces morts, ces visages qui revenaient à la conscience de Jean, qui lui sautaient à la figure…

— Le rapport avec tout ça ?

— Mon fils.

— Christophe ?

— Philippe...

Juste pour prononcer ce nom, de la tendresse était revenue dans la voix rude.

— Philippe Galliardi. Mort à cause de ton père.

— Dans l'attaque à main armée... souffla Jean, éberlué.

— Mon fils, entraîné, influencé ! Le maillon faible à qui l'on faisait prendre tous les risques. Mon fils, promis à un bel avenir sans ton père, que j'exècre ! Que je croise depuis plus de huit ans en me retenant de vomir !

— Mais moi ? Moi ? s'exclama Jean en redressant le buste. Je croyais en votre amitié...

Les narines dilatées, la bouche crispée, Brun darda sur Jean des yeux qui se rétrécirent au point de n'être plus que deux fentes meurtrières. Celui-ci ressentit presque physiquement toute la folie vindicative de son agresseur.

— Je te hais autant que lui et ne peux même pas t'en demander pardon. Tu fais partie du plan que je n'ai cessé de ruminer durant sept années de prison et de peaufiner durant encore treize ans. Vingt années d'attente ! Vingt ans ! Tu ne peux imaginer ce qu'a été ma vie jusqu'à ce matin ! Je n'ai été porté que par un seul espoir. Vers un but unique. Enivré par la vision future de ce que je montais méthodiquement. A ce rythme, tu ne sais plus pardonner ! Tu ne sais plus aimer ! Je ne suis qu'attente depuis ce jour terrible !

Jean s'était senti transpercé par toutes ces flèches. Sous le coup d'une grande désillusion, il examina Brun, s'attardant sur le visage, tentant de mieux cerner les traits habilement cachés derrière la barbe, cherchant désespérément à comprendre ce qui l'avait toujours intrigué chez cet homme qui brutalement se déclarait être son pire ennemi.

— Enfin tout s'achève aujourd'hui, rajouta Brun comme si sa longue tirade haineuse l'avait épuisé. Je tiens ma vengeance.

— Pourquoi faire passer votre vengeance par moi ?

— Il a eu mon fils, j'ai eu le sien !

— Pourquoi avoir attendu toutes ces années ?

— Pour lui donner la même douleur. Lui faire comprendre. Dans les mêmes circonstances. Le même scénario. Je voulais qu'il connaisse ma souffrance et ma honte ! Je n'étais peut-être pas irréprochable, mais cela ne m'empêchait pas d'être fier de mon fils et de le vouloir intègre.

Les nerfs de Jean lâchèrent d'un coup. Il explosa d'un rire énorme dans l'habitacle soudain trop petit pour en contenir l'éclat. Emile Brun pointa son arme sur le front hilare.

— C'est plutôt raté de ce côté-là ! hoqueta Jean. Il me déteste plus que vous. Et pour être franc, je me rends enfin compte que tout cela ne me touche plus.

Inexorable, Brun le fixa longuement avant de reprendre d'un ton encore plus froid :

— Alors j'ai bien fait de te garder en vie. Une prison à perpétuité ne se supporte pas mieux. Il n'y a pas d'oubli pour atténuer quoi que ce soit !

— Prison à perpétuité ? fit Jean, incertain. Je n'ai été que spectateur !

— Plus cette fois, mon vieux, maintenant tu as tué ! Tu es assassin et dealer ! Tu as tué un homme et ton blouson regorge de cocaïne !

— Vous êtes cinglé ? dit Jean en se redressant, insensible à la menace de l'arme.

— Ne bouge pas !

— Vous êtes fou !

— Tu iras en taule, sa vie sera bousillée comme il a bousillé la mienne !

— Je n'ai tué personne !

— J'ai tué pour toi. Ton arme est auprès de ta victime, avec tes empreintes !

— Mon blouson !

— Dans le coffre de la voiture, avec la cocaïne que j'ai récupérée dans la grotte !

— La grotte !

— Je sais tout de toi. Je te colle aux basques depuis mon arrivée à La Mure.

Jean réfléchissait maintenant à toute allure. Son cerveau alignait les faits comme un métronome.

— Ton père ne pouvait perdre sa laideur, même en neuf années de réclusion. Au début, je pensais qu'il te donnerait la voie à suivre en replongeant dans son vice. J'ai vite compris qu'il n'était là que pour se faire oublier, mais j'ai su que je pouvais profiter de la situation. J'ai compté sur son mépris, la haute opinion qu'il avait de lui-même, pour te convaincre que son choix de vie était à suivre. De deux choses l'une : tu flanchais ou tu te révoltais ! Avec l'appui des Rénier, cela devait marcher ! Mais certainement pas tant que le vieux serait de ce monde. Tu me comprends…

Non, Jean, le cœur soudain broyé, ne voulait pas comprendre. Mais il savait que l'autre disait vrai.

— Je l'ai donc rayé du jeu.

— Non ! cria Jean, qui se jeta sur Brun et reçut un rude coup sur la tempe.

— Une pièce d'or, trouvée par miracle au beau milieu de la grange... Il n'allait pas manquer de la remiser avec les autres dans votre cache secrète. Il m'a suffi de bousculer l'échelle au bon moment. Mais j'avais aussi d'autres idées en réserve.

— Non ! hurla à nouveau Jean, le front ouvert et saignant, qui reçut un autre coup similaire.

Une douleur beaucoup plus morale que physique le rejeta en arrière. Puis la rage le propulsa en avant, le faisant buter contre le canon froid qui le repoussa contre la vitre de la portière et l'y maintint. Brun tira le chien et mit le doigt sur la gâchette.

Jean voulait bien mourir.

— Tirez ! gronda-t-il, méprisant. Tirez !

Mais son heure n'était pas encore venue, laissant place à celle des confidences trop longtemps retenues. Il avait l'impression de se trouver dans un ascenseur qui chutait interminablement jusqu'au centre de l'enfer.

— Ensuite, il fallait que tes parents reviennent pour saboter le trop bon travail de l'ancêtre. Je les ai un peu aidés à se décider ! Ta mère a en horreur les rats et les mauvaises odeurs, j'adore jouer au passe-muraille.

— Vous connaissez aussi ma mère !

— Ta mère, c'est encore une autre histoire... Tout comme tes parents, j'ai manœuvré ton Charles, qui se croyait un caïd. Nany marche avec moi depuis le début. Le cocufiage d'Isabelle, Marco, Djamel et les deux idiots que vous avez plombés : tout était prévu, réglé comme du papier à musique. Tu as échappé à la première fusillade. La chance, sans doute. Il a fallu poursuivre le plan.

— Je vois que vous avez de belles fréquentations, ironisa Jean, amer, l'arme toujours collée à son front.

— Plus que tu ne crois, dit en souriant son agresseur.

— Vos cadeaux, les soldats de votre soi-disant fils de mon âge... Pourquoi ?

— Pour gagner ta confiance.

— Vous m'avez manipulé. Sournoisement. Tout ce que vous me disiez...

— De l'intox. Pendant des années. J'étais toujours derrière ton arrière-grand-père et toi, jusqu'à ce que tu prennes ce foutu clebs. J'ai tellement écouté tout ce que te racontait le vieux sur les regrets, la conscience. « N'écoute personne que toi-même, pour mentir il faut avoir une bonne mémoire, l'avantage d'être intelligent c'est qu'on peut se permettre de faire l'imbécile », etc.

— De l'intox, répéta lentement Jean, anéanti.

A travers sa souffrance, de doux souvenirs éclataient comme des bulles à la frange de sa conscience.

— J'étais assez satisfait de moi, tu étais malléable après ce... regrettable accident.

— Mon Dieu ! gémit Jean. Vous étiez obligé de... ?

— Il fallait que je t'enlève ton merveilleux tuteur, tu poussais trop bien. Quand un gosse est si fou de son arrière-grand-père, il faut bien que cette folie passe à un autre. Par besoin d'amour, un enfant ne s'applique-t-il pas à devenir celui que ses parents souhaitent ? Ne t'ai-je pas bien enfoncé cette idée dans la tête ?

— Salaud ! reprit Jean, qui savait combien il avait conservé à la mort du pépé ce besoin vital de se refléter au travers d'un autre.

La peine le submergea si fort que ses yeux devinrent vides.

— Je m'étais tout de même donné un sacré temps pour façonner ta vie et arriver à mes fins, rajouta Brun avec un drôle d'air.

Un bouleversement tragique fit pâlir le visage déjà blanc de Jean, tandis que tout s'emboîtait douloureusement dans sa tête, comme un puzzle gigantesque.

— Les gendarmes, le soir du poste...

— Le poste ? Après t'avoir convaincu de faire un essai, je t'ai fait surveiller par des complices. Je me suis un peu trompé, je croyais que tu allais récidiver ; mais le scénario, dans un cas comme dans l'autre, était de te faire passer devant mes fenêtres. Mon intervention avait pour objectif d'augmenter ta confiance en moi. Je ne dors plus jamais depuis la mort de mon fils. Tu as eu affaire à de faux gendarmes, tu aurais pu reconnaître le type qui était avec moi au bar le jour de la Sainte-Barbe.

— Gilles est mort ?

— Ce petit vicieux ? Ce n'était pas le but recherché, mais c'est la meilleure chose qui pouvait lui arriver avant qu'il ne fasse du mal à des innocentes, je l'ai vu à l'œuvre. Son frère s'en tirera. Il faut bien reconnaître que tu n'as pas spécialement risqué ta vie pour sauver la leur. Il te suffisait d'en aligner un ou deux... Tu ne sembles pourtant pas être un froussard.

Jean, blessé, meurtri, se remémorait le massacre et butait sur son incompréhensible mise hors jeu.

— Dans quelques heures, la police viendra te cueillir. Tu auras beau clamer ton innocence, les faits sont là et mes alibis sont de taille. Emile Brun va s'évanouir dans la nature, Galliardi vit tranquillement sur la Côte d'Azur depuis plus de treize ans. Tu vois, je n'ai rien laissé au hasard.

— Pour qui travaillez-vous ?

— Pour tout le monde, et tout le monde trouve son compte. Les flics se régalent de voir la fripouille s'entretuer.

— Je vous aimais bien.

— Il le fallait.

— Je vous hais !

— Je suis vengé.

— Parce que j'ai voulu ressembler à mon père ?

— Parce qu'il va souffrir.

— Vous vous trompez, ce genre d'homme ne souffre de rien.

— Cela viendra, fais-moi confiance.

— Votre vengeance n'est pas complète si vous ne me tuez pas.

— Ma vengeance ne concerne pas seulement ton père, mais aussi ta mère. Ce n'est pas ton « coup d'éclat » qui va les rapprocher tous deux, bien au contraire… Ton vieil arrière-grand-père avait raison au sujet des remords : ils ne résistent pas à l'usure du temps. Mais ce serait long à t'expliquer et surtout inutile. Descends !

16

Telle une éponge, Jean avala trois verres d'eau d'affilée sous l'œil terrifié de Marthe, qui avait laissé tomber à terre les pois qu'elle écossait. Tandis que les petites billes vertes rebondissaient sur le carrelage pour se disperser dans tous les coins, elle regardait son grand garçon ensanglanté, aux yeux hagards, aux gestes saccadés. Elle recevait des flots d'images qui la firent s'écrouler sur le premier siège venu. D'un geste, il lui avait intimé l'ordre de se taire. Elle le vit se pencher sur l'évier pour laver son sang et tamponner la blessure de son front avec un torchon mouillé.

Il se retourna d'un mouvement vif et la foudroya du regard.

— Je voulais lui ressembler ! attaqua-t-il, adossé à l'évier.

— Tu voulais qu'il t'aime, lui répondit doucement Marthe, qui le sentait si misérable.

Elle le fixait, touchait ses traits d'un regard caressant, le découvrant soudain homme, au beau visage régulier, à la poitrine finement musclée moulée dans son tee-shirt, et pourtant si éperdu et enfantin dans sa façon de plier le dos et de mordre ses lèvres.

— Je voulais…
— … qu'il te remarque. Alors tu le provoquais… Ne le hais pas, Jean.
Ah ! Marthe qui comprenait si bien ! Trop bien ! Et cependant qui ne voyait pas tout. Brusquement, il lui en voulait. Tout autant qu'à lui.
— Explique-moi la voix ! lança-t-il. Sa voix ! Elle résonne en moi et…
— … et tu n'es pas fou. Ecoute-la, elle est réelle.
— Il m'a empêché de tuer.
— Mon Dieu… murmura Marthe en se couvrant la bouche de ses doigts.
— Je ne pouvais plus bouger pendant que les autres se faisaient descendre, dit Jean en se cachant le visage dans les mains.
Il se laissa tomber sur le banc face à la table, tout à côté de Marthe, et enfouit sa tête entre ses bras repliés.
S'abandonnait-il enfin ?
Elle se mit à lui caresser les cheveux tandis qu'il pleurait, submergé de pensées accablantes qui l'entraînaient aux confins du désespoir et du dégoût.
Il avait laissé tomber son ami sous les balles sans lui porter secours ! Il revoyait le visage de Gilles, non pas celui du jeune homme mais celui du fragile enfant blond aux épaules secouées de sanglots quand son père avait frappé…
Il revoyait le pépé et ces mille riens heureux qui les avaient soudés si fort…
Il était indirectement leur bourreau, innocent jouet entre des mains cruelles. Manipulé ! Marionnette !
En se croyant indépendant, il avait sans cesse été à la merci d'influences !

— Je me méprise ! fit-il, les dents mordant son bras jusqu'au sang.

— Et… si tu t'étais trompé sur toute la ligne ? fit lentement Marthe, qui voulait le délivrer de ses trop lourdes chaînes.

Jean avait relevé sa figure mouillée et la regardait sans comprendre.

Elle hésita et crut bien faire, si sûre d'elle, si sûre… Trop sûre peut-être.

— Claude n'est pas ton père.

Un silence de mort tomba dans la pièce. Marthe se troubla devant l'expression de Jean, devenue tragique.

— Tu n'as rien à lui prouver, abandonne cette vaine lutte, expliqua-t-elle.

— Et tu me dis cela ! gronda Jean, abasourdi. Tu me dis cela maintenant ! Alors qu'il est trop tard !

— Il n'est jamais trop tard, Jean.

— Oh si ! Bien trop tard ! Ma vie s'est arrêtée cette nuit ! s'emporta-t-il.

— Que dis-tu ?

Jean se jeta en arrière et se leva d'un bond en ricanant, la voix tendue de rage.

— Comment ? La fortiche de la voyance n'a pas vu que j'avais un ennemi pour ange gardien ? Un ennemi qui me manipule à sa guise depuis qu'il a assassiné le pépé ! Pour se venger de mon père ! Tu aurais plutôt dû me le décrire comme un diable, ajouta-t-il, le doigt accusateur, ce fameux Brun dont je devais juste me méfier !

— Emile Brun… souffla Marthe, plus figée et pâle qu'une statue d'albâtre. Si je l'avais fait, m'aurais-tu écoutée ?

— Non, hélas, non ! Il m'a piégé ! Je suis fichu ! Fichu ! cria Jean, au bord de l'hystérie. Je suis le dindon d'une gigantesque farce ! La victime d'une erreur sinistre et fatale ! Je deviens fou ! hurla-t-il en se tapant le front. Fou ! Ce type a semé la mort autour de moi, croyant atteindre mon père. Croyant punir mon père qui ne le serait pas ? Si tu as raison…

Il attendit une infirmation qui ne vint pas. Alors il s'arracha les cheveux.

— Fatalité ! Fatalité !

Il suffoqua avant d'éclater d'un rire dément.

— Jean ! cria Marthe pour le faire revenir à la raison.

Marthe, qui avait déclenché la foudre. Marthe, dépassée par la souffrance de son petit. Marthe, assaillie par la peur.

— Je n'ai plus rien à perdre !

— Jean !

— Laisse-moi, pauvre folle !

Il la poussa rudement alors qu'elle lui barrait le passage de la porte. Déséquilibrée, elle tomba sur le côté en poussant un grand cri.

Mais Jean avait déjà franchi le seuil et se précipitait chez Brun où, de loin, il remarqua les volets fermés à l'étage. Il se jeta dans l'entrée, gravit les marches de la cage d'escalier en trois bonds et se heurta à la porte close, sur laquelle il tambourina violemment.

Un voisin apparut sur le seuil de son appartement et s'offusqua des manières et de l'allure de ce fou furieux aux vêtements souillés de taches suspectes.

— Si c'est Brun que vous cherchez, il est parti. Il a déménagé hier.

— Parti ? répéta Jean, hébété, en lui offrant le spectacle de sa tempe ouverte et sanguinolente. Parti où ?

— Ah ça, personne n'est au courant, lâcha l'autre en baissant prudemment le ton. Il a toujours été discret sur sa personne, monsieur Brun.

— Ah oui ? rugit Jean en donnant un grand coup de pied dans la porte, qui alla se fracasser contre le mur de l'entrée.

Alors que l'homme se mettait à jurer et rentrait précipitamment se barricader chez lui pour appeler les gendarmes, Jean, furieux, découvrait un appartement vide.

— Le salaud ! Le salaud ! lâchait-il tout haut en frappant les murs de ses poings.

Le piège s'était refermé.

Sa souffrance ne faisait que recommencer.

17

Tandis que Jean, déboussolé, venait se terrer dans le seul endroit où il pourrait se supporter, Josette et Claude se retrouvaient face à face, aussi surpris l'un que l'autre. Elle était nerveuse et tapotait du pied le carrelage gris. Il avait sa musette de travail sur le dos car il venait de quitter la mine.

Par l'intermédiaire d'un enfant qui n'avait su répondre à leurs questions, chacun avait reçu l'ordre impératif de rejoindre l'autre, dans un bar écarté des grands quartiers.

Le barman les examinait discrètement depuis son comptoir. Lui-même ne savait qu'une seule chose, la valeur des billets que lui avait glissés un type pour faire évacuer les lieux, « le temps d'un règlement de comptes dans une affaire familiale ».

— C'est encore une de tes idées de génie ? attaqua Josette, ironique. Quitter mon travail en plein midi n'a pas été très apprécié.

— Figure-toi que je n'y suis pour rien, riposta Claude, aussi irrité qu'elle.

— Alors ?

— Alors, quoi ?

— Qu'est-ce qu'on fiche ici ?

— Ça m'a l'air d'un canular. On s'en va.

Comme ils s'avançaient vers la porte, celle-ci s'ouvrit dans un carillonnement de clochettes et laissa entrer un individu que tous deux détaillèrent intensément, pendant que le barman disparaissait dans sa cuisine.

Lentement, à la manière des félins en chasse, l'homme s'approcha d'eux, immobilisés au milieu des tables.

— Vous pouvez vous asseoir, leur dit-il sans préambule.

Josette et Claude échangèrent un regard, et quelque chose de perceptible modifia leurs gestes. Il s'assirent, guettant les prochains mots qui allaient éliminer leurs doutes.

Malgré quelques changements notables, ils avaient reconnu Emile Brun, cet homme discret et affable, insignifiant, souvent seul, à qui ils n'avaient jamais accordé d'attention particulière. Mais à travers lui, aujourd'hui dépourvu de barbe, la tête blanche et nue sans sa casquette grise, le dos redressé, l'œil étincelant, le sourcil certainement épilé, beaucoup moins dru qu'autrefois, et l'inquiétant sourire figé, ils voyaient un autre homme, sorti de leur vie, presque oublié mais pas suffisamment pour ne pas craindre sa résurrection. C'était ainsi que Josette vivait cette rencontre hallucinante, en détaillant l'apparition de tous ses yeux.

— Armand... fit-elle tout bas.

Claude, s'il ressentait le même ahurissement, se garda bien de le laisser paraître et se dissimula derrière son habituelle suffisance.

— Galliardi ! Ça alors ! Je ne vous connaissais pas ce goût pour la comédie !

— Lâche ton arrogance et écoute bien. Je vais être bref.

Le ton les convainquit de se tenir cois.

Il s'adressa tout d'abord à Josette, qui n'en menait pas large malgré l'assurance qu'elle affichait en soutenant son regard de braise.

— Je ne vais pas revenir sur nous deux, l'histoire est ancienne et j'ai eu le temps de me faire une raison, même si je n'ai pas apprécié d'être largué aussi malproprement pour un connard de cette espèce. Toi, tu la fermes ! ordonna-t-il à Claude, qui ouvrait la bouche.

— Non, c'est vous qui la fermez ! clama son vis-à-vis en se redressant pour le tenir à la merci de son regard. Je ne comprends pas le pourquoi de ce stratagème. On ne vous doit rien. J'ai payé ma dette ! Josette m'a préféré à vous, je ne vous ai rien volé. Vous nous avez épiés toutes ces années ? Vous rinçant l'œil de nous voir former un couple banal, merdique, et vous avez bien rigolé ? Je vous sais suffisamment tordu pour m'attendre à tout. A quoi rime ce cirque ?

— Je te savais psychologue, fit Brun-Galliardi avec un sourire qui n'atteignait pas ses yeux. Il suffisait de voir comme tu embobinais Philippe.

— Nous y voilà, ricana Claude en se rasseyant.

— Je t'ai toujours tenu pour responsable de la mort de mon fils, et accessoirement de mon arrestation.

— Je ne suis pas votre dénonciateur.

— Alors c'est elle, fit Galliardi en se retournant vers Josette qui avait allumé une autre cigarette.

— C'est Philippe, dit-elle à travers sa fumée. Il ne supportait plus ta pression constante et tes sermons.

— Impossible, murmura Galliardi, touché.

— Je confirme, intervint Claude, un sourire goguenard aux lèvres.

Après un silence, leur adversaire reprit :

— Tu l'as pourri plus encore que je ne l'imaginais. Mais quoi qu'il en soit, j'en ai terminé avec vous deux.

Une espèce de soulagement libéra la poitrine de Josette, qui avait appréhendé autrefois la sortie de prison de son amant. Claude conservait un air provocant mais se gardait d'agresser, sentant venir le coup fourré.

— Ma vengeance est consommée. Vous m'avez pris mon fils, j'ai pris le vôtre.

— Que veux-tu dire ? demanda vivement Josette.

— La police ne va pas tarder à lui passer les menottes et l'enfermer à vie. Je voulais qu'il meure dans des circonstances analogues à celles de Philippe, mais... disons que le grand manitou qui tire les ficelles, là-haut, n'a pas voulu. A la réflexion, cette perpétuité me ravit. Vous pourrez en parler durant vos longs tête-à-tête amoureux.

Armand Galliardi souriait maintenant d'un air satisfait et n'attendait plus aucun commentaire, savourant seulement l'expression des deux visages accrochés au sien. Et puis, il les vit se regarder longuement, échanger des choses qui ne le concernaient plus.

Il allait les laisser. Il allait partir. Reprendre sa route pour nulle part et tenter d'oublier, mais tellement certain de ne jamais y parvenir. Comment évacuer vingt années de haine ? S'il avait cru gagner un remède, il n'éprouvait ni délivrance ni joie. Sa vengeance lui laissait un fardeau d'amertume.

Presque triomphante, la voix de Claude le ramena à la réalité, mais il devait mal entendre.

— Pauvre imbécile, répétait-il. Ce môme n'a jamais été le mien !

Galliardi mit trop de temps avant de regarder Josette, dont le pâle sourire le gêna.

Devant l'insistance de son regard, elle baissa la tête, un peu navrée.

— Non ! s'exclama-t-il comme s'il avait reçu un coup au plexus.

— Si, affirma Claude, exagérément jovial en voyant la figure crispée virer au gris.

Qu'avait-il fait ? Mon Dieu !

Tel un poison, la question entrait en Galliardi au rythme de son souffle saccadé, pénétrait ses vaisseaux et affluait jusqu'au cœur.

— Salope ! commença-t-il d'une voix aphone. Tu...

— Viens ! dit Claude en obligeant sa femme à se lever. Nous n'avons plus rien à faire ici.

— Non, attends ! la retint le père de son fils en s'accrochant à elle.

Il fut interrompu par l'ouverture intempestive de la porte. A travers le raffut des clochettes bousculées, la voix essoufflée de Patricia Froment retentit :

— Enfin, je vous trouve ! Venez vite ! Il y a eu un malheur ! Le petit... Le Jeannot ! Il s'est pendu dans votre grange !

La vie cessa dans le bar. Le laps de temps qu'il fallut aux souffles et aux cœurs pour redémarrer.

Claude fut le premier à réagir. Il empoigna Josette,

plus pâle que la chaux des murs, et la tira vivement. En passant devant Galliardi pétrifié, il ne put s'empêcher de lui jeter :

— Bravo ! Vous la tenez, votre vengeance !

18

La demi-heure qui venait de s'écouler avait plongé Jean dans les affres du dépit et de la douleur.

Après s'être une dernière fois moqué de son action personnelle pour atteindre un homme indifférent à son sort, et pour cause, action si dérisoire, vaine et risible au regard de l'infernale vengeance intelligente, froide et calculée de Brun-Galliardi – même s'il s'était fourvoyé sur la cible –, Jean prit sa décision dans un état second, à mi-chemin de la folie dans laquelle l'entraînait le constat d'un échec écrasant.

Lorsqu'il relevait la tête, son regard halluciné se heurtait aux fines particules suspendues dans l'air jaune. La poussière dense des lieux surchauffés rendait sa respiration rauque et difficile. La sueur lui piquait les yeux, coulait le long de ses tempes. La corde rêche meurtrissait ses doigts. Il sentait un durcissement dans le creux des épaules, un tremblement incoercible dans les membres, une asphyxie. Au bord de la suffocation, il s'acharnait pourtant à confectionner son arme.

Un bruit l'alerta. Les gendarmes seraient-ils déjà sur place ?

Il se pétrifia. Le cœur fou. Désespérément accroché à cette évidence : personne, plus jamais, ne s'ingérerait indûment dans sa vie.

Un appel lui parvint. De Yolande.

Haletant, il abandonna la corde. S'approcha des planches disjointes qui faisaient office de mur, hérissées de lames de soleil.

La grange n'était que bois, poutres, planchers, paille, sciure et vieux objets empilés à l'abandon. Le simple frottement d'une allumette en ferait un immense brasier.

L'idée d'une immolation par le feu lui enflamma aussitôt l'esprit lorsqu'il escalada deux malles, tel un chat ivre, pour arriver jusqu'à l'interstice pratiqué à l'Opinel. Cet œil sur l'extérieur qui lui avait toujours permis d'épier les habitudes de la ferme. Une étincelle, et tout partirait en fumée bien avant que quiconque puisse réaliser. Lui-même, anéanti, deviendrait cendre, se brésillerait, et sombrerait dans la paix éternelle. Oublié des vivants.

Il vit la silhouette un peu courbée de mémé Yolande devant la maison, qui regardait tout autour d'elle, sans doute avec cet air soupçonneux qu'elle avait toujours eu le concernant. Sa robe noire lui donnait une allure sévère. Il se rejeta en arrière quand elle s'attarda à détailler la grange comme si elle l'avait deviné derrière les lattes. Il fut presque soulagé de ne pas voir Marthe, dont l'œil acéré aurait transpercé les planches pour le trahir. Il ne savait pas qu'elle souffrait le martyre en attendant le médecin.

Tandis que l'image sombre s'imprimait en lui, son

cœur s'emballa davantage, jusqu'à lui faire définitivement mal. Il en fut surpris : depuis qu'il avait pris sa décision, celui-ci n'avait manifesté aucune rébellion, ni même d'appréhension. Pourtant, à cet instant, précisément au moment où sa grand-mère apparaissait, le cœur s'insurgeait, comme pour le détourner d'un acte aussi fou, aussi vain. Il paniquait, soudain conscient que ses efforts quotidiens pour maintenir en vie cette jeunesse saine allaient se mesurer à un dégoût fatal. Le cœur subissait l'assaut de l'esprit révolté.

Jean se repositionna devant la brèche. Mémé Yolande avait disparu. Ne restaient que l'espace et le soleil trop chaud, une journée pesante comme toutes celles du mois de juillet, la cour de la ferme emplie de gallinacés tranquilles et la vue dégagée, tout là-bas, sur les montagnes du Dévoluy, fumeuses et pâles dans la lumière éblouissante.

Quelque chose cependant exalta sa griserie ; la vieille chienne Tiki avait quitté le relatif confort de sa niche et s'était immobilisée face à la grange. L'animal, dont l'instinct percevait son drame, pointait son beau et doux museau blanchi dans sa direction et, sans le voir mais le sachant là, semblait attendre, hésiter... Comprendre ?

Il y eut trois secondes chargées d'émotion intense, comme cela se produit lorsqu'un instant de grâce saisit les sens. Le temps de quelques battements de cœur, tous deux se communiquèrent une affection indéfectible, que lui, l'homme, avait un peu oubliée au fil des dernières années, trop préoccupé à réussir son pari.

Une nouvelle vague de remords lui tordit les

entrailles, tandis qu'il restait à l'écoute, frissonnant malgré la chaleur.

Un autre appel rompit à nouveau le silence. La voix, qu'il crut reconnaître, acheva de le briser. Marion arrivait trop tard dans sa vie.

Alors, il ne sut plus s'il avait peur d'être surpris ou bien peur de mourir.

Quand il se remit à la tâche, ses doigts se firent plus malhabiles à nouer l'épaisse corde pour confectionner un lacet.

Il était trop tard. Pour tout.

Toutes ces années à courir après une chimère... Pour rien !

Au nom de l'inanité de ses efforts, au nom de ses actes manqués, il pouvait dire, maintenant qu'il s'avouait vaincu, que le piège avait trop bien fonctionné, que la vérité lui avait échappé.

Dans les dernières secondes de sa vie, tout ce qui lui restait de rancœur fondait sur sa mère.

La lourde corde rabattue sur l'épaule, il posa son pied sur le premier barreau de l'échelle et agrippa le montant lisse.

Mais son élan se figea.

Aussi soudain qu'inexplicable, un flash encombra ses gestes.

Comme dans un rêve, il revoyait le pépé raboter les bras de cette même échelle, polir les barreaux, les arrondir, limer les nœuds récalcitrants du pin. Il se revit lui-même passer un à un les rondins que le pépé encollait avant l'assemblage final. Si particulière, l'odeur d'amande de la colle blanche investit ses narines, tandis qu'il posait sa joue sur le montant de l'échelle en un abandon douloureux.

Il ferma les yeux, revenu à l'âge tendre, lorsqu'il était encore pur, si loin des vilenies et bassesses de ce monde, juste plein d'espoir, plein d'amour et d'ingénuité pour se construire à l'image des hommes.

Il allait se perdre dans l'infini.

Il crut sentir sur son front une caresse, fugitive et légère. Douce comme un souffle tiède. Il aurait aimé sombrer dans un océan de douceur.

En rouvrant les yeux, il eut un choc. Allons, il divaguait ! Aussi sûrement que Marthe, cette folle ! Comment pourrait-il être là, le vieil homme mort, celui-là même qui l'aurait retenu à la vie après la lui avoir rendue belle ? Il jura entre ses dents. Il ne croyait pas aux fantômes.

Que n'avait-il conservé son admiration, unique, pour ce vieillard aux actions pleines de bon sens et de sagesse ?

Que n'avait-il eu le pouvoir de le protéger de l'être maléfique qui avait décidé de son destin ?

Son coup de tendresse fut balayé par un autre accès de désespoir, à la limite du ressentiment.

Il eut un sursaut. Il n'appartenait qu'à lui-même. Il allait tirer seul les dernières ficelles de sa vie. Il lui fallait atteindre son dernier but, celui que personne ne revendiquerait jamais. Réussir sa sortie !

Il avait traversé tous les degrés du désabusement et du mépris de soi, pour finalement buter contre un mur infranchissable. Son ultime résolution, par-delà la vie dont il ne voulait plus, clôturait tous ses mauvais choix et le rendait à l'innocence.

Surmontant une réticence, il gravit les derniers barreaux en courant, comme pour échapper au harcèlement d'autres clichés. Il mit le pied sur la poutre centrale autour de laquelle il fixa un bout de la corde, jeta le reste par-dessus sa tête, sur une deuxième traverse. Le moulinet servit à arrimer le chanvre, à presque cinq mètres du plancher.

Une autre image l'assaillit, surgie de sa démence, alors que le nœud coulant oscillait devant lui comme un fruit défendu : image d'où germait le doute de l'utilité de son abandon du monde... la même corde déjà effilochée, qui lui servait autrefois, à cet endroit justement, de balançoire. Il lui fallait s'extraire de la spirale des souvenirs. Une corde poussée par le bras encore vigoureux de son ami... Des éclats de rire au temps de l'insouciance... Il lui fallait abréger cette souffrance-là aussi.

Une nouvelle fois, hallucinant, le visage du pépé emplit son champ visuel.

« Ne fais pas ça, mon Jean, ton heure n'est pas arrivée ! »

Encore la voix ! Sa voix ! Pour échapper à la vision, Jean se barricada derrière ses paupières crispées. En vain.

Légère, vaporeuse, mais saisissante de réalisme, l'image du vieillard chenu s'imposait. Alors qu'éclataient dans l'air électrique les hurlements de la chienne. La terreur de l'animal déclencha la sienne, le faisant crier à l'unisson :

— Va-t'en ! Va-t'en !

D'un revers désespéré de la main, il écrasa les gouttes, sueur ou larmes, qui se rejoignaient sous son menton. Maudissant Marthe, comme si la vision ne pouvait être que de son fait. Maudissant le monde, s'en remettant au diable. A Dieu. Peu importait. Il ne croyait en rien. Il sombrait dans la folie. Car ce n'était plus seulement le visage mais le corps tout entier du pépé qui s'interposait entre le vide et lui.

Il se concentra sur l'idée qu'il allait mourir au même endroit que le cher homme, ultime preuve de fidélité absolue... Il frissonna en imaginant le geste abject de Galliardi. Geste inutile, gratuit, pour rien, mille fois pour rien, hélas ! Au nom de quel amour forcené ?

Il n'entendit pas les cris qui se rapprochaient.

Il était déjà virtuellement mort. Très loin dans sa souffrance, où nul ne pouvait le rejoindre.

Sitôt qu'il eut glissé sa tête dans le lacet, il se jeta dans le vide. Trop vite pour que ses mains, d'un suprême réflexe de survie, pussent venir protéger sa gorge.

Tout à sa folie, Jean était sorti de la réalité.

Il n'avait pas assisté à l'arrivée de Yolande revenue des champs, catastrophée de découvrir sa sœur étendue sur le sol de la cuisine et souffrant atrocement. Il ne l'avait pas vue se précipiter chez les voisins pour téléphoner au médecin. Il l'avait juste aperçue en train de guetter les secours.

Il n'avait pas vu arriver en renfort Patricia Froment. Ni Marion, intimidée et pourtant déterminée à se rassurer sur Jean, après qu'elle eut appris l'effroyable embuscade grenobloise. Trop anxieuse d'imaginer Jean mêlé au drame de ses amis, la jeune fille était entrée dans la cour silencieuse et accablée de chaleur, avait tenté un appel avant de s'approcher du perron de la maison. Agitée, affairée, Yolande lui avait répondu du bout des lèvres que Jean Loubet habitait bien là. Marion s'était incrustée malgré les circonstances peu opportunes, donnant son immédiat soutien pour réconforter l'accidentée.

— J'ai glissé, j'ai glissé, répétait Marthe, les lèvres blanches, en s'accrochant aux mains de Patricia et de Yolande et en regardant intensément Marion à travers son supplice.

Jean n'avait pas entendu la voiture du docteur se garer brutalement devant le portail, ni ne l'avait vu se précipiter, son énorme sacoche de cuir à la main.

Les quatre femmes avaient été soulagées à son arrivée, mais à peine celui-ci avait-il eu le temps de supposer la cassure des os que Marthe les avait terrifiés. Soudainement raidie, elle avait ouvert de grands yeux sur un point à l'infini, les repoussant d'un geste péremptoire et leur intimant le silence. Immobiles, anxieux, craignant quelque folie, le médecin, Patricia et Marion s'étaient instinctivement écartés tandis que le cœur de Yolande s'était serré à lui faire mal.

Saccadé, le souffle de Marthe avait traduit son affolement avant qu'un tremblement ne s'empare de son corps, relançant la souffrance dans sa hanche.

— Mon Dieu ! s'était-elle écriée, exsangue. Il se tue ! Notre Jean se tue dans la grange !

Yolande avait bondi malgré son âge, laissant les autres tétanisés, victimes de leurs doutes et de leurs préjugés. Le docteur avait hésité. Mais Marion s'était élancée derrière la grand-mère, redoutant déjà le pire, imitée par Patricia, quand la chienne s'était mise à hurler à la mort.

— Allez, docteur, allez ! Pour l'amour du ciel ! Allez ! avait prié Marthe dans un dernier cri.

Lorsque le docteur avait atteint l'échelle du montoir, déjà Yolande en redescendait, le teint terreux.

— Va prévenir ton Eric, notre Jean s'est pendu ! disait-elle à Patricia d'une voix étouffée.

Epilogue

Un an. Un an déjà qu'il n'avait pu s'approcher de la grange, retenu par un inexplicable frein qui, sans aller jusqu'à l'effroi, le contraignait à oublier les faits survenus l'été précédent.

Pourtant, ce matin-là, un autre sentiment lui faisait aborder cet anniversaire avec l'étrange besoin de revenir côtoyer le mystère qu'il avait alors fui comme la peste.

Il savait qu'il le retrouverait là, derrière les planches gardiennes de son histoire.

Etait-ce la naissance prévue dans les prochains jours ? Etait-ce le regard de Marthe débordant d'une lumineuse lumière ? N'était-ce pas le merveilleux amour de Marion, qui le portait à bout de bras, qui l'apaisait ? Qui le reconstruisait petit à petit en le délestant de ses mauvaises pensées, le lavait de ses erreurs, lui apprenant à avancer sur son chemin d'homme, avec ou sans père ?

Une force le poussait à s'avancer vers le montoir après avoir longé les champs derrière la ferme. De loin, il en regardait l'accès qui semblait lui souffler de ne pas laisser les choses sombrer dans le néant d'une amnésie complaisante.

Il regarda Tiki dont le corps alourdi et un peu raide ralentissait leur promenade. Envahi de tendresse, il s'accroupit et enserra le fin museau frémissant entre ses mains. Puis il prit de la terre, la porta à ses narines tout en la pétrissant pour en sublimer les odeurs, et la huma profondément : « Tu prends la force de la terre, disait le pépé, tu prends la force de la terre en la respirant. »

Après le drame, Jean avait disparu un temps de la vie des siens, pour revenir un jour au bras de Marion, accueilli par la joie et l'émotion débordantes de Yolande et Marcel, des Froment et des voisins. Les yeux mouillés, Marthe l'avait regardé de son sourire tranquille avant qu'un profond soupir ne vînt traduire son soulagement. Alors, comme avant, comme toujours, tandis qu'il en retirait une merveilleuse force, Jean avait apprécié cet échange si particulier entre sa grand-tante et lui. Cette femme menue, qui prenait de l'âge tout en conservant au fond des yeux cette éternelle jeunesse de l'âme, il l'aimait parce qu'elle avait ce pouvoir de faire tomber les masques. Il n'avait plus, avec elle, à jouer de jeux inutiles.

Mais si Marthe représentait encore le lien avec ces choses si subtiles, si puissantes aussi, qui semblaient lier les humains au monde des morts – lien qu'il ne pouvait décemment plus nier –, elle n'avait plus jamais fait ou dit quoi que ce fût dans ce sens, le laissant retrouver la paix. Pendant qu'elle continuait elle-même ses entretiens extrordinaires avec les âmes de l'au-delà, forte d'une inébranlable foi, ayant en quelque sorte fait ses adieux à Adrienne montée dans les sphères lointaines pour s'éveiller encore et encore – « Afin de me ressourcer… Mon temps est venu de replonger dans le cœur de la vie », lui avait-elle dit un soir de printemps –, plus rien n'était survenu depuis ce jour fatidique, ni vision ni voix. Jean en avait éprouvé un soulagement.

Mais loin encore de lui était la sérénité qui lui rendrait définitivement son innocence volée. Une nouvelle peur le taraudait même, depuis quelques semaines, qu'il gardait secrète car inavouable.

Accepter l'amour de Marion, dans son intégralité, ne s'était pas fait en un jour. L'indifférence de sa mère à son égard n'avait pas été étrangère à cette peur d'aimer. Mais il avait franchi le cap, entraîné par la jeune femme rayonnante d'optimisme et de chaleur humaine sur la route de la confiance et de la connivence. Elle se plaisait à dire, dans de grandes envolées de rires, que pour s'aimer de la sorte ils s'étaient forcément connus avant, dans des vies antérieures, qu'ils avaient dû s'adorer peut-être en Chine ou dans l'Egypte ancienne, que leur amour résisterait à tout, en premier lieu au temps.

Attiré par lui, il dépassa pourtant le montoir et s'en revint à la ferme par la rue.

Les femmes étaient assises à l'ombre de la maison, des rires fusaient entre leurs propos animés. Elles avaient décidé de déjeuner dehors et avaient dressé la table des dimanches. Jean ne put s'empêcher d'évoquer l'absence de sa mère dans le groupe féminin.

Il ne l'avait plus revue depuis cette journée fatale.

Son regard caressa l'énorme ventre de Marion dont la grossesse arrivait à son terme, et il fut à nouveau envahi par cette inquiétude sourde, inconfortable.

Marthe s'était levée comme si elle l'attendait. Il comprit qu'elle souhaitait lui parler et la suivit dans la maison, la poitrine serrée de la voir boiter davantage. Sa mauvaise hanche avait eu du mal à se ressouder.

Elle lui tendit un petit objet doré qui aussitôt lui en rappela d'autres.

— Le père l'avait dans la main le jour de sa mort, fit-elle avec un sourire triste tout en lui refermant les doigts dessus.

— Pourquoi aujourd'hui ?

— Parce que aujourd'hui tu es prêt.

Le cœur battant, Jean ne rajouta rien, ramené à son attirance pour la grange.

Lorsque Yolande le vit traverser la cour, de sa démarche devenue longue et posée qui lui rappelait celle du père, elle eut un geste brusque qui alerta Marion. Mais Marthe leur fit un signe apaisant de la tête et toutes deux se rassérénèrent, restant néanmoins attentives, le souffle un peu plus court.

Jean posa ses yeux sur la bâche empoussiérée qui avait retrouvé sa fonction. Personne n'avait eu le courage de se défaire de la vieille 203. En effectuant le geste du pépé qui lui avait autrefois dévoilé la merveille, il se souvint de ce jour hivernal où il avait déposé ses premières empreintes dans la neige, de l'effort de l'homme pour réveiller le moteur engourdi. Empli d'émotion, il glissa ses doigts le long de la carrosserie beige.

Un profond soupir combattit l'espèce de panique qui le gagnait alors qu'il s'apprêtait à remonter le temps. Un autre lui permit de s'avancer jusqu'à l'échelle que Marcel avait réinstallée à sa convenance.

Il en saisit les montants, soudain déterminé à ne plus contrer cet élan, et s'éleva en souplesse pour atteindre la plate-forme de l'étage, où le prirent à la gorge des effluves de paille, de foin, de bois, senteurs à jamais associées à son enfance, avant que le paisible décor ne semblât s'animer, comme si, par la plus diabolique des inventions, la scène qu'il redoutait se reproduisait à l'infini à travers des miroirs judicieusements disposés.

Pris de vertige, il laissa ses sens se calmer, pour tout doucement récupérer sa raison.

Rien n'avait changé, si ce n'était une accumulation de poussière, et l'échelle, redescendue d'un étage.

Jean la considéra un instant avant de l'empoigner afin de la tirer jusqu'à lui, confronté à ce même geste rageur, vieux de dix ans, pour s'annexer l'endroit. Son exaspération d'alors, de manquer de force, aurait pu le faire sourire si l'instant n'avait été aussi émouvant et solennel.

Il positionna l'objet de bois à l'endroit fatidique et, surpassant sa confusion, accomplit la deuxième ascension pour accéder à la partie haute.

Là, un bouleversement sans bornes le força à s'asseoir. Il se trouvait exactement à l'endroit où, se jetant dans le vide, il avait espéré le choc mortel et libérateur. Un petit bout de corde, enroulé au-dessus de sa tête autour de la poutre, le ramenait tout entier à son désespoir fou.

Le cœur battant à cent à l'heure, privé de force, il se

laissa absorber par le passé comme l'eau l'est par le sable.

Il revécut la scène en spectateur, scène mille fois évoquée par les quelques témoins, autant pour narrer le miracle que pour l'informer, lui, de son inconcevable chance.

Il se revoyait faire le grand saut pour mettre un terme à sa vie, tout en éprouvant à nouveau cette terrible sensation de ralentissement et de douceur, incohérente avec la fin brutale attendue... L'impression, longtemps ressassée pour l'analyser, d'avoir été soutenu, retenu, emporté, n'avait plus rien d'absurde ici, sur les lieux mêmes de l'apparition.

Visionnaire, il découvrait son corps allongé cinq mètres plus bas, autour duquel gravitaient, aussi désorientés que bouleversés, le docteur, les deux gendarmes éberlués et sceptiques, arrivés deux minutes après le drame, et puis Yolande, Marion et Eric, désespérément tendus vers un souffle de vie.

— Déposé ! chuchota le docteur, effaré, qui prenait son pouls pour la trentième fois. On dirait qu'il a été déposé sans dommage sur ce tas de foin. Après une telle chute, il vit ! Et on dirait qu'il fait la sieste !

— Inimaginable ! constata le capitaine Durand. Comme il lui était tout aussi impossible de chuter à cet endroit-là ! Vous êtes absolument certain que personne n'aurait pu le déplacer à votre insu ?

Sa méfiance rejetait l'impensable, bien qu'il connût leur réponse.

En état d'ubiquité, Jean examinait tout en bas son

corps inerte, son cou ceint de la cravate de chanvre sur laquelle s'acharnait le docteur tout en évitant de lui manipuler la nuque.

— C'est à n'y rien comprendre, reprit celui-ci, la voix toujours basse et modérée, respectueux du prodige. Les vertèbres du cou auraient dû se briser sous l'impact ; or, regardez son visage ! Aucune contusion, aucune souffrance. Il ne vient pas de là-haut ! C'est irréaliste !

— Etes-vous sûr qu'il est en vie ?

— Est-il en état de choc ?

— Je crois plutôt qu'il dort profondément, expliqua le médecin aux deux femmes déchirées. Il se tue et on le retrouve plongé dans un sommeil bienheureux ! Si ce n'est pas un miracle, alors que l'on me dise quoi en penser.

— L'effilochure de la corde était insuffisante pour qu'elle se rompe de la sorte, intervint l'adjoint, qui étudiait l'objet depuis un moment. Le petit n'est pas assez lourd, même en se jetant de toutes ses forces dans le vide. Voyez le calibre des tresses ! On dirait qu'elles ont été sectionnées net !

— Regardez, vous autres, insistait le capitaine, tourmenté, la tête levée vers le bout de corde resté accroché à la poutre. Il est à plus de quatre mètres de l'aplomb du nœud. Il aura fallu qu'il se balance sacrément pour dévier de sa trajectoire ! Généralement, le suicidé se jette face à lui…

— Et la corde l'étrangle et le brûle, lui scie la peau, tandis que le choc lui casse la nuque, compléta le docteur. C'est à n'y rien comprendre. Sa position même est inexplicable et déconcertante. J'en ai pourtant vu, des hommes tombés de leur toit, des charpentiers accidentés.

— Tant de coïncidences, murmura Yolande, ça n'est plus une coïncidence...

Tous se regardèrent, échangeant leur trouble et leur incompréhension la plus totale, incapables d'interpréter de tels faits.

Comment leur entendement, soumis aux lois d'un rationalisme quotidien, pouvait-il admettre le pouvoir immense du monde des morts, sa participation à l'activité des vivants sans que ceux-ci ne s'en aperçoivent ?

Encore témoin de leur incrédulité inscrite dans leurs yeux et dans leurs gestes, Jean sortit de sa vision et laissa son regard s'envoler dans tous les coins et recoins de la grange, à la recherche de l'étrange, de la créature éthérée qui avait accompagné sa chute. Car Jean n'oublierait jamais ce contact, presque physique, avec la forme aérienne apparue sous les traits du pépé irradiant de bonté. Interposé entre son propre corps et le vide, l'être surnaturel avait eu la consistance de la ouate, Jean en avait ressenti l'extrême onctuosité avant d'aspirer à s'y perdre.

Il attendit longtemps un signe, aussi éphémère fût-il.

Enfin, il se releva pour se rapprocher du mur, dont il écarta les pierres et duquel il sortit la boîte en fer. Mais il ne put effectuer l'opération, se refusant à mélanger aux autres la pièce qui avait piégé le pépé. Il resta ainsi à genoux, assis sur les talons, le louis d'or dans le creux de la main, ne désirant pas introduire la turpitude au milieu de fiers souvenirs. Un découragement le prit. Etait-il réellement prêt ?

Sa pensée se tournait vers Marthe au moment où la chose se produisit.

Léger tout d'abord, un picotement caressa le dessus de ses mains. Puis il sentit une nette présence à ses côtés, qui lui fit tourner la tête. Le cœur en émoi, il chercha du regard tout autour de lui, certain qu'Il était là. Et sans le vouloir, ses doigts lâchèrent la pièce d'or, qui chuta avec un petit bruit mat sur le mauvais plancher, s'infiltra dans un interstice pour tomber à l'étage inférieur, rouler un bon mètre avant d'hésiter, reprendre un peu d'élan et repartir jusqu'au mur, vers le seul trou suffisamment large pour qu'elle y trouve passage et poursuive sa fuite. Le louis disparut à jamais dans un fin et long dédale de ciment et de pierres.

— N'est-ce pas ce que tu souhaitais, mon Jean ?

La voix, qui surgissait dans ses pensées, fit tressaillir Jean.

— Tu es là, souffla-t-il, la gorge bloquée.

— Je suis toujours, toujours là, répondant à ta moindre pensée.

Une espèce de soulagement se mêla au trouble de Jean, qui osa converser.

— J'ai mis si longtemps à admettre…

— Et à craindre, je sais. Mais tu n'as pas à redouter cette faculté que tu as de pénétrer les choses.

— Comme Marthe.

— Comme Marthe, qui détient une part de la grande vérité.

L'émotion noya les yeux de Jean, qui s'enveloppa la tête de ses mains.

– Rejette ces doutes sur ta capacité à aimer, reprit la belle voix rocailleuse.

— Comment sais-tu ? demanda Jean, éperdu.

— Tu n'es pas comme eux. D'ailleurs ta mère est en train de changer. Quant à ton père, à sa façon, n'aimait-il pas son fils d'un amour démesuré ? N'est-il pas en train de payer, volontairement et en connaissance de cause, son aveuglement de t'avoir accablé, toi, son second fils ? Le temps viendra d'un face-à-face.

— Comment pourrais-je me retrouver face à ce monstre ? Il t'a assassiné !

— Ne le juge pas, ne juge personne, il y a une raison pour tout ce qui arrive, même si cela paraît affreux dans ton monde physique. Tu comprendras bientôt, comme je commence à comprendre tant et tant de choses dont le simple humain ne peut avoir idée, avec toute la volonté et le cœur qu'il peut y mettre… La mort n'est que le passage d'une réalité à une autre. Il était temps que je parte, quelle qu'en soit la manière, afin que tu sois confronté à tes propres choix… Crois-moi, tu seras le premier à être émerveillé de ta capacité à aimer ce petit ange.

Jean ressentait la présence du pépé d'une manière si forte qu'il regarda tout autour de lui, s'attendant à le voir, revenu du monde invisible.

— Et Marion ? L'a-t-elle, cette capacité ? interrogea-t-il d'une voix bizarre.

— L'amour d'une mère ne finit jamais, fait partie du moindre souffle de l'enfant jusqu'à la fin de sa vie.

— Pourtant, la mienne…

— La tienne va te surprendre. Mais va, mon Jean, va, le petit ange arrive.

— Jean ! éclata une voix depuis le hangar. Jean ! Marion vient de perdre les eaux !

Marion s'était endormie, terrassée par la fatigue, après avoir donné vie à une petite Lucie. Le calme régnait dans la chambre blanche de la clinique muroise, propice à l'état d'esprit de Jean, que mille pensées bousculaient.

Penché sur le lit du bébé, à l'écoute de ses émotions, le nouveau père examinait le mince visage encore rouge et chiffonné. La boule dans sa poitrine grossissait, enflait jusqu'à l'étouffer, tandis qu'il avançait une main timide et écartait le drap blanc pour mieux découvrir la chair de sa chair. Comment une si petite chose pouvait-elle déjà combler le cœur de sa mère ? Jean se retourna vers Marion, qui conservait en dormant cet émerveillement qui l'avait frappé à sa sortie de la salle d'accouchement. Il revint à son examen, appréhendant tout à coup de se sentir en retrait de ce qu'il avait imaginé être une fusion. Il n'arrivait pas encorer à réaliser. Il éprouvait surtout un formidable élan envers sa femme. Il savait que cette enfant venait de renforcer leurs liens, mais restait à comprendre ce qui allait se passer entre cet être si vulnérable et lui.

Presque par jeu, ses doigts frôlèrent le front du nouveau-né endormi, ses joues, s'attardèrent sur le menton lisse et vinrent délicatement se glisser dans la petite menotte. Alors son cœur battit plus fort. Les doigts fins, minuscules et présumés sans force s'enroulaient autour de son index, s'agrippaient, s'accrochaient maintenant avec vigueur, lui transmettant un monde de sensations nouvelles. Fortes. Extrêmes. Une émotion inexprimable lui amena les larmes aux yeux et il se mit à lui chuchoter ses doutes et ses espoirs, à ouvrir son cœur. Les doigts ne lâchèrent pas leur prise et il n'osa plus bouger, le cœur amolli, fondu, terrassé par un amour immense.

Enfant spontanée, vive et rieuse, Lucie avait cette particularité d'aimer et de se faire aimer de tout le monde. Mais à travers ses rires et sa gaieté, la profondeur de son beau regard sombre étonnait, posé sur les êtres avec passion, contenant un monde d'interrogations et la volonté d'échanger. Ses longs cheveux bruns et bouclés lui donnaient un air de sauvageonne qui contrastait avec son air parfois trop sérieux. Elle parlait toujours à bon escient, sans timidité aucune ; aussi les autres pouvaient-ils s'interroger en saisissant entre son père, sa tante Marthe et elle une espèce de complicité secrète, marquée de sourires entendus et de longs regards où les silences semblaient parler d'eux-mêmes.

A trois ans, la fillette apportait le bonheur où qu'elle fût, rayon de soleil permanent, attendue avec impatience par Yolande et Marthe chaque samedi, par Josette aussi, qui n'osait le dire ni ne le montrait, mais dont la froideur apparente ne trompait personne.

Revenue à la ferme après sa rupture définitive avec Claude, la mère de Jean se découvrait un attachement excessif pour Lucie. Et par la grâce de cette enfant dotée déjà d'une inégalable bienveillance, les choses prendraient le temps qu'il faudrait, mais venait tout doucement le temps où la mère et le fils auraient autre chose à se dire que de simples remarques anodines sur tout et sur rien. La rancœur de Jean céderait au pardon. Marthe y veillait. Des questions encore vagues et retenues avaient abordé le cas d'Armand Galliardi, incarcéré après qu'il fut allé se rendre à la justice, et curieusement rapatrié depuis peu, à la prison de Varces, tout près. Le moment viendrait d'une possible communication entre les deux hommes... Il était bien trop tôt, mais le temps avait cela de magique qu'il prenait son temps pour que les choses se fassent ou se défassent au rythme des volontés humaines.

Des regards et des silences de Josette avaient déjà commencé à combler le vide de trop longues années d'absence affective.

Jean, dont le physique rappelait de plus en plus à sa mère un homme autrefois aimé, avait gagné en assurance et en tranquillité. Il avait repris et réussi ses études sous l'œil amoureux et vigilant de Marion, avait trouvé un travail sur Grenoble. Ses peurs avaient disparu, balayées par l'amour.

Ce jour-là, la fillette courait partout comme d'habitude, passait de l'un à l'autre en quête d'une caresse, rendait visite aux lapins, coursait les poussins, allait s'enquérir de Marcel affairé au jardin, avant de revenir mettre son nez dans les conserves de Yolande.

Le soleil avait disparu derrière les monts et la fraîcheur se faisait déjà ressentir bien que l'on fût début septembre.

Comme cela lui arrivait souvent, Marthe, depuis

son banc installé contre la façade de la cuisine, examinait l'enfant de cet œil si brillant que Yolande aurait aimé parfois découvrir les pensées qui l'animaient, car alors il semblait détenir tous les secrets de l'univers. Son examen laissa à Marthe un de ses sourires insondables qui intriguaient tant sa sœur.

Lorsque vint l'heure de se retrouver tous autour de son fameux chocolat gorgé de crème, que nul n'aurait sacrifié, les propos portèrent sur la transformation en cours d'une partie des écuries. Marcel avait fait effectuer des devis et donnait son avis au jeune couple sur les opérations à mener, l'approuvant de vouloir conserver l'architecture première.

Les lèvres encore ourlées de chocolat, Lucie les abandonna à leurs bavardages pour s'installer à terre auprès de ses jouets.

— Garder l'ossature et faire l'entrée du côté des jardins est une bonne idée, reprenait Marcel.

— Ça vous donnera une petite indépendance, fit Yolande.

— Il y a de quoi faire un joli appartement, approuva Marion en souriant à Jean.

— Et une deuxième chambre d'enfant, remarqua Marthe, qui débarrassait la table et qui sentit, amusée, tous les regards attentifs se poser dans son dos.

— Vous aurez le soleil levant, reprit Marcel après que tout le monde fut revenu au projet, et une jolie vue sur la campagne.

— On sera bien ici, les fins de semaine, apprécia Marion en jetant un œil à sa fille.

— Et on remettrait le petit portail bleu, celui qui

est dur à ouvrir, pour aller donner à manger aux poules.

Il y eut un silence ! Un de ces silences surprenants, palpables, inquiétants.

La phrase de Lucie aurait pu passer inaperçue au milieu de l'échange. Elle-même continuait à jouer à l'écart, concentrée sur sa boîte de coloriage. Tous ignorèrent son intervention. Tous, sauf Marthe et Yolande.

Ce fut le silence des deux sœurs et leur brusque immobilité qui attirèrent l'attention. Toutes deux fixaient Lucie.

Chacun crut à une bêtise de la fillette.

— Que se passe-t-il ? Qu'a-t-elle fait ? s'alarma Marion.

Cela avait-il un rapport avec ce qu'elle avait dit ? Qu'avait-elle dit, au juste ?

Marcel regarda Yolande, déjà soucieux. Elle n'allait pas s'y mettre, elle aussi, à radoter.

— Le portail bleu… chuchota Yolande, la mine comiquement allongée, le regard enfoncé dans celui de Marthe.

— Eh bien ? firent ensemble Jean et Marcel en se consultant du même œil interrogatif. Quel portail bleu ?

— Vous ne connaissez pas ce portail bleu, reprit Yolande toujours à voix basse, comme si elle craignait de manquer d'autres commentaires de la fillette, qui poursuivait son inspection des couleurs. Nous, oui. Un portail si dur à ouvrir pour nos petits bras d'enfant que le père ou mémé Adrienne venaient nous aider.

Et, se penchant au-dessus de la fillette, elle demanda doucement, malgré son air stupéfait :

— De quel portail parles-tu, ma chérie ?

Mais Lucie haussa gentiment les épaules, déjà loin de ses paroles, absorbée par ses crayons.

Alors Yolande releva son regard vers Marthe, retranchée dans un mystérieux silence.

Bibliographie

Neale Donald Walsch, *Conversations avec Dieu (un dialogue hors du commun)*, tomes 1, 2, 3 et *L'Amitié avec Dieu*, Editions Ariane.

Christophe, *Paroles de lumière*, Editions Fernand L. Anore – François Sorlot.

Baird T. Spalding, *La Vie des Maîtres*, Editions Robert Laffont.

Yves Lignon et Louis Benhedi, *La Vie derrière soi*, Editions Michel Lafon.

Anne Ray Wendling, *Un soleil trop tard* et *La Révélation de Samsara*, Editions du Rocher.

James Redfield, *La Prophétie des Andes*, Editions Robert Laffont.

Pour retrouver l'auteur :
www.brigittevarel.com

Impression réalisée sur CAMERON par

BUSSIÈRE CAMEDAN IMPRIMERIES

GROUPE CPI

à Saint-Amand-Montrond (Cher)
en septembre 2001

Edition exclusivement réservée
aux adhérents du Club
Le Grand Livre du Mois
15 rue des Sablons
75116 Paris
réalisée avec l'autorisation des Éditions Presses de la Cité

ISBN : 2-7028-6730-8

N° d'impression : 013852/1.
Dépôt légal : septembre 2001.

Imprimé en France

Edition exclusivement réservée
aux adhérents du Club
Le Grand Livre du Mois
15 rue des Sablons
75116 Paris
réalisée avec l'autorisation des Éditions Presses de la Cité

ISBN : 2-7028-6730-8

N° d'impression : 013852/1.
Dépôt légal : septembre 2001.

Imprimé en France